Educar hoy

Nadie dijo que fuera fácil

Si este libro le ha interesado y desea que lo mantengamos informado de nuestras publicaciones, escríbanos indicándonos cuáles son los temas de su interés (Astrología, Autoayuda, Esoterismo, Qigong, Naturismo, Espiritualidad, Terapias Energéticas, Psicología práctica, Tradición...) y gustosamente lo complaceremos.

Puede contactar con nosotros en comunicación@editorialsirio.com

Título original: NURTURESHOCK
Traducido del inglés por Miguel Iribarren Berrade
Diseño de portada: Editorial Sirio, S.A.

EDITORIAL SIRIO, S.A.
C/ Rosa de los Vientos, 64
Pol. Ind. El Viso
29006-Málaga
España

EDITORIAL SIRIO
Nirvana Libros S.A. de C.V.
Camino a Minas, 501
Bodega nº 8,
Col. Lomas de Becerra
Del.: Alvaro Obregón
México D.F., 01280

ED. SIRIO ARGENTINA
C/ Paracas 59
1275- Capital Federal
Buenos Aires
(Argentina)

www.editorialsirio.com
E-Mail: sirio@editorialsirio.com

I.S.B.N.: 978-84-7808-763-1
Depósito Legal: B- 13.844 - 2011

Impreso en los talleres gráficos de Romanya/Valls
Verdaguer 1, 08786-Capellades (Barcelona)

Printed in Spain

Po Bronson y Ashley Merrynan

Educar hoy

Nadie dijo que fuera fácil

Prefacio

Cary Grant está en la puerta

A finales de los años sesenta, los clientes del Magic Castle (el Castillo mágico) –un club nocturno privado de Hollywood, California, dirigido por magos profesionales– se sentían encantados al comprobar que el club había contratado a un portero que se parecía mucho a Cary Grant. Al acercarse, veían a un hombre apuesto con un traje impecable que les abría la puerta de par en par. «Bienvenidos al castillo», les decía con acento encantador, disfrutando de su papel de doble del famoso actor. Cuando los visitantes traspasaban la puerta, solían comentar el parecido entre risas. El club sólo está a unos metros del Teatro Chino y del Paseo de la Fama. Tener al mejor doble de Cary Grant sosteniéndote la puerta era la encarnación perfecta de la magia de Hollywood en todas sus formas.

Pero resulta que el portero que fingía ser Cary Grant no era un impostor. De hecho, era el verdadero Cary Grant.

Grant, socio fundador del Magic Castle, se sintió intrigado por la magia desde niño. Para él, y para muchos otros personajes famosos, parte del atractivo del club era que tenía una regla que se observaba a rajatabla: no se podían usar cámaras, ni sacar fotografías, y no se admitía a reporteros. Esto permitía a las estrellas disfrutar de una noche tranquila sin las molestias de la prensa del corazón.

Cary Grant solía estar en el recibidor con la recepcionista, Joan Lawton. Se pasaban horas hablando de un tipo de magia más profunda, algo que a Grant le importaba más que el escenario.

Los niños.

Lawton trabajaba en el Magic Castle por las noches, pero durante el día estudiaba pedagogía infantil. Grant, que entonces era padre de un niño pequeño, estaba fascinado por sus conocimientos. Le preguntaba por todo lo que había aprendido en sus investigaciones. «Lo quería saber todo sobre los niños», recuerda Joan. Cuando el famoso actor oía que llegaba un coche a la puerta, saltaba a recibir a sus ocupantes. No estaba tratando de engañar a los clientes intencionalmente, pero eso era lo que solía ocurrir. Los visitantes, que acostumbraban a pedirle autógrafos, ahora lo dejaban en paz.

Entonces, ¿por qué no reconocían que él era el verdadero Cary Grant?

El contexto los despistaba. Nadie esperaba que el auténtico Cary Grant hiciera el monótono trabajo de portero. Los magos que actuaban en el Magic Castle eran los mejores, de modo que los clientes acudían preparados para contemplar trucos de magia. Asumían que aquel hombre tan elegante era el primer truco de la noche.

Ésta es la clave. Cuando todo se presenta como entretenimiento –cuando se supone que todo tiene que ser sorprendente, mágico y fascinante– podemos pasar por alto el asunto verdadero, considerándolo un truco más para entretenernos.

Ciertamente, así ocurre en el campo de la ciencia.

Teniendo en cuenta la sobreabundancia de noticias en la que actualmente vivimos inmersos veinticuatro horas al día y siete días a la semana, gracias a los telediarios, los *blogs*, la prensa y los correos electrónicos, parece que ninguna innovación científica pasará desapercibida. Pero el hecho es que los descubrimientos científicos se están usando como estrellas de segunda: rellenan el tiempo cuando no hay grandes noticias ni titulares a toda página. El científico obtiene sus diez minutos de fama más para nuestro entretenimiento que para que nos lo tomemos en serio. Al día siguiente se le deja a un lado, mientras la prensa produce la nueva hornada de la *ciencia del día*. Cuando los descubrimientos científicos se presentan así, es imposible saber cuál de ellos merece nuestra atención.

La mayoría de las investigaciones científicas no se adaptan a la envoltura que exigen los medios de comunicación. Al menos en la ciencia del desarrollo infantil no ha habido un «¡eureka!» que encaje con la caracterización clásica de un gran descubrimiento científico. En lugar de ser el trabajo de un único estudioso, las nuevas ideas han sido propuestas por muchos investigadores, a veces docenas de ellos, que han llevado a cabo estudios en universidades de todo el mundo. Las verdades, en lugar de llegar en alas de un único experimento, han venido reptando, a lo largo de toda una década, a partir de la repetición de estudios y de refinar los anteriores.

El resultado es que hemos tenido muchas de las ideas importantes, que han ido confirmándose a lo largo de la última década, delante de la nariz. Pero colectivamente, como sociedad, no hemos reconocido su importancia.

Introducción

Por qué nuestras tendencias instintivas con respecto a los niños pueden estar tan fuera de lugar

Mi esposa tiene mucho gusto para el arte, con una excepción. En la habitación de invitados de nuestra casa cuelga una naturaleza muerta: un tiesto de geranios rojos junto a una regadera ocre, con un vallado de madera en el fondo. Es horrible, pero ése no es su peor pecado. Mi verdadero problema es que tiene su origen en uno de aquellos cuadros que se pintaban «por números».

Cada vez que lo miro, quiero sacarlo de casa y echarlo a la basura. Pero mi esposa no me deja, porque lo pintó su bisabuela en 1961. Ella tiende a apegarse a los objetos por motivos sentimentales, y nuestra casa está llena de trastos de su familia, pero no creo que ese cuadro contenga o transmita sentimientos genuinos. Tal vez hubo un indicio de ello el día que su bisabuela compró el equipo de pintura –un destello de una vida más creativa e inspirada– pero el producto final, en mi opinión, insulta a esa esperanza. En lugar de ensalzar su recuerdo, lo degrada.

Este tipo de cuadros crecieron como la espuma en la década de los cincuenta. Eran muy populares, como el *iPod* de nuestros tiempos. Se comercializaban con la idea de que la gente iba a tener mucho tiempo libre gracias a las lavadoras, las aspiradoras y las secadoras. En tres años, la Palmer Paint Company vendió más de 12 millones de este tipo de cuadros. Sin embargo, aunque este fenómeno fue muy popular, siempre estuvo rodeado por la controversia. Los críticos se sentían divididos entre el ideal democrático de dejar que todo el mundo se expresara y el tipo de expresión robótica y conformista que se estaba manifestando en este caso.

El otro día, estaba tratando de recordar cómo me sentía con respecto a la ciencia del desarrollo infantil hace varios años, antes de que Ashley Merryman y yo comenzáramos este libro, cuando de repente surgió en mi mente el cuadro del tiesto con los geranios. Tuve que ir a casa y mirar fijamente ese horrible cuadro durante una tarde antes de tomar conciencia de por qué me había venido a la mente su recuerdo. Acabé dándome cuenta de lo siguiente: la mezcla de sentimientos que generan los cuadros por números es similar a la mezcla de sentimientos que me engendran los libros sobre el desarrollo infantil. Esto se debe a que esta ciencia siempre dice que la paternidad debe «ajustarse a lo que mandan los cánones». Si la ciencia te dice X, se supone que tú tienes que hacer X, tal como la pintura por números te sugiere que uses tonos ámbar quemado para el mango de la regadera.

De modo que si hace unos años alguien me hubiera dicho: «Deberías leer este nuevo libro sobre pedagogía infantil», le habría dado las gracias educadamente y después habría ignorado por completo su recomendación.

Como la mayoría de los padres, mi esposa y yo compramos varios libros cuando nació nuestro hijo. Después del primer año, los retiramos al desván, hasta que tres años después, cuando nació nuestra hija, los libros volvieron a adornar nuestra estantería. Cuando nuestra hija cumplió su primer año, perdimos todo interés en ellos.

A la mayoría de nuestros amigos les pasaba algo parecido. Sabíamos que «no seguiríamos el libro a rajatabla», y tampoco queríamos hacerlo. Practicábamos la paternidad por instinto. Estábamos locamente enamorados de nuestros hijos y observábamos con cuidado sus necesidades y su desarrollo. Eso parecía suficiente.

Al mismo tiempo, Ashley y yo habíamos estado escribiendo conjuntamente algunas columnas para *Time Magazine*. En Los Ángeles, Ashley había dedicado años a dirigir un programa de acompañamiento para niños urbanos de barrios pobres. Ella era algo así como el hada madrina de unos cuarenta niños, una presencia constante en sus vidas desde el jardín de infancia hasta el instituto de secundaria. Guiada por su instinto, Ashley no carecía de ideas sobre cómo dirigir a los niños de su programa. Siempre había tenido inspiración. Lo único que le faltaban eran algunos tutores más y algo de material escolar.

En este sentido, ni Ashley ni yo éramos conscientes de lo que nos estábamos perdiendo. No nos dijimos a nosotros mismos: «Vaya, tengo que ponerme al día en pedagogía infantil porque la estoy liando». Más bien íbamos avanzando alegremente, hasta que tropezamos con la escritura de este libro.

Habíamos estado investigando la ciencia de la motivación en los adultos, y un día nos preguntamos cómo consiguen los niños tener confianza en sí mismos. Empezamos a investigar este nuevo punto de vista. (El artículo que escribimos salió en la portada del *New York Magazine* en febrero de 2007, y aquí lo hemos ampliado para componer el primer capítulo de este libro.) Lo que aprendimos nos sorprendió y al mismo tiempo nos desorientó. Antes de escribir ese artículo, nuestros instintos nos habían llevado a creer muy firmemente que para potenciar su confianza, era importante decir a los niños que eran inteligentes. No obstante, descubrimos una serie de datos que argumentaban de manera extremadamente convincente que este hábito estaba teniendo el resultado contrario al esperado. De hecho estaba minando la confianza de los niños.

Después de esta investigación cambiamos de comportamiento, pero nos quedó una pregunta sin respuesta: ¿cómo era posible que nuestras tendencias instintivas no tuvieran ninguna base?

Según la tradición, el instinto maternal es algo innato. A las mujeres se les asegura que no importa que hayan estado veinte años evitando a los bebés o que no se consideren a sí mismas muy maternales. En los momentos que siguen al parto, cuando se las pone por primera vez en contacto con el bebé, se activan los instintos maternales junto con las hormonas. Como madre, *sabrás* qué has de hacer, y seguirás sabiéndolo durante los dieciocho años siguientes. Se supone que esta fuente de conocimiento forma parte del equipo biológico, de poseer ovarios, como el deseo de llevar tacones altos y caros.

Gracias a este mito, usamos la palabra «instinto» para referirnos a la sabiduría colectiva acumulada intuitivamente con nuestras experiencias en la crianza de niños. Pero esto es una generalización. En realidad, el verdadero instinto –el impulso biológico que se activa– es un impulso feroz de cuidar y proteger a nuestros hijos. Los neurocientíficos han llegado a localizar exactamente la red neuronal donde se activa esta tendencia. Los padres expectantes pueden confiar en que el instinto se active, pero siguen teniendo que descifrar cómo cuidar *óptimamente* de los niños.

En otras palabras, nuestros «instintos» pueden estar muy fuera de lugar, porque en realidad no son instintos.

Actualmente, con tres años de investigación a nuestras espaldas, Ashley y yo entendemos que lo que considerábamos nuestras «tendencias instintivas» sólo eran reacciones inteligentes e informadas. A lo largo del camino, también hemos descubierto que esas reacciones estaban contaminadas por un embrollo de deseos, sesgos moralistas, modas contagiosas, historia personal y vieja psicología (falsa), todo a costa del sentido común.

El título original en inglés, *Nurture Shock*, hace referencia al pánico –común entre los nuevos padres– de que esa mítica fuente de conocimiento instintivo no se esté activando en absoluto.

Este libro te provocará una conmoción similar: usará la fascinante ciencia de la educación infantil para revelar que muchas de nuestras suposiciones más básicas sobre los niños ya no son válidas.

La premisa central es que muchas de las estrategias de las sociedades modernas para criar a los niños están resultando contraproducentes porque se han pasado por alto algunos aspectos clave de esta ciencia.

Suposiciones erróneas sobre el desarrollo infantil han distorsionado nuestros hábitos de paternidad, los programas escolares y las políticas sociales. Afectan a nuestra manera de pensar sobre los niños, y por lo tanto a nuestra manera de interpretar su conducta y de comunicarnos con ellos. No tenemos la intención de ser alarmistas, sino de enseñaros a pensar de otra manera, más profunda y clara, sobre los niños. Tened en cuenta que pequeñas correcciones en nuestra forma de pensar podrían alterar a largo plazo el carácter de la sociedad, afectando paulatinamente a cada futuro ciudadano.

En este libro se abordan muchos temas relacionados a partes iguales con la fibra cerebral y con la fibra moral, y que se refieren a niños de todas las edades, desde los más pequeños hasta los adolescentes. El planteamiento no podría ser más distante del meramente estadístico. En concreto, tenemos capítulos dedicados a la confianza, a las horas de sueño, a la mentira, a las actitudes raciales, a la inteligencia, al conflicto entre hermanos, a la rebelión adolescente, al autocontrol, a la agresión, a la gratitud y a la adquisición del lenguaje. Todos los capítulos son producto de nuestra colaboración mutua.

A lo largo del camino nos esforzaremos por repensar muchos temas considerados incuestionables, demasiados para enumerarlos aquí; entre los más destacados, sin embargo, se cuentan los siguientes: autoestima, Noam Chomsky, lecciones de conducir, la idea de que los niños son naturalmente ciegos a los conflictos raciales, la inteligencia emocional, enseñarles a no delatar a sus compañeros, la idea de que la televisión está haciendo que los niños engorden y la suposición de que el hecho de que el niño pueda decir «no» a la presión de sus compañeros es necesariamente una buena señal.

Hemos elegido estos temas porque las investigaciones nos sorprendieron: cuestionaban directamente los puntos de vista convencionales sobre el desarrollo infantil.

No obstante, cuando estudiamos los datos y revisamos las pruebas, esta nueva forma de pensar sobre los niños nos pareció lógica e incluso evidente. No tenemos que criarlos «siguiendo las reglas a rajatabla». Parecía algo completamente natural, una recuperación del sentido común. Las viejas suposiciones que teníamos no eran otra cosa que proyecciones de nuestros deseos. Cuando superamos la conmoción inicial, nos sentimos «conectados» con los niños de una manera completamente nueva.

1

El poder inverso del elogio

Claro, él es especial. Pero las nuevas investigaciones sugieren que si le dices eso, lo arruinarás. Se trata de un hecho neurobiológico.

¿Qué piensas de un niño como Thomas?

Thomas (es su segundo nombre) está en quinto curso en un centro muy competitivo: la escuela Anderson, de la 84 Oeste en la ciudad de Nueva York. Thomas, que está muy delgado, se ha cortado hace poco su largo pelo rubio para parecerse al nuevo James Bond (llevó una foto de Daniel Craig al peluquero). A diferencia de Bond, él prefiere un uniforme de pantalones estilo cargo y una camiseta decorada con la foto de uno de sus héroes: Frank Zappa. Thomas frecuenta a otros cinco chicos de la escuela Anderson. Son los «niños listos». Thomas es uno de ellos, y le gusta sentirse parte de ese grupo.

Desde que pudo caminar, ha oído constantemente que es listo. No sólo de sus padres, sino de cualquier adulto que ha tenido contacto con este niño precoz. Cuando se solicitó su ingreso en el jardín de infancia de la escuela Anderson, su inteligencia se confirmó estadísticamente. Esta escuela está reservada al 1% de los solicitantes que obtengan los mejores resultados, y se exige un test de inteligencia. Thomas no sólo se encontraba en ese 1%, sino dentro del primer 1% de ese 1%.

Pero, a medida que iba progresando en la escuela, esta autoconciencia de ser listo no siempre se plasmaba en una gran confianza a la hora de hacer sus deberes escolares. De hecho, su padre notó que ocurría lo contrario: «Thomas no quería probar cosas nuevas que no sabía hacer bien. Aprendía algunas cosas con mucha rapidez, pero, cuando no las aprendía así, renunciaba casi de inmediato, concluyendo que no valía para eso». Con una simple mirada, Thomas estaba dividiendo el mundo en dos: las cosas que hacía bien de manera natural y las que no.

Por ejemplo, en los primeros cursos no era muy bueno en ortografía, de modo que simplemente ponía reparos a deletrear en voz alta. Cuando vio por primera vez las fracciones, se plantó. El mayor obstáculo vino en tercero. Se suponía que tenía que escribir su caligrafía en cursiva, pero ni siquiera lo intentó durante semanas. A esas alturas su profesor le exigía que completara todo su trabajo en cursiva. En lugar de intentar ponerse al día, Thomas se negó rotundamente. Su padre intentó razonar con él: «Mira, el simple hecho de ser listo no significa que no tengas que esforzarte». Finalmente, Thomas dominó la cursiva, pero su padre tuvo que engatusarle.

¿Por qué este niño, que está en lo más alto de las estadísticas, carece de confianza para afrontar las tareas escolares habituales?

Thomas no es el único. Durante algunas décadas se ha venido notando que un gran porcentaje de los alumnos aventajados (los que puntúan en el 10% más alto en las pruebas de aptitud) subestiman intensamente sus propias habilidades. Los que se ven afectados por esta aparente falta de competencia esperan menos de sí mismos y sus criterios de evaluación son más bajos. Subestiman la importancia del esfuerzo, y sobreestiman la ayuda que necesitan de sus progenitores.

Cuando los padres elogian la inteligencia de sus hijos, creen que están creando la solución al problema. Según una encuesta realizada por la Universidad de Columbia, el 85% de los padres americanos creen que es importante decir a sus hijos que son listos. En el área de Nueva York y sus alrededores, según mi propia encuesta (abiertamente no científica), el número se aproxima más al 100%. *Todo el mundo* lo hace, habitualmente. «Eres tan listo, nene», es una frase que parece salirle a la gente de la boca con facilidad.

Una mamá alardeaba de haber dedicado elogios a su hijo «desde muy temprano y con frecuencia». Otro padre lo elogia «cada vez que puede». Oigo que los niños van a la escuela llevando en sus mochilas notas manuscritas para reafirmarlos y, cuando vuelven a casa, sus padres les dejan como premio mapas de estrellas sobre el frigorífico. Los niños consiguen cromos de béisbol por limpiar sus platos después de la cena y las niñas ganan manicuras por hacer las tareas. Estos niños están saturados de mensajes de que lo están haciendo muy bien, de que son geniales de manera innata. Tienen todo lo necesario.

La suposición es que si un niño cree que es listo (porque se lo han dicho repetidamente), no se sentirá intimidado por nuevos retos académicos. Se cree que el elogio constante es un ángel sobre sus hombros que le da seguridad para que no crea que tiene menos talento del que realmente tiene.

Pero una creciente cantidad de investigaciones y un nuevo estudio procedente del sistema de escuelas públicas de Nueva York sugieren claramente que podría ser al revés. Poner a los niños la etiqueta de «listos» no les impide rendir poco en la escuela; en realidad, podría ser la causa de un bajo rendimiento.

Aunque la doctora Carol Dweck se ha incorporado recientemente al cuerpo docente de la Universidad de Stanford, en California, ha vivido la mayor parte de su vida en Nueva York; se crió en Brooklyn, fue a la universidad en Barnard y enseñó en Columbia durante décadas. Esta nueva californiana renuente acaba de sacarse el carné de conducir a la edad de sesenta años. Otros profesores de Stanford bromeaban diciendo que pronto empezará a llevar colores brillantes en sus prendas de alta costura, pero de momento Dweck se queda con el negro de Nueva York: botas de gamuza negra, camisa negra y elegante chaqueta negra. Todo ello combina con su pelo y sus grandes cejas negras, una de las cuales está perpetuamente levantada, como si hubiera algo que no se creyera. Menuda como un pájaro, hace gestos elaborados con las manos, casi como si sostuviera su idea frente a ella, rotando físicamente en el espacio tridimensional. Su manera de hablar, sin embargo, no se parece a la de la mayoría de los impacientes neoyorquinos. Se expresa como si estuviera leyendo una canción infantil, con momentos dramáticos suavemente agudizados.

Durante los últimos diez años, Dweck y su equipo de la Universidad de Columbia han estudiado el efecto de los elogios sobre los estudiantes en veinte escuelas de Nueva York. Su trabajo inicial –una serie de experimentos con 400 niños de quinto curso– dibuja el cuadro con toda claridad. Antes de estos experimentos se había demostrado que elogiar la inteligencia potenciaba la confianza de los niños. Pero Dweck sospechaba que esto sería contraproducente en cuanto el niño fracase o experimente alguna dificultad.

La doctora envió a cuatro mujeres investigadoras de su equipo a las aulas de quinto curso de Nueva York. Éstas tomaban a un único niño de la clase para pasarle un test no verbal de inteligencia que consistía en componer una serie de rompecabezas, lo suficientemente fáciles como para que todos los alumnos lo hicieran bien. Cuando el niño acababa la prueba, las investigadoras le decían la puntuación obtenida y después le dedicaban un único elogio. Se dividió a los niños al azar en dos grupos, y a unos se los elogió por su *inteligencia*. Se les dijo: «Tú eres muy bueno en esto». A los otros se los elogió por su esfuerzo: «Debes de haber trabajado muy duro».

¿Por qué sólo un elogio? «Queríamos ver lo sensibles que eran los niños. Teníamos la corazonada de que un único elogio podría ser suficiente para tener efecto», explicó Dweck.

Seguidamente, para la segunda vuelta, a los estudiantes se les dio a elegir entre dos pruebas. Una de ellas era mucho más difícil que la anterior, pero las investigadoras dijeron a los niños que aprenderían mucho intentando ensamblar aquellos rompecabezas. La otra opción, según explicó el equipo de Dweck, era una prueba fácil, como la primera. De los que habían sido elogiados por su esfuerzo, el 90% eligió la serie de rompecabezas *más difíciles*. De los elogiados por su inteligencia, la mayoría optó por la prueba *fácil*. Los niños «listos» se acobardaron.

¿Por qué ocurrió esto? «Cuando alabamos a los niños por su inteligencia –escribió Dweck en las conclusiones de su estudio–, les estamos diciendo que el juego es: aparenta ser listo, no te arriesgues a cometer errores.» Y eso es lo que hicieron aquellos niños de quinto. Eligieron parecer listos y evitar el riesgo de sentirse avergonzados.

En una ronda posterior, ninguno de los niños de ese curso tenía elección. La prueba era muy difícil porque estaba diseñada para alumnos de séptimo. Previsiblemente, todos fracasaron. Pero, una vez más, los dos grupos de niños, divididos al azar al comienzo del estudio, respondieron de manera diferente. Aquellos que habían sido alabados por su esfuerzo en la primera prueba asumieron que simplemente no se habían concentrado lo suficiente en esta segunda. «Se implicaron mucho, y estaban dispuestos a probar todas las soluciones a los rompecabezas –recordó Dweck–. Muchos de ellos comentaron, sin ser provocados: 'Ésta es mi prueba favorita'». Por el contrario, no fue así para los que habían sido elogiados por su inteligencia. Asumieron que su fracaso era la prueba de que en realidad no eran nada listos. «Simplemente viéndolos podías notar la tensión. Estaban sudando y sintiéndose fatal.»

Después de haber inducido artificialmente esta ronda de fracasos, los investigadores de Dweck les dieron a todos los niños una última ronda de pruebas diseñadas para ser tan fáciles como las primeras. Los que habían sido alabados por sus esfuerzos mejoraron de manera significativa su primera puntuación, aproximadamente en un 30%. Aquellos a los que se les había dicho que eran listos lo hicieron peor que la primera vez, aproximadamente en un 20%.

Dweck había sospechado que los elogios podrían ser contraproducentes, pero hasta ella se quedó sorprendida por la magnitud del efecto, y explicó: «Resaltar el esfuerzo da al niño una variable que él puede controlar. Puede ver que tiene control sobre su nivel de éxito. Poner énfasis en la inteligencia natural hace que la situación esté fuera del control del niño, y no ofrece una buena receta para responder a un fracaso».

En las entrevistas que siguieron, Dweck descubrió que quienes creen que la inteligencia innata es la clave del éxito empiezan a descartar la importancia del esfuerzo. «Soy listo –razona el niño–; no necesito esforzarme». Hacer esfuerzos llega a estar estigmatizado: es la prueba pública de que no puedes conseguirlo con tus dones naturales.

En la repetición de sus experimentos, Dweck descubrió que este efecto del elogio sobre el rendimiento era válido para los estudiantes de todas las clases socioeconómicas. Afectaba tanto a los niños como a las niñas, y especialmente a las niñas más brillantes (eran las que más se desplomaban después del fracaso). Ni siquiera los alumnos de preescolar eran inmunes al poder inverso del elogio.

Jill Abraham es madre de tres hijos, vive en Scarsdale y su punto de vista es el típico de las personas a las que tanteo. Le hablé de la investigación de Dweck sobre los elogios y dijo contundentemente que no le interesaban las pruebas breves sin un seguimiento a largo plazo. Jill está incluida en el 85% de las personas que creen que es importante elogiar la inteligencia de los niños. Explica que su familia vive en una comunidad muy competitiva; una competición que comienza mucho antes de que los bebés tengan un año y medio y empiecen a ser entrevistados para ir a la guardería. «Los niños que no creen firmemente en sí mismos empiezan a ser empujados de aquí para allá, y no sólo en el patio de recreo, también en clase.» De modo que Jill quiere armar a sus hijos con una firme creencia en sus habilidades innatas. Los elogia abundantemente: «No me importa lo que digan los expertos –dice desafiante–. Yo lo estoy viviendo».

Jill no fue la única que expresó su menosprecio por estos «expertos». El consenso era que sus breves experimentos en un entorno controlado no son comparables con la sabiduría de los padres que educan a sus hijos cada día.

Incluso los que han aceptado las conclusiones de estas nuevas investigaciones sobre los elogios tienen problemas para ponerlas en práctica. Sue Needleman es madre de dos hijos y maestra de primaria con once años de experiencia. El último año fue maestra de cuarto en la escuela de Ridge Ranch, en Paramus, Nueva Jersey. Nunca había oído hablar de Carol Dweck, pero lo esencial de sus investigaciones había llegado hasta su escuela, y Needleman aprendió a decir: «Me gusta cómo sigues intentándolo». Trata de dedicar elogios específicos más que generales para que el niño sepa exactamente qué ha hecho para ganárselos (y así poder conseguir más). Ocasionalmente le dice a un alumno: «Eres bueno en matemáticas», pero nunca le dice a ninguno que es malo en matemáticas.

Pero esto es lo que ocurre en la escuela, y lo que ella hace como profesora. En casa, los viejos hábitos tardan en morir. Ciertamente su hija de ocho años y su hijo de cinco son listos, y a veces se oye a sí misma decir: «Eres genial. Lo has conseguido. Eres muy listo». Cuando la presiono a este respecto, Needleman dice que los resultados de los estudios académicos a menudo parecen artificiales: «Cuando leo esos diálogos ridículos, lo primero que pienso es: 'Oh, por favor. ¡Qué trillado!'».

Los profesores del instituto de secundaria Life Sciences, de Harlem Este, no tienen este tipo de dudas, porque han visto las teorías de Dweck aplicadas a sus alumnos. Dweck y su protegida, la doctora Lisa Blackwell, publicaron un informe en la revista académica *Child Development* sobre el efecto de una intervención de un semestre de duración llevada a cabo para mejorar las puntuaciones de los estudiantes en matemáticas.

Life Sciences es un centro orientado hacia las ciencias de la salud con elevadas aspiraciones, aunque cuenta con 700 alumnos cuyos principales atributos son pertenecer a minorías y no obtener buenos resultados escolares.

Blackwell dividió a sus niños en dos grupos para hacer un taller de ocho sesiones de duración. Al grupo de control se le enseñaron técnicas de estudio, y al otro grupo se le enseñaron también técnicas de estudio junto con un módulo especial acerca de que la inteligencia no es algo innato. Estos alumnos leyeron por turno un ensayo sobre el crecimiento de nuevas neuronas cerebrales cuando las personas afrontan los desafíos. Vieron diapositivas del cerebro y representaron escenas. «Incluso mientras enseñaba estas ideas –indicó Blackwell– oía a los estudiantes bromear, y llamarse unos a otros 'tonto' o 'estúpido'». Cuando el módulo concluyó, hizo un seguimiento de las puntuaciones de sus estudiantes para ver si había tenido algún efecto.

No hizo falta mucho tiempo. Los profesores –que no sabían qué alumnos habían sido asignados a cada taller– pudieron distinguir a los que habían aprendido que la inteligencia puede desarrollarse. Éstos mejoraron sus hábitos de estudio y sus calificaciones. En un solo semestre, Blackwell invirtió la tendencia de estos estudiantes de conseguir notas cada vez más bajas en matemáticas.

La única diferencia entre el grupo de control y el grupo sometido a la prueba fueron dos lecciones: un total de cincuenta minutos dedicados no a enseñar matemáticas, sino a enseñar a los alumnos una única idea: que el cerebro es un músculo. Ejercitarlo más te hace más inteligente. Esto bastó para mejorar sus notas en matemáticas. «Estos descubrimientos son muy persuasivos –afirma la doctora Geraldine Downey, de Columbia, especialista en la sensibilidad de los niños al rechazo–. Demuestran que puedes tomar una teoría específica y desarrollar un programa que funcione».

El comentario de Downey es típico de lo que sostienen otros especialistas en este campo. El doctor Mahzarin Banaji, psicólogo social de Harvard experto en estereotipar, me dijo: «Carol Dweck es genial. Espero que su trabajo se tome en serio. La gente siente miedo cuando ve esos resultados».

Desde que Nathaniel Branden publicó *La psicología de la autoestima* en 1969, obra en la que opina que la autoestima es la faceta más importante en la vida de una persona, la creencia de que uno debe hacer lo que pueda para tener una autoestima positiva se ha convertido en un movimiento con amplios efectos en la sociedad.

Para 1984 la legislatura de California había creado un grupo de trabajo oficial dedicado a fomentar la autoestima de los ciudadanos, pues se creía que esta cualidad lo conseguiría todo, desde reducir la dependencia de los subsidios hasta bajar el número de embarazos en chicas adolescentes. Estos argumentos convirtieron la autoestima es un tren imparable, particularmente en lo relacionado con los niños. Cualquier cosa potencialmente dañina para la autoestima infantil fue cortada de raíz. Se fruncía el ceño ante las competiciones. Los entrenadores de fútbol dejaron de contar los goles y dieron trofeos a todos los participantes. Los profesores se deshicieron de sus lápices rojos. Las críticas fueron reemplazadas por elogios omnipresentes y a veces inmerecidos. Incluso hay un distrito escolar en Massachusetts en el que los niños, en la clase de gimnasia, «saltan a la cuerda» sin cuerda, para no sufrir la vergüenza de tropezarse.

El trabajo de Dweck y Blackwell forma parte de un cuestionamiento académico más amplio a uno de los principios clave del movimiento a favor de la autoestima: que el elogio, la autoestima y los resultados suben y bajan conjuntamente. Desde 1970 hasta 2000, se han escrito más de 15.000 artículos sobre autoestima y su relación con todo, desde el sexo hasta el éxito profesional. Pero el resultado a menudo ha sido contradictorio o poco concluyente. De modo que en 2003 la Association for Psychological Science pidió al doctor Roy Baumeister, entonces uno de los grandes defensores de la autoestima, que revisara dichos escritos. Su equipo concluyó que la investigación de la autoestima estaba contaminada por una ciencia errada. La mayoría de aquellos 15.000 estudios pedían a la gente que puntuara su autoestima y después que evaluaran su propia inteligencia, su éxito profesional, sus habilidades relacionales, etc. Estos informes elaborados por las propias personas eran muy poco fiables, pues la gente con la autoestima elevada suele tener una percepción inflada de sus habilidades. Sólo 200 de los estudios emplearon un método de medir la autoestima y sus resultados científicamente coherente.

Después de revisar esos 200 estudios, Baumeister concluyó que poseer una alta autoestima no mejoraba las calificaciones ni los logros profesionales. Ni siquiera rebajaba el consumo de alcohol. Y especialmente no disminuía la violencia de ningún tipo. (Las personas muy agresivas y violentas suelen tener una alta opinión de sí mismas, lo que desbanca la teoría de que la gente es agresiva para compensar su falta de autoestima.)

En aquel tiempo se comentó que Baumeister afirmaba que aquellos descubrimientos habían sido la mayor decepción de su carrera.

Ahora está del lado de Dweck en este debate, y su trabajo avanza en una dirección parecida. Recientemente ha publicado un artículo en el que muestra que para los alumnos universitarios que están a punto de fracasar, las alabanzas destinadas a generar una elevada autoestima hacen que las calificaciones se hundan todavía más. Baumeister ha llegado a creer que apelar continuamente a la autoestima está muy vinculado al orgullo que sienten los padres por los logros de sus hijos: es tan fuerte que «cuando elogian a sus hijos, están un poco elogiándose a sí mismos».

En general, la literatura sobre el elogio muestra que puede ser eficaz, puede ser una fuerza positiva y motivadora. En un estudio, los investigadores de la Universidad de Notre Dame pusieron a prueba la eficacia de los elogios en un equipo universitario de jockey que iba perdiendo. El experimento funcionó: el equipo llegó a las últimas rondas eliminatorias. Pero no todos los elogios son iguales y, como demostró Dweck, sus efectos pueden variar significativamente, dependiendo del contenido del elogio. Los investigadores han descubierto que, para ser eficaz, el elogio tiene que ser específico. (A los jugadores de jockey se les elogió específicamente por el número de veces que contenían a un oponente.)

La sinceridad de la alabanza también es crucial. Según Dweck, el mayor error que hacen los padres es asumir que sus hijos no son lo suficientemente sofisticados para ver y sentir sus verdaderas intenciones. Así como podemos detectar el verdadero significado de un cumplido ambiguo o de una disculpa no sincera, también los niños descubren las intenciones ocultas en los elogios. Sólo los más pequeños –menores de siete años– se creen los elogios sin más; los niños mayores sospechan tanto de ellos como los adultos.

El psicólogo Wulf-Uwe Meyer, pionero en este campo, realizó una serie de estudios durante los cuales los niños observaban a otros estudiantes recibir alabanzas. Según sus descubrimientos, a la edad de doce años los niños creen que recibir elogios de un profesor no significa que hayas hecho las cosas bien; en realidad es señal de tu falta de habilidad y de que el profesor cree que necesitas que se te anime. Han captado la pauta: a los que se quedan atrás se les llena de elogios. Los adolescentes, descubrió

Meyer, los descartan hasta tal punto que creen que en realidad son críticas del profesor –no son elogios en absoluto–, acompañadas de una opinión positiva sobre la actitud del alumno.

En opinión del psicólogo cognitivo Daniel T. Willingham, el profesor que elogia a un niño podría estar enviando inadvertidamente el mensaje de que ha llegado al límite de su capacidad innata, mientras que el profesor que critica a un alumno transmite el mensaje de que éste puede mejorar su rendimiento todavía más.

La profesora de psiquiatría de la Universidad de Nueva York Judith Brook explica que se trata de un asunto de credibilidad: «El elogio es importante, pero no el elogio vacío –dice–. Tiene que basarse en algo real, alguna habilidad o talento que el alumno tenga. Cuando los niños escuchan elogios que consideran inmerecidos, no sólo descartan los elogios poco sinceros, sino también los sinceros».

El exceso de elogios también distorsiona la motivación de los niños, que empiezan a hacer cosas únicamente para escuchar las alabanzas, perdiendo de vista el disfrute intrínseco de la acción que estén realizando. Los investigadores del Reed College y de Stanford revisaron más de 150 trabajos sobre el elogio. Sus análisis determinaron que los alumnos elogiados se vuelven reacios al riesgo y sienten que no tienen autonomía. Los investigadores descubrieron correlaciones coherentes entre el uso liberal del elogio y una «menor persistencia en la tarea, más control visual del profesor y una manera de hablar que hace que las respuestas tengan la entonación de preguntas» por parte de los estudiantes. Cuando llegan a la universidad, los alumnos más elogiados suelen preferir abandonar las clases que sufrir una nota mediocre, y les cuesta mucho elegir licenciatura: tienen miedo de comprometerse con algo porque temen no tener éxito.

Una profesora de secundaria de Nueva Jersey me dijo que podía distinguir a los niños que reciben demasiados elogios en casa. Sus padres *piensan* que les están dando apoyo, pero los alumnos notan las elevadas expectativas de sus progenitores, y sienten tanta presión que no pueden concentrarse en el tema, sólo en la nota que reciben. Una madre me dijo: «Estás destruyendo la autoestima de mi hijo» porque le había puesto un aprobado. Y yo le respondí: «Tu hijo es capaz de hacerlo mejor». Yo no estoy aquí para hacer que se *sienta* mejor. Estoy aquí para hacer que lo *haga* mejor.

Podemos creer que, cuando crecen, los niños demasiado elogiados se transforman en blandengues desmotivados, pero los investigadores informan de lo contrario. Dweck y otros han descubierto que los niños más elogiados se vuelven más competitivos y más interesados en derrotar a los demás. El mantenimiento de la imagen se convierte en su principal preocupación. Según señala Dweck, hay una serie de estudios muy alarmantes que lo demuestran.

En uno de ellos, a los alumnos se les presentan dos pruebas tipo rompecabezas. Entre el primer y el segundo rompecabezas se les permite elegir entre aprender una nueva estrategia para la segunda prueba o averiguar cómo lo han hecho con relación a los demás alumnos en esa primera prueba: sólo tienen suficiente tiempo para hacer una cosa o la otra. Los elogiados por su inteligencia eligen descubrir cuál es su puesto dentro de la clase, en lugar de usar su tiempo para prepararse.

En otro estudio, los estudiantes obtienen un cuaderno de notas que ellos mismos deben confeccionar y se les dice que esas notas serán enviadas a los alumnos de otra escuela; ellos nunca llegarán a conocerlos ni sabrán sus nombres. De los niños elogiados por su inteligencia, el 40% miente, inflando sus puntuaciones. De los elogiados por su esfuerzo, muy pocos lo hacen.

Cuando los estudiantes hacen su transición a secundaria, algunos de aquellos a los que les fue bien en primaria inevitablemente tienen que esforzarse en este nuevo entorno, más amplio y exigente. Los que equiparan su antiguo éxito con sus capacidades innatas asumen que han sido tontos en todo momento. Sus notas nunca se recuperan porque el elemento clave de su recuperación –incrementar su esfuerzo– sólo les parece una prueba más de su fracaso. En las entrevistas, muchos confiesan que «piensan seriamente en hacer trampas».

Los estudiantes recurren a las trampas porque no han desarrollado una estrategia para afrontar el fracaso. El problema se complica cuando un padre ignora los fracasos de su hijo e insiste en que le irá mejor la próxima vez. La investigadora de Michigan Jennifer Crocker estudia exactamente este escenario y explica que el alumno llega a creer que el fracaso es algo tan terrible que la familia no puede reconocer su existencia. Un niño que carece de la oportunidad de comentar sus errores no puede aprender de ellos.

Dejar los fracasos a un lado y enfocarse sólo en lo positivo no es lo normal en todo el mundo. Un joven erudito de la Universidad de Illinois, el doctor Florrie Ng, reprodujo el paradigma de Dweck con alumnos de quinto en Illinois y en Hong Kong. Ng añadió una dimensión interesante al experimento. En lugar de hacer que los niños realizaran el breve test de inteligencia en sus escuelas, sus madres los llevaron a la oficina del investigador en el campus universitario (tanto en Urbana-Champaign como en la Universidad de Hong Kong). Mientras las madres se sentaban en la sala de espera, a la mitad de los niños se les dio al azar un test muy difícil, del que sólo pudieron contestar bien aproximadamente la mitad, para inducir una sensación de fracaso. En ese punto, se les dio un descanso de cinco minutos antes de la segunda prueba, y a las madres se les permitió entrar en el aula para hablar con sus hijos. En el camino de entrada, a las madres se les dijo la puntuación de sus hijos y se les contó una mentira: que esa puntuación suponía un resultado por debajo de la media. Cámaras ocultas grabaron la interacción de cinco minutos entre la madre y el niño.

Las americanas evitaron cuidadosamente hacer comentarios negativos, y se mantuvieron bastante animadas y positivas con sus hijos. Pasaron la mayor parte del tiempo hablando de otras cosas, como qué comerían para cenar, y no de la prueba que estaban realizando. Por el contrario, los niños chinos tenían más probabilidades de escuchar: «No te has concentrado al hacerlo» o «Vamos a repasar tu test». Pasaron la mayor parte del descanso hablando del test y de su importancia.

Después del descanso, las puntuaciones de los niños chinos en la segunda prueba aumentaron un 33%, más del doble que los americanos.

Podría parecer que las madres chinas se comportaron con dureza y crueldad, pero ese estereotipo no refleja a los padres modernos de Hong Kong. Y tampoco fue exactamente lo que Ng vio en las cintas de vídeo. Aunque sus palabras eran firmes, las madres chinas sonrieron y abrazaron a sus hijos tanto como las americanas, y no fruncieron el ceño ni elevaron la voz.

Mi hijo, Luke, está en preescolar. Parece super sensible al posible juicio de sus semejantes. Luke lo justifica diciendo: «Soy tímido», pero en realidad no lo es. No tiene miedo en las ciudades que no conoce ni a hablar con extraños, y en su escuela ha cantado frente a audiencias muy numerosas. Más bien yo diría que es orgulloso e inhibido. Su colegio tiene uniformes simples (camiseta y pantalones de marinero), y a mi hijo le encanta que no le puedan ridiculizar por elegir esa ropa «porque entonces ellos también se estarían ridiculizando a ellos mismos».

Después de leer la investigación de Carol Dweck, empecé a cambiar mi manera de elogiarle, pero no del todo. Supongo que mi duda era que la actitud que Dweck quiere que tengan los estudiantes –una creencia firme en que la manera de recuperarse de un fracaso es trabajar más duro– suena terriblemente estereotipada: inténtalo, inténtalo otra vez.

Pero resulta que la capacidad de responder repetidamente al fracaso haciendo más esfuerzo –en lugar de simplemente renunciar– es un rasgo bien estudiado en psicología. La gente que posee este rasgo de persistencia se recupera bien y puede mantener su motivación durante extensos periodos en los que se pospone la gratificación. Ahondando en esta investigación, aprendí que la persistencia es algo más que un acto consciente de la voluntad; también es una respuesta inconsciente gobernada por un circuito cerebral. El doctor Robert Cloninger, de la Universidad Washington, en St. Louis, localizó esta red neuronal que discurre por el córtex prefrontal y el cuerpo estriado ventral. Este circuito controla el centro de recompensas del cerebro y, como un interruptor, interviene cuando no hay una recompensa inmediata. Cuando se activa, le dice al resto del cerebro: «No dejes de intentarlo. Hay dopa [el premio que ofrece la química cerebral por tener éxito] en el horizonte». Al examinar a la gente con el escáner MRI, Cloninger pudo ver este interruptor activándose con frecuencia en algunas personas, mientras que en otras apenas lo hacía.

¿Qué hace que algunos individuos tengan la capacidad de mantener este circuito activo?

Cloninger ha entrenado a ratas y ratones a perseverar en los laberintos teniendo cuidado de *no* premiarlos al llegar al final. «La clave es el refuerzo intermitente», dice. El cerebro tiene que aprender que es posible resolver los episodios frustrantes. «La persona que crece recibiendo premios demasiado frecuentes no tendrá perseverancia, porque abandonará cuando el premio desaparezca.»

Esto me impactó. Había pensado que «adicto al elogio» sólo era una expresión, pero, de repente, tomé conciencia de que podría estar preparando el cerebro de mi hijo para que sintiera la necesidad química de ser premiado constantemente.

¿Qué significaría renunciar a elogiar a los niños con tanta frecuencia? Bueno, si yo soy un ejemplo, hay etapas en esta retirada, y cada una de ellas es sutil. En la primera etapa, no dejé de elogiar a mi hijo cuando los demás padres hacían lo mismo. No quería que Luke se sintiera excluido. Me veía como un antiguo alcohólico que sigue bebiendo para socializar. Me convertí en un «elogiador social».

Después traté de usar el tipo de elogios específicos que recomienda Dweck. Elogié a Luke, pero intenté alabar su «proceso». Esto era más fácil de decir que de hacer. ¿Qué procesos se desarrollan en la mente de un niño de cinco años? Según mi impresión, el 80% de su cerebro procesa extensos escenarios de figuras en acción.

Sin embargo, cada noche tiene tareas de matemáticas y ha de leer un libro en voz alta para practicar la fonética. Cada una de estas labores requiere aproximadamente cinco minutos si se concentra, pero se distrae fácilmente. De modo que le elogio por concentrarse sin pedir un descanso. Si escucha las instrucciones con cuidado, le elogio por eso. Después de los partidos de fútbol, le elogio por mirar antes de pasar, en lugar de limitarme a decir: «Has jugado genial». Y si se esforzó por conseguir el balón, le alabo por el esfuerzo realizado.

Tal como prometía la investigación, estas alabanzas enfocadas le ayudaron a ver estrategias que podía aplicar al día siguiente. Es notable lo eficaces que fueron.

A decir verdad, mientras que a mi hijo le iba bien bajo este nuevo régimen de elogios, era yo quien sufría. Resulta que yo era el verdadero adicto a los elogios de la familia. Sentía que al recompensarle verbalmente por una habilidad o tarea particular dejaba otras partes sin reconocer ni apreciar. Reconocí que utilizar el universal: «Eres genial, me siento orgulloso de ti», era mi manera de expresar amor incondicional.

Ofrecer elogios se ha convertido en una especie de panacea para la ansiedad de los padres modernos. Como estamos alejados de la vida de nuestros hijos desde el desayuno hasta la cena, cuando llegamos a casa tratamos de compensar. En esas pocas horas que pasamos juntos, queremos que oigan las cosas que no pueden oír durante el día: «Estamos de tu lado», «Estamos aquí para apoyarte», «Creemos en ti».

Asimismo, ponemos a los niños en entornos donde están sometidos a mucha presión, buscamos las mejores escuelas posibles y después usamos elogios constantes para suavizar la intensidad de esos entornos. Esperamos mucho de ellos, pero ocultamos nuestras expectativas detrás de los elogios constantes. Para mí, esta duplicidad se hizo manifiesta.

Finalmente, en mi última etapa de retirada de los elogios, me di cuenta de que no decirle a mi hijo que era muy listo significaba dejar que llegara a sus propias conclusiones con respecto a su inteligencia. Intervenir con nuestros elogios es como dar la respuesta a un problema de su tarea con demasiada rapidez: le quita la oportunidad de hacer la deducción por sí mismo.

Pero ¿qué ocurre si llega a la conclusión equivocada? ¿Puedo realmente dejar eso en sus manos a esta edad?

Sigo siendo un padre ansioso. Esta mañana, lo volví a poner a prueba de camino hacia la escuela:

—¿Qué le pasa a tu cerebro cuando piensa en algo difícil?

—Se agranda, como un músculo –respondió.

2

La hora perdida

En todo el mundo los niños duermen una hora menos que hace treinta años. ¿Cuál es el coste? Menor puntuación en los test de inteligencia, problemas en su bienestar emocional, déficit de atención por hiperactividad, y la obesidad.

Morgan Fichter es una niña de quinto de primaria que va a la escuela en Roxbury, Nueva Jersey. Es pequeña y de piel muy clara, con pecas en la nariz y pelo castaño claro y rizado. Su padre, Bill, es un sargento de policía que presta servicio hasta las 3 de la tarde. Su madre, Heather, trabaja a tiempo parcial, y se dedica posteriormente a llevar a Morgan y a su hermano a sus múltiples actividades. Morgan juega al fútbol (Heather es la entrenadora del equipo), pero su gran amor es la natación competitiva, para la que entrena durante todo el año, haciendo unos ejercicios preparatorios que le han ensanchado los hombros. También es violinista en la orquesta de la escuela, y tiene dos prácticas y una clase particular a la semana, además de las cinco noches que practica sola. Cada noche Heather y Morgan se sientan a hacer los deberes y después ven su programa de televisión favorito. Morgan siempre ha sido una niña equilibrada y entusiasta.

Pero cuando Morgan pasó un año en el aula de una profesora supercrítica, no podía desconectarse por la noche. A pesar de irse a la cama a una hora razonable, las 9:30, permanecía despierta y frustrada hasta las 11:30, a veces hasta media noche, abrazándose a su almohada de piel de leopardo. En las paredes de su habitación de color púrpura-polvo de hadas tenía pegadas cartas, cada una de ellas con una de las palabras con las que Morgan tenía problemas. Como era incapaz de dormir, volvía a sus estudios, pues estaba decidida a que sus calificaciones no bajaran. Pero se encontraba emocionalmente deshecha. Durante el día estaba malhumorada y lloraba con facilidad. Además, de vez en cuando se quedaba dormida en clase.

Cambió de clase al año siguiente, pero la falta de sueño persistió. Heather empezó a preocuparse de que su hija no pudiera dormir. ¿Era el estrés o las hormonas? Le prohibió las bebidas con cafeína, sobre todo por la noche, pues había notado que tomarse un refresco de cola de noche la podía mantener despierta hasta las 2 de la mañana. Morgan se mantenía de una pieza lo mejor que podía, pero un par de veces al mes sufría una crisis emocional, una de esas rabietas con llanto que son habituales en los niños de tres años cuando no hacen la siesta. «Me sentía muy triste por ella –se lamentaba Heather–. No se lo desearía a nadie, me preocupaba que el problema durase eternamente.»

Preocupada por el bienestar de su hija, Heather le preguntó al pediatra por su falta de sueño. «Casi descartó que hubiese un problema y no parecía interesado –recuerda–. Y dijo: 'De modo que se siente cansada de vez en cuando. Ya lo superará'».

La opinión del pediatra de Morgan es típica. Según los estudios de la Fundación Nacional del Sueño, el 90% de los padres americanos piensan que sus hijos duermen lo suficiente.

Los niños no dicen lo mismo: el 60% de los muchachos del instituto reconocen que pasan mucho sueño durante el día. Una cuarta parte de ellos admiten que sus calificaciones han caído debido a que duermen poco. Dependiendo del estudio que se consulte, entre el 20 y el 33% de ellos se quedan dormidos en clase al menos una vez a la semana.

Los números secundan estas afirmaciones. La mitad de los adolescentes duermen menos de siete horas las noches de entre semana. Cuando llegan al último año de secundaria, según los estudios del doctor Frederick Danner, de la Universidad de Kentucky, duermen una media sólo un poco superior a las seis horas y media cada noche. Únicamente el 5% de los alumnos del último curso duermen ocho horas de media. Está claro, recordamos que solíamos estar cansados cuando íbamos a la escuela, pero no tanto como los estudiantes de nuestros días.

Se suele pasar por alto que los niños –desde la escuela primaria hasta el instituto– duermen una hora menos que hace treinta años. Aunque a los padres les obsesiona el sueño de sus hijos pequeños, esta preocupación sale de sus listas de prioridades después de preescolar. Incluso los niños de preescolar duermen treinta minutos menos por noche que antes.

Hay tantas causas de que se pierda esta hora de sueño como tipos de familias. Exceso de actividades, de deberes para casa, laxitud en cuanto a la hora de dormir, televisiones y teléfonos móviles en las habitaciones... todos estos factores contribuyen. Y también interviene la culpabilidad: como los padres llegan tarde a casa del trabajo, quieren pasar tiempo con sus hijos y se resisten a ponerse firmes a la hora de mandarlos a la cama. (Un estudio de Rhode Island descubrió que el 94% de los alumnos de instituto establecen su propia hora de acostarse.) Todas estas razones convergen y producen un giro hacia la ignorancia; hasta ahora, podíamos ignorar esta hora perdida porque no sabíamos cuál era su verdadero coste para los niños.

Pero gracias al uso de nuevas herramientas estadísticas y tecnológicas, los científicos han sido capaces de aislar y medir el impacto de esta hora de sueño perdido. Como los cerebros están en proceso de formación hasta la edad de veintiún años, y como buena parte de ese trabajo de formación tiene lugar cuando el niño duerme, esta hora perdida parece tener un impacto exponencial sobre los niños, que sencillamente no tiene en los adultos.

La sorpresa no es únicamente que el sueño sea importante, sino lo importante que es, de manera demostrable, y no sólo para los resultados escolares y la estabilidad emocional, sino también para fenómenos que habíamos asumido que no tenían ninguna relación, como la epidemia internacional de obesidad o el aumento del trastorno de déficit de atención por hiperactividad. Unos pocos científicos proponen que los problemas de sueño pueden causar cambios permanentes en la estructura cerebral del niño: daños que no se pueden reparar durmiendo luego un poco más como en el caso de una resaca. Incluso es posible que muchas de las características distintivas de la adolescencia –cambios de ánimo, depresión e incluso comer vorazmente– sean síntomas de la privación crónica de sueño.

El doctor Avi Sadeh, de la Universidad de Tel Aviv, se encuentra entre la docena de personajes más destacados en este campo, y colabora frecuentemente en trabajos sobre el sueño con investigadores de la Universidad Brown. Hace un par de años, Sadeh envió a 77 niños de cuarto y de sexto a casa con instrucciones elegidas al azar de o bien irse a dormir pronto o de no hacerlo hasta tarde durante tres noches seguidas. A cada niño se le dio un actígrafo –un aparato parecido a un reloj de pulsera que registra la actividad onírica y permite al investigador saber cuánto duerme realmente el niño mientras está en la cama–. Usando el actígrafo, el equipo de Sadeh descubrió que el primer grupo consiguió treinta minutos más de sueño por noche. El segundo grupo durmió treinta y un minutos menos.

Durante la mañana siguiente a la tercera noche, un investigador fue a la escuela para administrarles a los niños un test que registrara su funcionamiento neurobiológico. El test, una versión computarizada de algunas partes de la Escala de inteligencia para niños Wechsler, tiene un alto poder de predicción sobre los test de rendimiento escolar habituales y sobre cómo puntúan los profesores la capacidad de los niños de mantener la atención en clase.

Sadeh sabía que su experimento conllevaba un gran riesgo. «Lo último que quería era tener que decir a mis patrocinadores: 'Bueno, sólo he restado una hora de sueño a mis sujetos experimentales, y no ha habido ningún efecto mensurable en absoluto; lo siento, ¿me pueden dar más dinero para otros experimentos?'».

Sin embargo, no necesitaba preocuparse. El efecto, además de mensurable, fue notable. La diferencia en el rendimiento intelectual causado por esa hora de sueño menos fue mayor que la diferencia entre un niño normal de cuarto curso y otro de sexto. «Una pérdida de una hora es equivalente a [la pérdida de] dos años de maduración y desarrollo cognitivo», explicó Sadeh.

«El trabajo de Sadeh es una contribución sobresaliente», dice el doctor Douglas Teti, profesor de desarrollo humano y estudios familiares de la Universidad Estatal de Pensilvania. Y su opinión encuentra eco en Mary Carskadon, de la Universidad Brown, especialista en los sistemas biológicos que regulan el sueño: «La investigación de Sadeh es un importante recordatorio de lo frágiles que son los niños».

Los descubrimientos de Sadeh son coherentes con el trabajo de otros investigadores que también apuntan a las grandes consecuencias académicas de pequeñas diferencias de sueño. La doctora Monique LeBourgeois, también de la Universidad Brown, estudia cómo afecta el sueño a los niños de preescolar. A prácticamente todos los niños se les permite estar despiertos más tiempo los fines de semana. No duermen menos, y no les falta sueño, simplemente los viernes y los sábados por la noche se van a dormir más tarde. No obstante, ha descubierto que este simple cambio en la hora de ir a dormir tiene un efecto en los resultados de los test de inteligencia. Cada hora de retraso le cuesta al niño siete puntos en el test. El doctor Paul Suratt, de la Universidad de Virginia, estudió el impacto de los problemas de sueño sobre las puntuaciones del test de vocabulario que realizaron los alumnos de primaria. También descubrió una reducción de siete puntos en las calificaciones. Siete puntos, asegura Suratta, son significativos: «Los desórdenes del sueño pueden alterar el coeficiente de inteligencia infantil tanto como la exposición al plomo [altamente venenoso]».

Si estos descubrimientos son precisos, deberían acumularse a largo plazo: tendríamos que ver una correlación entre el sueño y las calificaciones escolares. Todos los estudios realizados muestran dicha conexión: desde un estudio sobre alumnos de segundo y tercero realizado en Chappaqua, Nueva York, hasta otro llevado a cabo con niños de octavo en Chicago.

Estas correlaciones aumentan en secundaria, porque ahí es cuando se produce una reducción drástica de las horas de sueño. La doctora Kyla Wahlstrom, de la Universidad de Minnesota, estudió los hábitos de sueño y las calificaciones de más de 7.000 estudiantes de secundaria. Los adolescentes que recibían sobresalientes dormían una media de un cuarto de hora más que los que obtenían notables, que a su vez dormían un cuarto de hora más que los que conseguían aprobados, y así sucesivamente. Los datos de Wahlstrom replican de manera casi perfecta los resultados obtenidos por Carskadon, de la Universidad Brown, en un estudio anterior realizado con 3.000 alumnos de secundaria en Rhode Island. Ciertamente estamos hablando de valores medios, pero la coherencia de estos estudios es notable. Cada cuarto de hora cuenta.

Gracias al uso de los escáneres de resonancia magnética, los investigadores ahora están empezando a entender exactamente cómo afecta la pérdida de sueño al cerebro infantil. Por ejemplo, los niños cansados no pueden recordar lo que acaban de aprender porque las neuronas pierden plasticidad, y se vuelven incapaces de formar las nuevas conexiones sinápticas necesarias para codificar un recuerdo.

La falta de atención en clase responde a un mecanismo diferente. La pérdida de sueño reduce la capacidad corporal de extraer glucosa de la corriente sanguínea. Sin esta corriente de energía básica, una parte del cerebro sufre más que el resto: el córtex prefrontal, responsable de lo que llamamos las «funciones ejecutivas». Entre estas funciones ejecutivas tenemos la de orquestar los pensamientos para conseguir un objetivo, la predicción de resultados y percibir las consecuencias de las acciones. De modo que las personas cansadas tienen problemas para controlar sus impulsos, y los objetivos abstractos, como estudiar, adquieren un lugar secundario con respecto a posibilidades más entretenidas. Un cerebro cansado se queda atascado en una respuesta y no puede llegar a una solución más creativa, sino que vuelve repetidamente a la misma solución que ya sabe que es errónea.

Estos dos mecanismos debilitan la capacidad del niño para aprender durante el día. Pero los datos más interesantes guardan relación con lo que hace el cerebro cuando el niño duerme por la noche. El doctor Matthew Walker, de la Universidad de California, en Berkeley, explica que durante el sueño, el cerebro lleva lo que ha aprendido ese día a otros lugares para almacenarlo más eficientemente. Cada etapa del sueño tiene su propio papel a la hora de captar recuerdos. Por ejemplo, estudiar una lengua extranjera exige aprender vocabulario, memoria auditiva para registrar los nuevos sonidos y habilidades motoras para articular correctamente la nueva palabra. El vocabulario es sintetizado por el hipocampo en las primeras horas de la noche durante el «sueño de ondas lentas», un sueño profundo sin sueños; las habilidades motoras de articulación se procesan durante la segunda etapa de sueño no-REM, y las memorias auditivas se procesan en todas las etapas. Los recuerdos emocionalmente cargados se procesan durante el sueño REM. Esto significa que cuanto más hayas aprendido durante el día, más necesitas dormir por la noche.

Parece que durante el sueño se activan ciertos genes para consolidar estos recuerdos. Uno de estos genes es esencial para la plasticidad sináptica, el fortalecimiento de las conexiones neuronales. El cerebro sintetiza algunos recuerdos durante el día, pero se potencian y concretan durante la noche: se extraen nuevas inferencias y asociaciones, que producirán comprensiones al día siguiente.

El sueño de los niños es cualitativamente diferente del de los adultos porque los primeros pasan más del 40% de su sueño en la etapa de ondas lentas (diez veces más que los segundos). Ésta es la razón por la que dormir bien por la noche es tan importante para el aprendizaje a largo plazo del vocabulario, los horarios, las fechas históricas y todos los demás datos y detalles.

Tal vez lo más fascinante sea que el contexto emocional de un recuerdo afecta al lugar donde es procesado. Los estímulos negativos se procesan en la amígdala; los recuerdos positivos o neutrales, en el hipocampo. Y la falta de sueño afecta al hipocampo más intensamente que a la amígdala. El resultado es que la gente con falta de sueño deja de recordar los sucesos agradables, y sin embargo se acuerdan perfectamente de las cosas desagradables.

En un experimento de Walker, alumnos universitarios privados de sueño intentaron memorizar una lista de palabras. Pudieron recordar un 81% de los términos con connotaciones negativas, como «cáncer», pero sólo pudieron recordar el 31% de las palabras con connotaciones positivas o neutras, como «sol» o «cesta».

«Actualmente tenemos una situación incendiaria –comentó Walker–, puesto que la intensidad del aprendizaje a la que están sometidos los niños es mucho mayor, y sin embargo la cantidad de sueño que tienen para procesar ese aprendizaje es mucho menor. Si estas tendencias continúan aumentando linealmente, la goma elástica pronto se romperá».

Si bien todos los niños sufren el impacto de la pérdida de horas de sueño, para los adolescentes dormir lo suficiente es un desafío especial.

Mary Carskadon, de la Universidad Brown, ha demostrado que, durante la pubertad, el sistema circadiano –el reloj biológico– hace un «cambio de fase» que mantiene despiertos a los adolescentes más tiempo. En los prepúberes y en los adultos, cuando se hace de noche, el cerebro crea melatonina, que nos da sueño. Pero los cerebros de los adolescentes tardan noventa minutos más en producir melatonina. De modo que aunque se vayan a la cama a las diez de la noche (que no lo hacen), yacen con los ojos abiertos, mirando al techo.

Cuando los despertadores los despiertan al amanecer, sus cerebros aún siguen liberando melatonina. Esto los empuja a volver a quedarse dormidos, o bien en la primera clase o, lo que es más peligroso, conduciendo hacia la escuela. Ésta es la razón por la que los adolescentes y los jóvenes son responsables de la mitad de los 100.000 accidentes «causados por el sueño» que se producen anualmente.[1]

Persuadidos por estas investigaciones, algunos distritos escolares decidieron retrasar la hora del comienzo de las clases por la mañana. El caso más conocido es el de Edina, en Minnesota, un barrio adinerado de Minneapolis, que retrasó la hora de comienzo de las clases de las 7:25 a las 8:30. Los resultados fueron sorprendentes, y afectaron más a los niños más brillantes. En el año anterior al cambio de horario, las puntuaciones en los test de matemáticas y lengua del programa SAT para el 10% de los estudiantes más brillantes de los 1.600 alumnos del centro estuvieron en una media de entre 683 y 605. Un año después, el mismo segmento de alumnos puntuó entre 739 y 761. Si tienes demasiado sueño para estudiar matemáticas, has de saber que dormir una hora extra hizo que las puntuaciones de los mejores alumnos de Edina aumentaran 56 puntos tanto en matemáticas como en lengua, una cantidad asombrosa. «Verdaderamente me ha dejado pasmado», dijo anonadado e incrédulo Brian O'Really, el director de la Junta Escolar para las relaciones con el programa SAT cuando escuchó los resultados. Y los alumnos declararon tener un mayor nivel de motivación y menores niveles de depresión. En resumen, esa hora de sueño adicional mejoró la calidad de vida de los estudiantes.

Esto es particularmente notable, puesto que la mayoría de los niños duermen menos durante la secundaria, y su calidad de vida decrece. Danner, de la Universidad de Kentucky, ha estudiado que cada año la cantidad de sueño se reduce en los cursos de secundaria a nivel nacional. En su primer año, los niños duermen al menos una media de ocho horas. En el segundo año esa cantidad se reduce en un 30%. Y junto con esta reducción, su estado de ánimo empeora; bajar de las ocho horas de sueño dobla la proporción de depresiones clínicas. Más de una octava parte de los alumnos obtuvieron ese diagnóstico, lo que hace que nos preguntemos cuántos más sufren melancolía en un grado menor.

Otro distrito escolar innovador es el de Lexington, Kentucky, que también retrasó una hora el horario escolar. Danner ha estudiado la ecuación «antes/después». El descubrimiento que más destaca entre los datos analizados es que después del cambio de horario, el número de accidentes automovilísticos en Lexington disminuyó un 25% en comparación con el resto del estado.

1. En Estados Unidos se conduce a partir de los 16 años.

Aunque las pruebas son concluyentes, pocos distritos han seguido esta dirección. Al contrario, el 85% de los institutos de secundaria americanos empiezan antes de las 8:15 de la mañana, y el 35% comienzan antes de las 7:30.

Los obstáculos para retrasar la hora de comienzo de las clases son numerosos. Hacer que la secundaria empiece antes permite que los autobuses hagan una primera ronda para llevar a los niños mayores y una segunda para los más pequeños. De modo que iniciar las clases más tarde podría significar tener que duplicar el tamaño de la flota de autobuses. Además, los profesores prefieren conducir a la escuela antes de que el resto de los trabajadores abarroten las carreteras. Los entrenadores temen que sus alumnos se pierdan partidos por estar aún en clase cuando comiencen las competiciones. Y a muchos simplemente no les persuaden los estudios científicos realizados. Cuando las escuelas Westchester se negaron a empezar las clases más tarde, la entonces supervisora doctora Karen McCarthy opinaba: «Para mí aún hay algo que no encaja».

El doctor Mark Mahowald ha oído todos estos argumentos. Como director del Centro regional de Minnesota para los desórdenes del sueño, ha estado en el centro de muchos de los debates sobre la conveniencia de empezar las clases más tarde. Pero de todos los argumentos que ha escuchado, ninguno se acuerda de decir que los niños aprenden menos a las 7:15 que a las 8:30 de la mañana. Él replica con fuerza que el horario de los colegios está establecido a conveniencia de los adultos: no hay ninguna razón educativa para empezar la escuela tan temprano como lo hacemos. «Si las escuelas son para educar, deberíamos promover el aprendizaje en lugar de dificultarlo», plantea.

«Pensamos que las pruebas eran demoledoras», recuerda Carole Young-Kleinfeld.

Kleinfeld es una madre de Wilton, Connecticut, unos cincuenta kilómetros al norte de la ciudad de Nueva York. El distrito de Wilton también ahorraba dinero haciendo que los autobuses hicieran dos rondas y empezando las clases a las 7:35. Hace unos años, Kleinfeld acudió a una reunión local de la Liga de Mujeres Votantes. El entonces senador del estado, Kevin Sullivan, habló sobre las investigaciones de Carskadon y otros, y de que la respuesta era comenzar la escuela a una hora más razonable.

Kleinfeld tenía un hijo adolescente malhumorado, y cuando fue por las escuelas para registrar a los muchachos para que votaran, vio que los alumnos se quedaban dormidos con frecuencia en horas de clase. De modo que la idea caló. Formó un comité junto con otras personas para aprender más sobre el tema. Finalmente, convencieron al distrito para retrasar la hora de inicio de clases a las 8:20.

Para ella, el cambio fue «un regalo de Dios». Su hijo Zach había sido un niño perfectamente feliz, pero cuando empezó la secundaria se convirtió en el típico adolescente distante que no se preocupa por nada. Era tan negativo, tan replegado en sí mismo que «realmente llegué a pensar que lo habíamos perdido –suspiró Kleinfeld–. Habíamos perdido la conexión».

Cuando cambió la hora de comienzo de las clases, Kleinfeld no podía creérselo. «Recuperamos a nuestro hijo», manifestó. Por la mañana, Zack bajaba a desayunar con una sonrisa, deseando compartir una historia divertida que había leído en algún lado. Sus puntuaciones académicas mejoraron.

Varios estudiosos han notado que algunos de los rasgos distintivos de los adolescentes modernos –ánimo cambiante, impulsividad, falta de implicación– también son síntomas de la falta de sueño crónica. ¿Podría nuestra percepción cultural de lo que significa ser un adolescente estar sesgada inadvertidamente por el hecho de que no duermen lo suficiente?

El doctor Ronald Dahl, de la Universidad de Pittsburgh, observa: «No sabemos si es en un 1% o en un 60%. Pero está claro que la falta de sueño empeora mucho las cosas».

Consideremos el papel que juega el sueño en la epidemia de obesidad. Se suele decir que en las últimas tres décadas, la obesidad infantil se ha triplicado. La mitad de los niños corren el riesgo de tener exceso de peso, una medición técnica que está dos puntos por debajo de la obesidad declarada.

El gobierno federal gasta más de 1.000 millones de dólares al año en programas de nutrición para las escuelas. Una revisión reciente de dichos programas llevada a cabo por la Universidad McMaster mostró que el 53% de ellos no tenían ningún impacto en absoluto, y que los resultados de los cuatro mejores programas eran tan pobres que apenas merecía la pena mencionarlos.

Durante mucho tiempo ha habido una culpable a la que señalar por el fracaso de nuestros esfuerzos: la televisión. En lugar de corretear por el vecindario como hacíamos nosotros cuando éramos jóvenes, los niños de hoy se sientan frente al televisor una media de 3,3 horas al día. La conexión con la obesidad parece tan evidente, y se repite con tanta frecuencia, que pocas personas han llegado a pensar que necesitaba confirmación estadística.

La doctora Elizabeth Vandewater, de la Universidad de Texas, en Austin, se hartó de escuchar que los demás expertos culpaban de todo a la televisión, aun disponiendo de muy pocos datos para corroborar su aseveración. «Es una afirmación que se trata como el evangelio sin contar con ninguna prueba –espetó–. Simplemente es mala ciencia». Vandewater analizó la mejor serie de datos disponible, el *Panel Study of Income Dynamics*, que ha entrevistado extensamente a más de 8.000 familias desde 1968. Descubrió que los niños obesos no ven más televisión que los que no lo son. Los niños normales también ven muchísima televisión. No encontró correlación estadística entre la obesidad y el uso de los medios. «No es el rifle humeante que suponíamos.»

Vandewater examinó los horarios de los niños y se dio cuenta de por qué se había equivocado el estudio anterior. Ellos no utilizan el tiempo en que no ven la televisión para realizar una actividad física: «Los niños intercambian cosas que son equivalentes funcionales. Si la televisión está apagada, no se ponen a jugar al fútbol, sino que realizan otra actividad igualmente sedentaria».

De hecho, mientras que la obesidad ha aumentado exponencialmente desde los años setenta, los niños sólo ven siete minutos de televisión más al día. Si bien es cierto que dedican media hora diaria a los video-juegos o a navegar por Internet, además de la televisión, el salto en la obesidad comenzó en 1980, mucho tiempo antes de que se popularizaran los video-juegos y la navegación por la red. Evidentemente esto no significa que ver mucha televisión sea bueno para el contorno abdominal, pero sí que hay algo más, aparte de la televisión, que está haciendo que los niños engorden.

«Llevamos cien años estudiando la dieta y el ejercicio, y la cosa no funciona. Es hora de que busquemos otras causas», proclamó el doctor Richard Atkinson, coeditor jefe del *International Journal of Obesity*.

Hace cinco años, cuando ya se conocía la relación entre la falta de sueño y la diabetes, la doctora Eve Van Cauter descubrió una «cascada neuroendocrina» que vincula el sueño con la obesidad. La falta de sueño activa la hormona grelina, que causa el hambre, y reduce su opuesta metabólica, la leptina, que suprime el apetito. La falta de sueño también eleva la hormona del estrés, el cortisol. El cortisol es lipogénico, es decir, estimula la fabricación de grasa en el cuerpo. La hormona del crecimiento humano también se ve afectada. Normalmente se secreta en gran cantidad al principio del sueño, y es esencial para deshacer las grasas.

Se nos repite machaconamente que tenemos que estar más activos para perder peso. De modo que nuestra mente se queda anonadada cuando oye que la clave para no ganar peso consiste en dedicar más tiempo a la inactividad más sedentaria de que es capaz el ser humano. Sin embargo, esto es exactamente lo que los científicos están detectando. A la luz de los descubrimientos de Van Cauter, los investigadores del sueño han realizado una batería de análisis sobre grandes conjuntos de datos infantiles. Todos los estudios apuntan en la misma dirección: como media, los niños que duermen menos son más obesos que aquellos que duermen más. Y esto no ocurre sólo en un país, los estudiosos de todo el mundo están considerándolo, porque los niños de todas partes están engordando y durmiendo menos.

Tres de estos estudios han mostrado resultados sorprendentemente similares. Uno analizó a los niños de primero en Japón, otro a los alumnos de preescolar de Canadá y el tercero a niños australianos. Estas investigaciones mostraron que los que duermen menos de ocho horas tienen una tasa de obesidad un 300% mayor que los que duermen diez horas. En esa horquilla de dos horas, hay una relación «dosis-respuesta», según los estudiosos japoneses.

Las investigaciones realizadas en las escuelas públicas de Houston demostraron que la falta de sueño no sólo está haciendo engordar a los niños pequeños. Entre los muchachos de primaria y secundaria que se han estudiado, las probabilidades de ser obesos aumentaban un 80% por cada hora de sueño perdida.

Van Cauter ha continuado descubriendo que la etapa de sueño de ondas lentas es especialmente crítica para tener una buena sensibilidad a la insulina y para la tolerancia a la glucosa. Cuando ella deja dormir a los sujetos, pero los interrumpe con toques en la puerta que no les permiten pasar a la fase de ondas lentas (sin llegar a despertarlos), su sistema hormonal responde de una manera que es equiparable a una ganancia de peso de entre diez y quince kilos. Como se ha indicado anteriormente, los niños pasan el 40% del tiempo que están dormidos en esta fase de ondas lentas, mientras que los adultos apenas están en ella un 4% de su tiempo de sueño. Esto podría explicar por qué las relaciones entre dormir mal y la obesidad son mucho más fuertes en los niños que en los adultos.

El efecto del sueño sobre las hormonas es una manera completamente diferente de explicar qué hace que la gente esté gorda o delgada; por regla general pensamos que ganar peso está directamente relacionado con la ingesta de calorías y la proporción de ellas que quemamos. Pero incluso atendiendo a esta ecuación que nos es familiar, la relación entre el sueño y el peso tiene sentido. Aunque es cierto que se queman muy pocas calorías cuando se está entre las sábanas, al menos el niño no come cuando está dormido. Además, los niños que no duermen bien suelen sentirse demasiado cansados para hacer ejercicio. Se ha demostrado que cuanto menos duerme el niño, menos activo permanece durante el día. De modo que la cantidad neta de calorías que quema después de un buen descanso nocturno es mayor.

En un estudio de 2005 publicado en *Archives of Internal Medicine*, el doctor Fred Turek llamó la atención de los investigadores tradicionales de la obesidad porque estaban ignorando el efecto del sueño sobre el metabolismo. Turek, director del Centro para la Biología y la Medicina Circadiana de la Northwestern University, notó que la guía de referencias sobre obesidad infantil que usan los médicos nunca habla del efecto del sueño sobre la pérdida de peso, ni una sola vez en 269 páginas.

El doctor Atkinson cree que las investigaciones que ha analizado sobre la pérdida de sueño infantil y la obesidad son «alarmantes». Sin embargo, lamenta que esta relación no aparezca en las pantallas de radar de la mayoría de los investigadores de la obesidad.

En 2007, el Departamento de Agricultura de Estados Unidos y los Centros para el Control de Enfermedades nos informaron de que no habían llevado a cabo ninguna investigación independiente sobre el tema. Ni siquiera estaban dispuestos a dar su opinión sobre el trabajo ya realizado, a pesar de que gastan anualmente cientos de millones en programas para investigar y prevenir la obesidad. No obstante, en el plazo de un año los datos fueron demasiado contundentes como para ignorarlos. El Centro para el Control de Enfermedades ahora recomienda que los institutos consideren la posibilidad de empezar más tarde: sus representantes opinan que un cambio de horario puede cambiar la vida de los estudiantes.

A pesar de lo convincentes que son todos los estudios científicos realizados, aún parece que haya que dar un gran salto de fe para devolver una hora de las vidas de nuestros hijos al sueño. Las correlaciones estadísticas son buenas pruebas para los científicos, pero los padres queremos más, queremos control.

La doctora Judith Owens dirige una clínica para hacer curas de sueño en Providence, afiliada a la Universidad Brown. Recientemente, acudió a verle un padre con su hija de quince años, que se quejaba de dolores de cabeza agudos. Al entrevistar a la paciente, Owens se dio cuenta rápidamente de que su rutina diaria la dejaba agotada. Las lecciones de flauta, las lecciones de clarinete, las clases de danza y las tareas del colegio sólo le dejaban dormir cinco horas por la noche, y despertaba a las 4:30 para salir corriendo al gimnasio. El padre quería saber si la falta de sueño podía causarle los dolores de cabeza. Owens le dijo que probablemente ése era el caso, y le recomendó que su hija recortara su programa diario.

La palabra «probablemente» hizo dudar al padre. Le dejaría recortar el horario pero sólo si Owens era capaz de probar previamente que sacrificar alguna de sus actividades detendría los dolores de cabeza. Claro, él sabía que el sueño es importante, pero ¿era más importante que sacar sobresaliente en francés? ¿Era más importante que poder acceder a una universidad reconocida?

Owens probó con su argumento habitual: «¿Dejaría que su hija fuera en coche sin cinturón de seguridad? Tiene que pensar en el sueño de la misma manera». Sin embargo, sus explicaciones no fueron persuasivas. En la mente de aquel padre, las ideas iban en el otro sentido: recortar las actividades de su hija era lo que suponía una situación de riesgo para ella. ¿Y qué ocurría si los dolores de cabeza no disminuían y ella había renunciado a una de sus grandes pasiones, como la danza, sin razón alguna?

Mucho antes de que los niños se conviertan en estudiantes de secundaria superocupados y orientados hacia la universidad, los padres –guardianes del sueño de sus hijos– empiezan a cambiar el sueño por la satisfacción de otras necesidades. Esto es particularmente cierto a última hora del día: una zona horaria que podríamos describir como la «hora deslizante». Durante ese rato hay prisa por ir a dormir y parece existir cierta cantidad indefinida de tiempo potencial, una especie de depósito de efectivo del que podemos extraer pequeñas cantidades en unidades de diez minutos. Durante la «hora deslizante» los niños deberían estar en la cama, pero hay muchas prioridades luchando por captar su atención. Consecuentemente, el sueño se trata de manera parecida a la deuda nacional ¿qué más da añadir otra hora más a la factura? Nosotros sobrevivimos, y los niños también pueden hacerlo.

El sueño es un imperativo biológico para todas las especies que viven sobre la Tierra. Pero sólo los humanos intentamos resistirnos a su tirón. Más que como una necesidad física, vemos el sueño como algo relacionado con el carácter. Admitir la fatiga se considera un signo de debilidad; y es una señal de fuerza negarse a sucumbir al sueño. Dormir es para blandengues.

Pero tal vez no nos demos cuenta del precio que estamos pagando por nuestra actitud. El doctor David Dinges hizo un experimento en el que acortó el sueño de una serie de adultos a seis horas por noche. A las dos semanas dijeron que estaban bien. Sin embargo, cuando se les sometió a una batería de pruebas, tenían sus capacidades tan disminuidas como si hubieran estado despiertos veinticuatro horas seguidas. Dinges hizo el experimento para demostrar que la pérdida de sueño es acumulativa, y que su falta puede nublar nuestro juicio. No obstante, resulta tentador leer sobre este experimento y pensar: «Yo sufriría, pero no tanto. Yo sería la excepción». Hemos estado pasando con poco sueño durante años, y aquí estamos. Estamos acostumbrados a ello.

Pero cuando se trata del cerebro en desarrollo de un niño, ¿estamos dispuestos a correr semejante riesgo?

3

¿Por qué los padres blancos no hablan de la raza?

Enseñar a los niños sobre la raza y el color de piel, ¿mejora o empeora las cosas?

En el laboratorio de investigación infantil de la Universidad de Texas se conserva una base de datos en la que figuran miles de familias del área de Austin que se han ofrecido voluntarias para participar en las investigaciones académicas. En 2006, la estudiante de doctorado Birgitte Vittrup reclutó a unas 100 de estas familias, todas ellas caucásicas y con un hijo de entre cinco y siete años de edad. De este proyecto saldría su tesis doctoral. El objetivo del estudio de Vittrup era saber si los típicos videos infantiles con guiones multiculturales tienen algún efecto beneficioso en las actitudes raciales de los niños.

Su primer paso fue examinar a los niños, y a sus padres, con el Medidor de la actitud racial, diseñado por su mentora en la universidad, la doctora Rebecca Bigler. Usando esta vara de medir, Vittrup planteó a los niños una serie de preguntas, como:

«¿Cuántas personas blancas son amables?»
(Casi todas) (Muchas) (Algunas) (No muchas) (Ninguna)

«¿Cuántas personas negras son amables?»
(Casi todas) (Muchas) (Algunas) (No muchas) (Ninguna)

A lo largo de la prueba, el adjetivo «amable» fue sustituido por otros más de veinte, como «deshonesto», «guapo», «curioso» o «presuntuoso».

Si el niño era demasiado tímido como para responder, podía señalar un cuadro que correspondía a cada una de las respuestas posibles.

Vittrup envió un tercio de las familias a casa con los típicos videos de contenido multicultural para que los vieran durante una semana, como un episodio de *Barrio Sésamo* donde los personajes visitan el hogar de una familia afroamericana, o un episodio de *Little Bill* en el que todo el vecindario se reúne para limpiar el parque local.

En realidad, Vittrup no esperaba que las actitudes raciales de los niños cambiarían mucho por el simple hecho de ver los videos. Las anteriores investigaciones de Bigler habían mostrado que los programas de estudio multiculturales de las escuelas tienen mucho menos impacto del esperado, principalmente porque el mensaje implícito «todos somos amigos» es demasiado vago para que los niños lo entiendan con relación al color de la piel.

Sin embargo, Vittrup pensó que si los videos educativos iban acompañados por explicaciones explícitas de los padres, el impacto sería significativo. De modo que un segundo grupo de familias recibió los videos, y Vittrup pidió a los progenitores que los usaran como punto de partida para hablar a sus hijos de la amistad interracial. Les proporcionó una lista de puntos a comentar que reflejaban los temas expuestos por los videos. «Realmente pensé que iba a funcionar», recuerda Vittrup. Su doctorado dependía de ello.

Al tercer grupo de padres también se les dio una lista de temas, pero sin los videos. Se suponía que tenían que sacar el tema de la igualdad racial por sí mismos, cada noche durante cinco noches seguidas. Esto podía ser un poco complicado, especialmente si los padres nunca habían hablado sobre las razas anteriormente. Los padres tenían que decir cosas como: «Algunas personas que ves en televisión o en la escuela tienen otro color de piel distinto al nuestro. A los niños blancos, negros y mexicanos a menudo les gustan las mismas cosas, aunque vienen de procedencias diferentes. Siguen siendo buena gente y puedes ser su amigo. Si un niño con un color de piel diferente viviera en tu vecindario, ¿te gustaría ser su amigo?».

Llegados a este punto ocurrió algo interesante. Cinco de las familias del último grupo abandonaron el estudio repentinamente. Dos de ellas dijeron directamente a Vittrup: «No queremos tener estas conversaciones con nuestro hijo. No deseamos hablar del color de la piel».

Vittrup se sintió anonadada: estas familias se habían ofrecido voluntarias sabiendo perfectamente que era un estudio sobre las actitudes raciales de los niños. Sin embargo, cuando esto exigía hablar abiertamente sobre razas, empezaron a abandonar. Otras tres familias se negaron a decir por qué lo dejaban, pero su silencio llevó a la investigadora a sospechar que se estaban retirando por el mismo motivo.

Esta evitación del tema de las razas era algo que Vittrup también había captado en su test inicial de actitudes de los padres. No era una sorpresa que en una ciudad liberal como Austin todos los padres aceptaran la diversidad y estuvieran abiertamente a favor de la multiculturalidad. Pero Vittrup también se había dado cuenta, en los estudios originales, de que estos padres blancos apenas habían hablado a sus hijos sobre las razas. En casa podían haber afirmado algunos principios vagos –como «Todos somos iguales», «Dios nos hizo a todos» o «Bajo la piel, todos somos lo mismo»–, pero casi nunca les habían llamado la atención sobre las diferencias raciales concretas.

Querían que sus hijos crecieran sin prestar atención a las razas. Pero Vittrup también pudo ver desde el primer test que propuso a los niños que éstos eran muy conscientes de las diferencias raciales. Cuando se les preguntaba cuántas personas blancas son malintencionadas, solían responder «casi ninguna». Cuando se les preguntaba cuántos negros son malintencionados, contestaban «algunos» o «muchos». Incluso los niños que asistían a escuelas con diversidad racial respondían a algunas preguntas de esta misma manera.

Y lo que era más inquietante, Vittrup también había planteado a algunos de estos niños una pregunta muy directa: «¿A tus padres les gustan los negros?». Si los padres blancos nunca hablaban explícitamente de las razas, ¿cómo iban a saber los niños si les gustaban los negros?

Aparentemente, la respuesta era no: el 14% declaró directamente: «No, a mis padres no les gusta la gente de raza negra», mientras que el 38% respondió: «No lo sé». En este vacío sin razas que supuestamente habían creado los padres, los niños tenían que improvisar sus propias conclusiones, y sus progenitores aborrecían muchas de ellas.

Vittrup tenía la esperanza de que las familias a las que les había pedido que hablaran sobre las razas lo hicieran.

Después de ver los videos, las familias volvieron al laboratorio de investigación infantil para someterse de nuevo a los tests. Como Vittrup esperaba, los niños de las familias que habían visto los videos sin ningún refuerzo ni conversación parental no mejoraron las puntuaciones obtenidas en el test de la semana anterior. El mensaje de armonía multicultural –que parecía tan evidente en los episodios– no les había afectado en absoluto.

Pero, para su sorpresa, cuando elaboró las estadísticas, descubrió que ninguno de los otros grupos de niños (cuyos padres les habían hablado de amistad interracial) habían mejorado sus actitudes raciales. A primera vista, el estudio era un fracaso. Vittrup sintió que su promisorio futuro desaparecía ante sus ojos. Había soñado con que los resultados de su estudio se publicaran en una revista científica importante, pero ahora se preguntaba si conseguiría hacer su tesis y obtener el doctorado.

Llena de dudas, consultó a sus supervisores doctorales hasta que finalmente buscó a Bigler.

«Tanto si el estudio ha funcionado como si no –replicó su mentora–, estos datos siguen diciéndote algo. ¿Tal vez haya algo interesante en por qué el procedimiento no ha tenido efecto?».

Después de repasar los diarios del estudio que llevaban los padres, Vittrup se dio cuenta de un error. Cuando les dio la lista de temas raciales que comentar con sus hijos de preescolar, también les pidió que anotaran si había sido una interacción significativa. ¿Los padres se habían limitado a mencionar el tema de la lista? ¿Habían comentado los temas más ampliamente? ¿Se habían producido verdaderos debates?

Casi todos dijeron que se habían limitado a mencionar los elementos de la lista de una manera breve, de pasada. Muchos simplemente no podían hablar sobre las razas, y rápidamente volvieron a frases vagas como «todos somos iguales».

De todos los padres a los que se les pidió que hablaran abiertamente de amistad interracial, sólo seis consiguieron hacerlo. Y esos seis niños mejoraron enormemente sus actitudes raciales.

Vittrup realizó su tesis y ahora es profesora adjunta de la Texas Woman's University en Dallas. Reflexionando posteriormente sobre su estudio, se dio cuenta de lo difícil que había sido para las familias: «Muchos padres vinieron a mí posteriormente y admitieron que no sabían qué decir a sus hijos, y que no querían que de las bocas de los niños salieran cosas equivocadas».

Todos queremos que nuestros hijos no se sientan intimidados por las diferencias y que tengan habilidades sociales para integrarse en un mundo diverso. La cuestión es: ¿mejoramos las cosas o las empeoramos llamando la atención de los niños sobre las razas?

Por supuesto, la elección del presidente Barack Obama ha marcado el comienzo de una nueva era en las relaciones raciales en Estados Unidos, pero no ha resuelto la pregunta de qué deberíamos decir a nuestros hijos sobre el tema. En todo caso, ha llevado este asunto a primer plano. Muchos padres han señalado explícitamente la piel oscura de Obama a sus hijos pequeños para reforzar la idea de que cualquiera es capaz de convertirse en un líder y cualquiera –independientemente del color de su piel– puede ser un amigo, puede ser amado y admirado.

Pero otros padres piensan que es mejor no decir nada en absoluto sobre la raza o la procedencia del presidente, porque eso enseñaría inevitablemente al niño un concepto racial. Les preocupa que incluso una declaración positiva (por ejemplo: «Es maravilloso que una persona negra pueda ser presidente») anime al niño a ver divisiones en la sociedad. Para ellos, el curso óptimo es dejar que los pequeños aprendan con el ejemplo; lo que los niños ven es lo que creen que es normal. Durante sus primeros años formativos, al menos, dejemos que conozcan un tiempo que el color de la piel no tiene importancia.

Un estudio de 2007 llevado a cabo por el *Journal of Marriage and Family* descubrió que de 17.000 familias con niños en preescolar, el 45% dijeron que nunca, o casi nunca, habían comentado temas raciales con sus hijos. Pero, aunque esto es así para todas las etnias, los padres no blancos tienen aproximadamente el triple de probabilidades de comentar el tema de las razas que los padres blancos; el 75% de estos últimos no hablan de las razas nunca o casi nunca.

Durante décadas hemos asumido que los niños sólo ven las razas cuando la sociedad se las señala. Este planteamiento ha sido compartido por gran parte de la comunidad científica; la visión es que la raza es un asunto social que es mejor dejar en manos de sociólogos y demógrafos. No obstante, los investigadores del desarrollo infantil han empezado a cuestionar esta suposición. Argumentan que los niños ven las diferencias raciales en la misma medida que ven la diferencia entre el rosa y el azul, pero les decimos que el «rosa» es para las niñas y el «azul» es para los niños. El «blanco» y el «negro» son misterios que les dejamos que resuelvan por sí mismos.

Los niños necesitan muy poco para desarrollar preferencias dentro de un grupo una vez que la diferencia ha sido reconocida. Bigler realizó un experimento en tres aulas de preescolar en las que se dividió a los niños de cuatro y cinco años en dos grupos y se les dio camisetas de colores. La mitad de los niños recibieron camisetas rojas y a la otra mitad, azules. Los niños llevaron las camisetas durante tres semanas. Durante ese periodo, los profesores nunca mencionaron los colores y nunca agruparon a los niños en función del color de sus camisetas. Nunca hablaron de los «rojos» y los «azules». Bigler quería ver qué les ocurriría a los niños de manera natural, una vez que los grupos de colores habían quedado establecidos.

Los niños no tuvieron un comportamiento segregador. Jugaron libremente los unos con los otros en los recreos. Pero cuando se les preguntó a qué grupo era preferible pertenecer, o qué equipo podría ganar una carrera, eligieron su propio color. Les gustaban más los niños de su propio color, y creían que eran más listos que los otros. «Los rojos nunca mostraron odio por los azules –observó Bigler–. Era más algo como: 'Los azules están bien, pero no son tan buenos como nosotros'». Cuando a los rojos se les preguntó cuántos de su color eran amables, respondieron: «Todos nosotros lo somos». Y cuando se les preguntó cuántos azules eran amables, dijeron: «Algunos». Algunos de los azules eran malintencionados, y algunos eran tontos, pero esto no les sucedía a los rojos.

El experimento de Bigler parece mostrar que los niños usarán cualquier cosa que se les ofrezca para crear divisiones, lo que parece confirmar que la raza sólo se convierte en un problema si hacemos de ella un problema. Entonces, ¿por qué cree Bigler que es tan importante hablarles a los niños sobre las razas a una edad tan temprana como los tres años?

Su razonamiento es que los pequeños, en su desarrollo, tienden a favorecer el grupo al que pertenecen; van a formar estas preferencias por sí mismos. Los niños lo categorizan todo, desde la comida hasta los juguetes y la gente a una edad muy temprana. No obstante, hacen falta años para que sus capacidades cognitivas les permitan usar más de un atributo a la hora de categorizar cualquier cosa. Entre tanto, el atributo en el que confían es el que puede verse con más claridad.

Bigler argumenta que cuando el niño identifica que alguien se le parece mucho, será esa persona la que más le guste. Y el niño extiende este proceso mucho más allá, creyendo que todo lo que a él le gusta, también les gusta a aquellos que se parecen a él. A esta tendencia espontánea a asumir las características compartidas de tu grupo –como la amabilidad o la inteligencia– se la denomina *esencialismo*. Los niños nunca piensan que los grupos responden a la ley del azar.

Podríamos imaginar que estamos creando entornos neutrales para nuestros hijos con respecto a la raza, pero las diferencias en el color de la piel o del pelo, o en el peso, son como las diferencias de género, evidentes. No tenemos que nombrarlas para que destaquen. Aunque ningún profesor o padre mencione la raza, los niños usarán el color de la piel por sí mismos, del mismo modo que emplean los colores de las camisetas.

A lo largo de la última década, los psicólogos evolucionistas han empezado a realizar una serie de estudios longitudinales para determinar exactamente a qué edad desarrollan los niños sus prejuicios raciales; la premisa generalmente aceptada es que cuanto antes se manifiesten, tanto más probable es que estén impulsados por los procesos del desarrollo.

La doctora Phyllis Katz, que por aquel tiempo era profesora de la Universidad de Colorado, dirigió un estudio en el que hizo un seguimiento de 100 niños negros y 100 niños blancos durante sus seis primeros años. Katz les propuso diferentes tests a estos niños y a sus padres en nueve ocasiones durante esos seis años, haciendo que se sometieran al primero de ellos a los seis meses de edad.

¿Cómo evalúan los investigadores a un bebé de seis meses? En realidad se trata de una prueba común en las investigaciones sobre el desarrollo infantil. Se les muestran a los bebés fotografías de rostros y se mide cuánto tiempo mantienen su atención en esa foto. Mirar una fotografía más tiempo no indica preferencia por ella, ni por el rostro que en ella aparece. Más bien indica que el cerebro del niño encuentra que esa fotografía se sale de lo ordinario; el bebé la contempla más tiempo porque quiere hallar su sentido. De modo que los rostros familiares obtienen menos atención visual. Los niños observarán más tiempo las fotografías de rostros de otra raza diferente a la de sus padres. La cara en sí misma no tiene un significado étnico per se, pero los cerebros de los niños notan las diferencias en el color de la piel e intentan entender su significado.

Cuando cumplieron los tres años, Katz les mostró fotografías de otros niños y les preguntó a quiénes les gustaría tener como amigos. De los niños blancos, el 86% eligieron compañeros de juegos de su propia raza. Cuando los niños tenían cinco y seis años, Katz les dio una pequeña baraja de cartas que contenía dibujos de gente y les pidió que dividieran las cartas en dos montones siguiendo el criterio que ellos quisieran. Sólo el 16% de los niños las dividieron por género. Otro 16% empleó una variedad de otros factores, como la edad o el estado de ánimo de las personas retratadas. Pero el 68% usó la raza para dividir las cartas, sin ninguna incitación.

Al informar de sus descubrimientos, la investigadora concluyó: «Creo que es justo decir que los niños no exhibieron esa ceguera al color que esperan muchos adultos en ningún punto del estudio».

El punto que Katz resalta es que ese periodo de las vidas de nuestros hijos en que imaginamos que es muy importante no hablar de las razas es justo cuando sus mentes están formando sus conclusiones sobre ellas.

Varios estudios apuntan la posibilidad de que existan ventanas evolutivas: etapas en las que las actitudes infantiles podrían estar más abiertas al cambio. Durante un experimento, los profesores dividieron a sus alumnos en grupos de seis niños, asegurándose de que cada uno de ellos estuviera en un grupo racialmente diverso. Se reunieron dos veces por semana durante ocho semanas. Cada niño del grupo tuvo que aprender una parte de la lección y después darse la vuelta y enseñársela a los otros cinco. Se evaluaba a los grupos colectivamente. A continuación, los investigadores observaban a los niños en el patio de recreo para ver si se daba una mayor interacción entre razas. Cada vez que un niño jugaba con otro de una raza diferente en un recreo, se anotaba, y también se anotaba la raza de los niños.

Los investigadores descubrieron que esto funcionaba maravillosamente para los niños de primer curso. El hecho de haber estado en grupos interraciales hacía que jugaran mucho más con niños de otras razas. Pero no marcaba ninguna diferencia en los niños de tercero. Es posible que, para tercero, cuando los padres reconocen generalmente que ya es seguro empezar a hablar de las razas, la ventana evolutiva ya se haya cerrado.

La otra suposición profundamente arraigada que tienen los padres modernos es lo que Ashley y yo hemos llamado la teoría de los entornos diversos. Si crías a un niño con un buen nivel de exposición a personas de otras razas y culturas, el entorno se convierte en el mensaje. No hace falta que hables de las razas; de hecho, es mejor no hacerlo. Simplemente expón al niño a los diversos entornos y él pensará que se trata de algo completamente normal.

Conozco esta actitud porque describe a la perfección el planteamiento que adoptamos mi esposa y yo cuando nació nuestro hijo Luke. Cuando tenía cuatro meses, le matriculamos en un centro situado en el vecindario Fillmore/Western Addition, de San Francisco. Uno de los múltiples beneficios de esta escuela era su gran diversidad racial. Durante años nunca mencionó el color de la piel de nadie, ni en la escuela ni viendo la televisión. Nosotros tampoco lo hicimos. Pensamos que todo estaba funcionando perfectamente.

Hasta que en su colegio llegó el día de Martin Luther King júnior dos meses antes de que cumpliera cinco años. Luke salió de clase aquel viernes y empezó a señalar a todo el mundo, anunciando orgullosamente: «Ese hombre viene de África. Y ella también viene de África». Sentí un poco de vergüenza de que lo dijera en voz alta. Estaba claro que le habían enseñado a categorizar el color de la piel, y estaba encantado con esta nueva capacidad. «La gente con la piel morena es de África», repetía. No le habían enseñado los nombres de las razas; no había oído el término «negro» y nos llamaba la «gente con la piel blanca-rosácea». Nombró a todos los niños de su aula que tenían la piel oscura, que eran aproximadamente la mitad de la clase.

Me sentí incómodo por el hecho de que la escuela no nos hubiera avisado de que iban a impartir a los niños esta lección sobre las razas. Pero el entusiasmo de mi hijo era revelador. Resultaba evidente que era una cuestión por la que llevaba algún tiempo preguntándose. Se sentía aliviado de que finalmente le hubieran dado la clave. El color de la piel era una señal de las raíces ancestrales.

A lo largo del año siguiente empezamos a oír a uno de sus amigos blancos hablar del color de su piel. Aún no sabían llamar a la piel por el color, de modo que usaban la expresión «una piel como la nuestra». Y esta noción de *nuestra frente a suya* comenzó a adquirir un significado propio. A medida que estos niños buscaban su identidad, el color de la piel era un rasgo sobresaliente. Pronto oí a ese niño blanco decirle a mi hijo: «A los padres no les gusta que hablemos del color de la piel, de modo que no dejes que te oigan».

Sin embargo, nuestro hijo lo mencionó. Cuando veía los partidos de baloncesto con nosotros, decía: «Ese tipo es mi favorito». –Y ponía el dedo sobre la pantalla para apuntar al jugador–. Ese tipo con la piel como nosotros», añadía. Entonces le hice una larga serie de preguntas y llegué a entender lo que estaba ocurriendo. Mi joven hijo había tomado conciencia de su pelo rubio rizado. Su cabello nunca tendría la apariencia del de los jugadores negros. Por el contrario, el jugador blanco letón de los Golden State Warriors tenía el pelo del mismo color que mi hijo. Ése era el hombre al que había que animar. Luke estaba tratando de encontrar su propia identidad y buscaba modelos. Tanto la raza como el estilo de pelo se habían convertido en parte de la fórmula de la identidad. Lanzar tiros libres y defender enérgicamente no formaban parte de la identidad.

Aquello siguió sorprendiéndome. Como padre, abordé esos momento de manera explícita, diciéndole a mi hijo que estaba mal elegir a alguien como amigo, o como su «favorito», basándose en el color de la piel o en el tipo de pelo. Le señalamos que algunos amigos no estarían presentes en nuestras vidas si los eligiéramos por el color de su piel. El mensaje le llegó y, con el tiempo, no sólo aceptó, sino que integró esta lección. Ahora habla abiertamente de igualdad y de que la discriminación está mal.

Como entonces no sabía lo que ahora sé, me costó entender los primeros impulsos de mi hijo. Siempre había pensado que el racismo se enseña. Si un niño crece en un mundo no racista, ¿por qué mostraría espontáneamente preferencias de raza? El entorno del que nos sentíamos tan orgullosos... ¿cuándo deja de ser el mensaje que el niño escucha?

El principio esencial que respalda las actuales políticas de no segregación es la teoría del entorno diverso. Como la mayoría de la gente, yo asumí que después de treinta años de políticas destinadas a la desegregación escolar habría muchos estudios científicos que demostrarían que la teoría del entorno diverso funciona. Entonces Ashley y yo empezamos a entrevistarnos con los estudiosos que habían realizado esas investigaciones.

Por ejemplo, el doctor Gary Orfield dirige el Proyecto por los Derechos Civiles, una institución que durante mucho tiempo tuvo su base en Harvard pero que se trasladó a UCLA (Universidad de California, en Los Ángeles). En el verano de 2007, Orfield y una docena de investigadores de alto rango escribieron un informe *amicus curiae* a la Corte Suprema de Estados Unidos para apoyar las políticas de desegregación en Louisville, Kentucky, y Seattle, Washington. Después de completar el documento de 86 páginas, Orfield se lo envió por correo electrónico a todos los científicos sociales de su lista de correos, y recibió 553 firmas de apoyo. Ningún bufete elegante puso su sello en él. Orfield se sentía muy orgulloso de que el informe fuera el trabajo de un grupo de científicos, no de abogados, y de que de esta manera conservara su integridad y su imparcialidad. «Era la verdadera voz de las ciencias sociales», recordó.

Sin embargo, en privado sentía un poco de frustración, incluso enfado. Admitía que los datos científicos de los que disponía para defender su caso «no es lo que realmente queremos». A pesar de tener a su disposición al menos 1.000 estudios de investigación sobre los efectos de las políticas de desegregación, «me sorprendió que ninguno fuera longitudinal. Realmente estas políticas tienen un efecto sustancial, pero han de hacerse correctamente». El simple hecho de mezclar niños de distintas razas en la misma escuela no es hacer las cosas correctamente, porque los niños pueden autosegregarse dentro de las aulas. Orfield lamentó la falta de fondos para formar a los profesores. Teniendo en cuenta los informes científicos con los que contaba para defender su caso, recordó: «Me deprimió que hayamos investigado tan poco para hallar los beneficios de la integración».

Esta ambigüedad es visible en el texto del informe *amicus*. A los científicos no les gusta exagerar. De modo que Orfield califica los beneficios de las políticas en contra de la segregación con expresiones como «puede conducir a...» o «puede mejorar...». «La mera integración escolar no es la panacea», advierte el informe.

Bigler, de la Universidad de Texas, fue uno de los especialistas que contribuyeron al informe, y estuvo muy implicada en el proceso de su creación. Su estimación de los hallazgos conseguidos es más modesta que la de Orfield: «Al final, me decepcionó la cantidad de pruebas que podía reunir la psicología social –dijo–. Ir a escuelas integradas te da tantas oportunidades de aprender estereotipos como de desaprenderlos».

Llamar la atención sobre este hecho puede parecer tabú. Bigler defiende a capa y espada las políticas antisegregacionistas en las escuelas alegando que se trata de una cuestión moral: «Aumentar la segregación social es un gran paso atrás», comentó.

Pero es importante que los padres sepan que el mero hecho de enviar a sus hijos a un colegio con diversidad racial no garantiza que tengan mejores actitudes raciales que los niños de las escuelas homogéneas.

En comparación con otros objetos de inclinación y discriminación, la raza parece ser un asunto especialmente complejo. El doctor Thomas Pettigrew, de la Universidad de California, en Santa Cruz, analizó más de

500 estudios que demuestran que la exposición a gente de otras razas puede reducir los prejuicios. Los estudios que tuvieron más éxito no guardaban relación con la segregación racial; más bien tenían que ver con los prejuicios hacia los inválidos, los ancianos y los homosexuales. Los estudios de otros países muestran cierta medida de éxito, como la reducción de prejuicios entre los judíos y los palestinos, o entre los blancos y los negros en Sudáfrica. Cuando se aborda el tema de la raza en América, los estudios sólo muestran una modesta mejoría entre los alumnos universitarios. En los institutos de secundaria y en las escuelas de primaria es otra historia.

Recientemente, el Proyecto por los Derechos Civiles estudió a los alumnos del penúltimo año de secundaria en seis distritos escolares de diversos puntos de Estados Unidos. Uno de ellos era un instituto de Louisville, que parece ser uno de los lugares donde las políticas de no segregación han tenido el efecto deseado. Las encuestas realizadas a los estudiantes de tercero de secundaria muestran que más del 80% de los alumnos de todas las razas sienten que su experiencia escolar les ha ayudado a trabajar y a llevarse bien con miembros de otras razas y grupos étnicos. Más del 85% sienten que la diversidad escolar los ha preparado para trabajar en distintos entornos laborales.

Pero en otros distritos estas políticas no funcionan tan bien. Lynn, en Massachusetts, está a unos quince kilómetros al norte de Boston, y generalmente se la considera como otro modelo de diversidad y de éxito de las políticas de no segregación escolar. Cuando se encuestó a sus estudiantes para preguntarles si les gustaría vivir en un vecindario racialmente diverso cuando fueran mayores, aproximadamente un 70% de los alumnos no blancos dijeron que sí, pero el porcentaje de «síes» entre los blancos se redujo al 35%.

El doctor Walter Stephan, profesor emérito de la New Mexico State University, ha dedicado su vida a estudiar las actitudes raciales de los estudiantes después de su primer año de desegregación. Descubrió que en el 16% de las escuelas desegregadas que examinó, las actitudes de los blancos hacia los afroamericanos se hicieron más favorables. En el 36% de las escuelas, no había diferencia. En el 48%, las actitudes de los estudiantes blancos hacia los negros *empeoraron*. Stephan no es segregacionista: firmó el informe *amicus* y es uno de los estudiosos más respetados en este campo.

El desafortunado resultado de las escuelas con diversidad racial es que no conducen necesariamente a que haya más amistades interraciales. Frecuentemente ocurre lo contrario.

El doctor James Moody, de la Duke University –un experto en cómo crean y mantienen los adolescentes sus redes sociales–, analizó datos relativos a 90.000 adolescentes en 112 colegios diferentes de todas las regiones del país. A los alumnos se les pidió que nombraran a sus cinco mejores amigos y a sus cinco mejores amigas. Moody comparó la procedencia étnica de los alumnos con la raza de sus amigos, y seguidamente cotejó el número de amistades interraciales de cada alumno con el grado de diversidad racial de la escuela.

Moody descubrió que cuanto más diversidad racial tuviera el centro escolar, más se autosegregaban los niños por raza y etnia dentro de él, de modo que la probabilidad de que dos niños cualesquiera de distintas razas fueran amigos se *reducía*.

Consecuentemente, los alumnos de secundaria que acuden a institutos con diversidad racial experimentan diariamente dos mensajes sociales contradictorios. El primer mensaje es inspirador: muchos estudiantes tienen un amigo de otra raza. El segundo es trágico: muchos más niños prefieren estar con los de su raza. Esta segunda dinámica se hace más visible cuando la diversidad aumenta. A medida que el niño recorre la escuela, ve a más grupos de los que su raza le aparta, muchas más mesas del comedor en las que no se puede sentar y muchas más líneas implícitas que es tabú cruzar. No puede pasar por alto todo esto aunque él, personalmente, tenga amigos de otras razas.

Es cierto que, por cada actividad extracurricular que un niño tenga en común con niños de otras razas, la probabilidad de que se hagan amigos aumenta. Pero lo asombroso del análisis de Moody es que él ya tuvo este dato en cuenta: incluyó controles estadísticos para las actividades, los deportes, el seguimiento académico y otras condiciones estructurales de la escuela que tienden a desegregar (o a segregar) a los alumnos dentro de ella. Y la regla sigue siendo válida: más diversidad se traduce en más división entre los estudiantes.

Después de hacer su propio análisis de las amistades de los adolescentes, un grupo de la Universidad de Carolina del Norte, en Chapel Hill, confirmó los resultados de Moody. «En general, las escuelas con más diversidad racial tienen más potencial para el contacto interracial, y por lo tanto hay más posibilidades de surjan potenciales amigos interraciales», explicaron estos investigadores. Pero estas oportunidades se están echando a perder: «La probabilidad de que las díadas interraciales entablen amistad se reduce en las escuelas con más diversidad racial».

Ese mayor número de oportunidades de interactuar también son oportunidades de rechazarse mutuamente. Y eso es lo que está ocurriendo. «Ha habido una resegregación entre los jóvenes de primaria y secundaria y en los campus universitarios de todo el país –dijo la doctora Brendesha Tynes, de la Universidad de Illinois, en Urbana-Champaign. Y concluyó–: Incluso en las escuelas multirraciales, cuando los niños se van de clase, apenas se producen relaciones interraciales porque el deseo de asociarse con gente del propio grupo étnico a menudo desanima la interacción entre grupos».

Dicho esto, las probabilidades de que un adolescente blanco americano tenga como mejor amigo a un muchacho de otra raza es sólo del 8%. Esta contingencia apenas mejora cuando se trata del segundo mejor amigo o del tercero, o del quinto. Para los muchachos negros, las probabilidades no son mucho mejores: el 85% de sus mejores amigos también son negros. Asimismo, las amistades interraciales tienden a compartir una única actividad, en lugar de múltiples actividades; consecuentemente, es más probable que estas amistades se pierdan con el tiempo, cuando los niños hagan la transición a la enseñanza secundaria.

Resulta tentador creer que como en su generación hay tanta diversidad racial, los niños de hoy crecen sabiendo convivir con niños de todas las razas. Pero eso no es así: numerosos estudios sugieren que esto es más una fantasía que una realidad.

No puedo evitar preguntarme: ¿serían los resultados de la desegregación tan parciales si los padres la reforzaran en lugar de guardar silencio?

¿Es verdaderamente tan difícil hablar con los niños sobre las diferentes razas cuando son muy pequeños? Lo que llamó la atención de Phyllis Katz en el estudio que realizó con 200 niños blancos y negros es que los padres se sienten muy cómodos hablándoles a sus hijos sobre las diferencias entre sexos, y se esfuerzan mucho por programarlos en contra de los estereotipos chico-chica. Ése debería ser nuestro modelo para hablar de las razas. Tal como les recordamos a nuestras hijas: «Las mamás también pueden ser médicos como los papás», deberíamos decirles a todos los niños que los médicos pueden tener cualquier color de piel. Lo que hemos de decir no es complicado. Sólo es cuestión de con qué frecuencia lo reforcemos.

Silenciar a los niños cuando hacen un comentario inapropiado es un reflejo instintivo, pero suele ser un movimiento equivocado. Los cerebros infantiles tienden a categorizar, y no pueden evitar generalizar las reglas de los ejemplos que ven. Produce una vergüenza de la peor clase cuando los niños comentan en voz alta: «Sólo la gente de piel oscura puede desayunar en la escuela», o «Tú no puedes jugar al baloncesto; tú eres blanco, de modo que tienes que jugar al béisbol». Pero callarlos sólo les envía el mensaje de que el tema racial es inabordable, lo que hace que el niño esté más agobiado y el mensaje sea más intimidante.

Los niños extraen conclusiones que pueden avergonzar a sus padres, aunque hayan visto unos pocos ejemplos en sentido contrario. No absorben pasivamente el conocimiento; más bien, construyen activamente sus conceptos. Bigler ha visto muchos ejemplos en los que los niños distorsionan la reconstrucción de los hechos para que encajen en las categorías mentales que se han formado. La necesidad del cerebro de que las categorías encajen perfectamente es más fuerte a los siete años que a los cinco, de modo que un niño de segundo curso podría distorsionar más sus recuerdos que uno de preescolar, para defender sus categorías. A sus padres les puede parecer que, en lugar de mejorar, su hijo está empeorando en su comprensión de un mundo diverso.

Los investigadores han descubierto que, para ser eficaces, las conversaciones sobre temas raciales tienen que ser explícitas y expresarse en los términos inequívocos que los niños pueden entender. Una amiga mía repetía a su hijo de cinco años: «Recuerda, todos tenemos los mismos derechos y obligaciones». Ella pensaba que su hijo estaba entendiendo el mensaje hasta que un día, pasados siete meses, el niño le preguntó: «Mamá, ¿qué significa 'derechos y obligaciones'?».

Bigler realizó un estudio en el que los niños leían breves biografías históricas de afroamericanos famosos. Por ejemplo, leyeron la de Jackie Robinson, que fue el primer afroamericano en participar en las grandes ligas deportivas. Pero, en este experimento, sólo la mitad de los participantes escucharon que antes había estado relegado a las ligas para negros, y que solía sufrir insultos de los aficionados blancos. Estos hechos –en cinco breves frases– fueron omitidos en la versión que se le dio a la otra mitad de los niños.

Después de asistir durante dos semanas a estas clases de historia, se encuestó a los niños para evaluar sus actitudes raciales. Los blancos a los que se les ofreció toda la historia sobre la discriminación histórica tenían unas actitudes significativamente mejores hacia los negros que los que escucharon la versión recortada. Proporcionar información explícita funciona mejor. «También hizo que algunos sintieran culpabilidad –dijo Bigler, y añadió–: Tumbó por los suelos la visión glorificada de la gente blanca».

Bigler es muy cauta para no llevar demasiado lejos las conclusiones de su estudio sobre Jackie Robinson. Nos indica que las preguntas eran explícitas, pero estaban relacionadas con una discriminación *histórica*: «Si les hubiéramos hecho leer historias de discriminación contemporánea procedentes de los periódicos actuales, es muy posible que los blancos se hubieran puesto a la defensiva, y que los negros se hubieran enfadado con los blancos».

Hay otra investigadora que posee algo parecido a una respuesta a la situación planteada por Bigler. La doctora April Harris-Britt, psicóloga clínica y profesora de la Universidad de Carolina del Norte, en Chapel Hill, estudia cómo los padres de las minorías ayudan a sus hijos a desarrollar una identidad racial desde que son muy pequeños. En algún momento, todos los padres de las minorías les cuentan a sus hijos que ahí fuera hay discriminación, pero que no deben dejar que eso los detenga. No obstante, no son los niños los que sacan a la luz estas conversaciones. Más bien lo que suele ocurrir es que los padres sufren un incidente discriminatorio y piensan: «Ya es hora de que prepare a mi hijo para esto».

¿Es esto bueno para los niños? Harris-Britt descubrió que cierta preparación para los prejuicios era buena para ellos, y que resultaba necesaria: el 94% de los afroamericanos de octavo le dijeron que se habían sentido discriminados en algún momento de los últimos tres meses. Pero si los niños escuchan frecuentemente estas preparaciones para la discriminación (en lugar de oírlas sólo ocasionalmente), tienen muchas menos posibilidades de conectar su éxito con el esfuerzo, y es mucho más probable que recriminen por sus fracasos a los profesores, a los que culpan de discriminarlos.

Harris-Britt advierte que, paradójicamente, la predicción frecuente de futuras discriminaciones se vuelve tan destructiva como las experiencias reales de discriminación: «Si te enfocas excesivamente en ese tipo de sucesos, les das a los niños el mensaje de que el mundo va a ser hostil, de que no eres valorado, y de que el mundo es así».

En cualquier caso, las minorías no sólo preparan a sus hijos para la discriminación. Según el análisis de Harris-Britt, la otra gran categoría de conversación es el orgullo étnico. Desde una edad muy temprana, a los niños de las minorías se les enseña a sentirse orgullosos de su historia étnica. Nuestra investigadora descubrió que esto era muy bueno para que los pequeños confíen en sí mismos; en uno de los estudios, los niños negros que habían oído mensajes de orgullo étnico estaban más involucrados en la escuela y era más probable que atribuyeran su éxito a su esfuerzo y habilidad.

Esto nos conduce a la pregunta que todo el mundo se plantea pero pocas veces llega a enunciarse. Si el «orgullo negro» es bueno para los niños afroamericanos, ¿dónde deja eso a los blancos? Es horrible imaginarse a los niños sintiéndose «orgullosos de ser blancos». Sin embargo, muchos estudiosos argumentan que eso es exactamente lo que los cerebros infantiles ya están computando. Tal como los niños de las minorías ya son conscientes de pertenecer a un grupo étnico con menos estatus y riqueza, la mayoría de los niños blancos descifran de manera natural que pertenecen a la raza que tiene más poder, riqueza y control en la sociedad; esto les proporciona seguridad, cuando no confianza. De modo que un mensaje de orgullo además de aborrecible sería redundante.

Cuando se habla con adolescentes resulta útil comprender que su tendencia a formar grupos y estereotipos es una consecuencias de la cultura americana. En Estados Unidos fomentamos la individualidad. Los niños desarrollan libre y abiertamente fuertes preferencias, definiendo su identidad en función de las cosas que les gustan y les disgustan. Aprenden a ver las diferencias. Aunque el objetivo a largo plazo es que desarrollen una identidad bien definida, en el instituto esta necesidad se satisface formando subgrupos distintivos y uniéndose a ellos. Así, en un giro paradójico, cuanto más resalte una cultura el individualismo, tanto más los años de la adolescencia irán marcados por esta tendencia a formar subgrupos. En Japón, por ejemplo, se valora más la armonía social que el individualismo, y a los niños se les desanima cuando muestran fuertes preferencias personales. Así, en sus institutos se observa menos tendencia a formar subgrupos.

La seguridad que se deriva de pertenecer a un grupo, especialmente para los adolescentes, es palpable. Los rasgos que marcan esta pertenencia al grupo son –nos gusten o no– esenciales para este periodo del desarrollo. Los investigadores de la Universidad de Michigan realizaron un estudio que muestra lo fuerte que es esta necesidad de pertenencia, y cuánto puede afectar a un adolescente. Se convocó a 100 estudiantes negros de Detroit para entrevistarlos de uno en uno. Pidieron a cada adolescente que se evaluara a sí mismo con respecto a lo clara u oscura que creía que era su piel. Después los investigadores les preguntaron sobre su confianza en los círculos sociales y en el instituto; los respectivos centros ya les habían facilitado las notas medias de los encuestados.

Particularmente en el caso de los chicos, los que se evaluaron a sí mismos como negros con la piel oscura tenían los promedios de notas más altos. También tenían las puntuaciones más altas en aceptación social y confianza académica. Los chicos con la piel más clara se sentían menos seguros social y académicamente.

Los investigadores repitieron posteriormente estos resultados con los estudiantes de «aspecto latino». La conclusión a la que llegaron es que conseguir buenos resultados escolares podría hacer que a un adolescente de una minoría se le acusara de «actuar como un blanco». Los que se sentían más seguros de su pertenencia a la minoría estaban protegidos de este insulto, y por tanto se hallaban más dispuestos a salirse de la norma grupal. Pero, en el caso de los negros de piel clara y los hispanos con apariencia anglosajona, su estatus dentro de la minoría era más precario. De modo que intentaban ofrecer una imagen más acorde con la identidad de la minoría –aunque fuera un estereotipo negativo– para modificar su estatus dentro del grupo.

A lo largo de nuestra investigación escuchamos muchas historias de cómo la gente –desde los padres hasta los profesores– se esforzaban por hablar de las razas con sus hijos. En algunos casos, la charla surgía después de que el niño hubiera hecho algún comentario bochornoso en público. Algunas personas se habían topado con este asunto por un matrimonio interracial o una adopción internacional. Y otros simplemente estaban introduciendo a sus hijos en un entorno con diversidad racial, y se preguntaban si era el momento oportuno.

Pero la historia que más nos afectó venía de una pequeña ciudad del Ohio rural. Dos profesoras de primero, Joy Bowman y Angela Johnson, habían acordado dejar que una profesora de la Ohio State University, la doctora Jeane Copenhaver-Johnson, observara su aula durante un año. De los 33 niños, aproximadamente dos tercios se identificaban a sí mismos como «blancos» o incluso «blancos montañeses», mientras que los demás eran negros o de una mezcla de razas.

En diciembre –sólo un mes después de que hubiera comenzado el proyecto de Copenhaver–, las profesoras decidieron añadir a algunas otras historias navideñas que ya habían leído en la clase la de *La noche antes de Navidad*, una versión de Melodye Rosales del clásico de Clement C. Moore.

Con el aula ya decorada con elementos navideños, Johnson hizo que todos los niños se agruparan sobre la alfombra para contar la historia. Cuando empezó a leer, los niños se sintieron muy animados por el relato de la familia esperando la llegada de Santa Claus. Un par de ellos hablaron de las decoraciones navideñas y de sus propias expectativas para la llegada de Santa Claus a su hogar. Sin embargo, algunos estaban inquietos. Parecían estar perplejos de que esta historia fuera diferente: en este caso, era una familia negra la que permanecía cómodamente acostada en sus camas.

Después, se produjo el famoso estruendo en el tejado. Los niños se acercaron para ver la primera imagen de Santa y del trineo mientras Johnson pasaba la página.

Y vieron que Santa era negro.

—¡Es negro! –gritó una niña blanca.

Otro niño blanco exclamó:

—¡Yo pensaba que era blanco!

Inmediatamente, los niños empezaron a hablar de aquel giro inesperado de la historia.

A la madura edad de seis y siete años, los niños no tenían dudas de que Santa Claus era real. Estaban absolutamente seguros de este hecho. Pero, de repente, se presentaba un gran interrogante: ¿podría Santa Claus ser negro? Y si era así, ¿qué significaba eso?

Mientras que algunos niños negros se sentían encantados de que Santa pudiera ser de su mismo color, otros no estaban seguros. Inicialmente, algunos alumnos blancos rechazaron la idea de partida: un Santa negro no podía ser real. Pero hasta la niña que tenía más claro que el verdadero Santa debía ser blanco consideró la posibilidad de que un Santa negro pudiera sustituir al blanco si estaba enfermo. Y gritó alegremente con el saludo final de Santa: «¡Felices Navidades a todos! ¡Que durmáis bien!». Otra niña blanca pasó de rechazar inicialmente con contundencia al Santa negro a conceder que tal vez era un «ayudante». Hacia el final de la historia se preguntaba si de algún modo éste podría ser un primo o hermano del Santa blanco que ya conocía. Su fuerte necesidad de que fuera un Santa blanco el que viniera a su casa seguía intacta, pero estas concesiones supusieron un gran cambio en unas diez páginas.

Posteriormente, esa misma semana, Copenhaver volvió para ver cómo se desenvolvía la misma escena en la clase de otro profesor. Los debates subsiguientes fueron similares. Un par de niños ofrecieron la idea de que tal vez Santa era una «mezcla de blanco y negro»; quizá era algo intermedio, como los indios. Un niño propuso dos hipótesis sobre Santa: el Santa blanco y el negro deben de ser amigos que visitan a los niños por turnos, concluyó. Cuando Bowman cometió el gran error de decir que nunca había visto a Santa, los niños la corrigieron rápidamente: ellos sabían que todo el mundo había visto a Santa en el centro comercial. Pero eso no clarificó la situación en ninguna medida.

En ambos casos, el debate continuó con mayor o menor intensidad durante una semana hasta el día de la fiesta escolar. Santa iba a venir. Y todos ellos estaban seguros de que se trataría del verdadero Santa.

Entonces Santa llegó a la fiesta, y era negro, como en el libro.

Los alumnos negros estaban superexultantes, puesto que esto demostraba que Santa era negro. Algunos niños blancos dijeron que estaba demasiado delgado, y eso significaba que el verdadero Santa era el blanco y gordo del centro comercial. Pero una de las niñas blancas dijo que ella había conocido al hombre y estaba convencida: Santa era negro.

Amy, una de las niñas blancas a la que se le había ocurrido la teoría de que Santa era una mezcla de razas, abandonó esa idea al conocer al Santa negro. Pero se preguntó si tal vez éste iba a casa de los niños negros y el blanco llevaba los presentes a los niños blancos. Un niño afroamericano se preguntó si este Santa se encargaba también de los niños blancos, y dijo que tal vez transmitía las peticiones a otro Santa escondido en alguna parte.

Otro niño negro, Brent, seguía dudando. Quería que el Santa negro fuera verdad, pero no estaba convencido. De modo que le confrontó valientemente:

—¡No hay Santas negros! –insistía.

—Hijo, ¿qué color ves? –respondió Santa.

—Negro, pero podrías no ser negro debajo de los calcetines.

—Mira aquí –Santa se subió una pernera del pantalón para que Brent pudiera ver su piel.

El pequeño se sintió emocionado:

—¡Éste es un Santa negro! –gritó–. Tiene la piel negra y sus botas son negras como las del Santa blanco.

La historia del Santa negro no fue suficiente para que los niños cambiaran su marco de referencia. No abolió todos los estereotipos. Incluso los niños negros que se sentían entusiasmados con el Santa negro, cuando Johnson les pidió que dibujaran a Santa, lo hicieron con una piel tan blanca como su barba.

Pero la conmoción de ver a un Santa negro permitió a los niños empezar a hablar de razas como nunca lo habían hecho antes. Y sus preguntas dieron comienzo a un diálogo sobre asuntos raciales que duró todo el año.

Hacia el final de ese curso, las profesoras incorporaron paulatinamente libros que abordaban directamente el problema del racismo. Tanto los niños blancos como los negros estaban colaborando en proyectos sobre Martin Luther King. Y cuando los niños leyeron un libro sobre el movimiento por los derechos civiles, tanto los niños blancos como los negros se dieron cuenta de que los blancos no aparecían por ninguna parte en aquellos acontecimientos.

4

Por qué mienten los niños

Es posible que valoremos mucho la sinceridad, pero los resultados de la investigación son claros. La mayoría de las estrategias para fomentar la veracidad sólo animan a los niños a mentir mejor.

Ashley y yo fuimos a Montreal a visitar el laboratorio y los experimentos de la doctora Victoria Talwar, una de las mayores expertas a nivel mundial en mentiras infantiles. Talwar es joven, tiene el pelo negro azabache y un acento inusual, el resultado combinado de sus antepasados familiares irlandeses e indios, de su educación británica y de sus breves incursiones en instituciones académicas americanas, escocesas y de Quebec. Su laboratorio está situado en una casa de piedra caliza de estilo neogótico que preside el campus de la Universidad McGill.

Casi de inmediato, Talwar nos reclutó para uno de sus numerosos experimentos. Nos puso en una habitación con dos de sus alumnas, Simone Muir y Sarah-Jane Renaud, que nos mostraron ocho videos de niños que contaban acerca de una ocasión en que alguien los intimidó. Nosotros teníamos que decir cuándo estaban diciendo la verdad y cuándo estaban inventándose la historia, y evaluar nuestra propia confianza en que nuestra opinión fuera la correcta.

Las edades de los niños iban de los siete a los once años. Cada segmento del vídeo comenzaba con un adulto que no salía en pantalla haciéndole al niño una pregunta para que pusiera su historia en marcha, como: «Entonces, dime qué ocurrió cuando fuiste al Burguer King». En respuesta, el niño contaba su historia a lo largo de los siguientes dos minutos y medio, y ocasionalmente el adulto que le entrevistaba le animaba a incluir detalles. Esos dos minutos largos eran tiempo más que suficiente para que el niño tuviera abundantes oportunidades de incluir detalles contradictorios o indicaciones que permitían detectar mentiras.

Este formato está pensado para simular las condiciones de los niños que testifican ante los tribunales, que es donde comenzó la moderna ciencia de detección de las mentiras infantiles. Más de 100.000 niños testifican anualmente en los tribunales norteamericanos, generalmente en disputas por la custodia y en casos de abusos.

En esos casos, alguien les ayuda a dar forma a su historia, de modo que a los niños del experimento de Talwar también les habían ayudado sus padres brevemente la noche anterior. Para preparar la cinta de vídeo, cada niño ensayaba un relato verdadero y otro inventado, y contaba ambos al entrevistador ante la cámara. El entrevistador mismo no sabía cuáles eran los verdaderos. Seguidamente, uno de los relatos del niño se incluía en el vídeo de ocho historias. No se elegían porque el niño hubiera mentido especialmente bien, sino que se escogían al azar.

La adorable niñita del relato del Burguer King contó que un niño la había intimidado por ser china, y que le tiró algunas patatas fritas en el pelo. Yo me quedé helado: ¿echaría un absoluto desconocido patatas en el pelo de una niña? Ella parecía muy pequeña, y sin embargo narró la historia de manera completa. ¿Estaba ensayada? Tratando de adivinar, la marqué como una historia inventada, pero noté que no tenía ninguna confianza en que realmente fuera así. Y mi confianza no mejoró en los dos relatos siguientes.

«Esto resulta muy difícil», murmuré, sorprendido al no obtener las respuestas de manera inmediata. Me acerqué al monitor de vídeo y subí el volumen todo lo posible.

Otra niña contó que la habían intimidado y expulsado de su grupo de amigas después de haber obtenido la máxima puntuación en un examen de matemáticas. Relató su historia con pocos detalles y necesitó mucha ayuda; para mí, aquella historia resultaba genuina, tal como la contaría una niña.

Después de la prueba, Ashley y yo fuimos evaluados. Para mi desazón, únicamente acerté cuatro de ocho. Ashley sólo acertó tres.

Nuestros resultados no dejan de ser habituales. Cientos de personas han sido sometidas al test de Talwar y, en general, sus resultados no son mejores que si se hubiera respondido al azar. La gente simplemente no sabe distinguir cuándo mienten los niños. Y las puntuaciones de los adultos tienden a revelar ciertos sesgos. Creen que las niñas dicen la verdad más que los niños, cuando, de hecho, los niños no mienten más. Creen que los más pequeños tienden a mentir más, cuando en realidad es al contrario. Y creen que los introvertidos son menos dignos de confianza, cuando la verdad es que mienten con menos frecuencia, pues carecen de las habilidades sociales necesarias para ello.

Existen muchos sistemas de detección de mentiras creados a partir de las pautas de conducta verbal y no verbal asociadas con las mentiras adultas, pero sólo ofrecen pequeñas ventajas estadísticas. La entonación de la voz, la dilatación de las pupilas, el movimiento ocular, la falta de detalles sensoriales y contar las historias cronológicamente son algunos indicadores de las mentiras de los adultos. No obstante, cuando se trata de explicar estas grandes desviaciones de la conducta infantil, los mencionados indicadores no son mucho más fiables que lanzar una moneda al aire.

Así, cuando se los evalúa, los agentes de policía obtienen puntuaciones inferiores a la media, de aproximadamente un 45%. Los agentes de aduanas reciben entrenamiento para entrevistar a niños durante los procesos de inmigración y poder así determinar instantáneamente si un pequeño le ha sido arrebatado a sus padres. Sin embargo, ellos tampoco puntúan mejor que la media en el test de Talwar.

Las alumnas de Talwar, Muir y Renaud, han propuesto diversas versiones del experimento tanto a padres como a profesores. «Los profesores puntúan por encima de lo que cabría esperar por el puro azar (60%), pero generalmente se molestan mucho si no consiguen un 100% –dijo Muir–. Insisten en que conseguirían una puntuación mucho mejor con sus propios alumnos».

Asimismo, la primera defensa de los padres contra la tendencia a mentir de los niños es:

—Bueno, yo sé cuándo está mintiendo.

Talwar ha probado que eso es un mito. Uno podría poner la objeción de que estos videos de las intimidaciones no son mentiras de verdad, inventadas bajo presión. Los niños contaron con ayuda, y en realidad no tenían alicientes para mentir.

Pero Talwar tiene una gran variedad de experimentos en los que tienta a los niños a hacer trampa en un juego, y eso los pone en la posición de contar mentiras reales sobre las trampas que han hecho. Ella graba estos experimentos en vídeo. Después los muestra a los padres de los niños y les pregunta: «¿Está tu hijo diciendo la verdad?». Los padres puntúan muy poco por encima de la media, y no se lo toman bien. Renaud dice que cuando los llama por teléfono para programar el experimento, «creen que sus hijos no van a mentir». Talwar explicó que cierto número de progenitores acuden a su laboratorio deseando usar la actuación de sus hijos para demostrar a un experto reconocido lo buenos padres que son.

Y les resultó muy doloroso admitir que sus hijos no dicen la verdad. Al día siguiente pudimos comprobarlo en directo.

«Mi hijo no miente», insistía Steve, un padre de unos treinta y cinco años y ligeramente cansado, mientras observaba a Nick, su animoso hijo de seis años, jugando entusiasmado a las canicas con unas estudiantes de la Universidad McGill. Steve estaba muy orgulloso de su hijo, al que describía como muy tranquilo y sociable. Hizo que Nick repitiera una impresionante serie de problemas de aritmética que había memorizado, como si de algún modo eso probara su sinceridad.

Seguidamente rebajó un punto su afirmación: «Bueno, yo nunca le he oído mentir». Y tal vez eso también era un poco fuerte: «Estoy seguro de que debe de mentir alguna vez, pero, cuando lo oiga, me quedaré sorprendido». Había llevado a su hijo después de haber visto un anuncio de Talwar en una revista local para padres cuyo titular decía: «¿Puedes distinguir la diferencia entre una verdad y una mentira?». Lo cierto es que se notaba a Steve tenso. Sentía curiosidad por saber si Nick mentía, pero no estaba seguro de querer saber la respuesta. La idea de que su hijo fuera deshonesto con él le inquietaba profundamente.

Steve tenía por delante una semana interesante porque la doctora Talwar acababa de pedirle que durante los siete días siguientes anotara y describiera en su diario cada mentira que su hijo le contara. Y yo sé con seguridad que su hijo mintió; le vi hacerlo.

Nick pensó que pasaría la hora jugando a una serie de juegos con un par de mujeres amables. Después de haber jugado a las canicas en una alegre habitación, participó en otros juegos con las chicas. No sentía prisa por irse de aquel laboratorio, con sus paredes pintadas de amarillo y decoradas con docenas de dibujos infantiles, y sus estanterías llenas de juguetes.

Había ganado dos premios: un coche de juguete muy bonito y una bolsa de dinosaurios de plástico, y todo el mundo le dijo que lo había hecho muy bien.

Lo que el niño de primer curso no sabía era que esos juegos –aunque muy divertidos– en realidad eran una batería de tets psicológicos, y las chicas eran las investigadoras de Talwar, que estaban obteniendo sus doctorados en psicología infantil. El otro factor clave que Nick desconocía era que cuando jugaba con otra persona, había una cámara oculta grabando cada uno de sus movimientos y palabras. En la habitación adyacente, Ashley y yo lo observábamos todo desde un monitor.

Nick hizo trampa, después mintió y por último volvió a mentir. Lo hizo sin dudarlo, sin sombra de remordimiento. En cambio, se sintió exultante cuando todos le felicitaron por ganar en los juegos: me dijo que tenía muchas ganas de volver a la semana siguiente para seguir jugando. Si no hubiera sabido lo que estaba ocurriendo, podría haber pensado que me hallaba ante un futuro sociopata. Aún me pregunto si no es así, aunque Talwar me asegura lo contrario.

Uno de los experimentos, una variante del clásico denominado paradigma de la tentación, se conoce en el laboratorio como «el juego de mirar furtivamente». Por cortesía de la cámara oculta vimos a Nick jugar con otra de las ayudantes de Talwar, Cindy Arruda. Ésta llevó al niño a una pequeña habitación privada y le dijo que iban a jugar a las adivinanzas. Nick se dio la vuelta y se puso mirando a la pared, mientras Arruda iba sacando juguetes que emitían un sonido. Nick tenía que adivinar de qué juguete se trataba basándose en el sonido que hacía. Si acertaba tres veces, ganaría un premio.

El primer juguete fue fácil. Muy excitado, dio un salto en su silla cuando adivinó que la sirena era de un coche de policía. El segundo juguete emitió un llanto de bebé, y Nick necesitó un par de intentos para acabar diciendo «muñeca». Se sintió aliviado al acertar.

—¿Se hace este juego más difícil cada vez? –preguntó preocupado mientras presionaba el vientre de la muñeca para provocarle otro llanto.

—Oh, no –dijo Arruda, a pesar de saber que las cosas iban a ponerse más difíciles para él.

Nick volvió a girarse hacia la pared, esperando el último juguete. Su pequeña figura se enroscaba sobre el respaldo de la silla como si estuviera jugando al maravilloso juego del escondite.

Arruda sacó un balón de fútbol blando y con relleno, y lo puso sobre una tarjeta de felicitación que hacía sonar una música. Activó momentáneamente la tarjeta, haciendo que sonara la tonadilla de *Para Elisa,* de Beethoven.

Nick, por supuesto, se quedó perplejo.

Antes de que tuviera la oportunidad de intentar adivinar, Arruda dijo de repente que había olvidado algo y que tenía que salir de la habitación un momento, y le prometió que volvería inmediatamente. Advirtió a Nick que no mirase el juguete mientras ella estaba fuera.

Transcurridos cinco segundos, el niño, que se esforzaba por no mirar, empezó a darse la vuelta, aunque luchó contra el impulso y volvió a mirar a la pared antes de llegar a ver nada. Siguió así durante ocho segundos más, pero la tentación era demasiado grande. A los trece segundos, cedió. Se dio la vuelta, vio el balón de fútbol y volvió inmediatamente a su posición anterior.

Cuando Arruda regresó, apenas había atravesado la puerta cuando Nick –todavía de cara a la pared como si nunca hubiera mirado furtivamente– dijo que el juguete era un balón de fútbol. Pudimos escuchar su tono triunfante, hasta que Arruda le detuvo, diciéndole que esperara hasta que ella estuviera sentada.

Ese segundo le dio a Nick el tiempo suficiente para darse cuenta de que debía sonar inseguro de su respuesta, porque de otro modo ella sabría que había mirado. De repente, la excitación desapareció, y sonó un poco más dubitativo.

—¿Un balón de fútbol? –preguntó, haciendo que sonara como una conjetura.

Cuando se dio la vuelta para ver a Arruda y contemplar el juguete, ella le dijo que había acertado y él se puso muy contento.

Entonces Arruda le preguntó si había mirado mientras ella estaba fuera.

—No –dijo él con rapidez y sin hacer gestos. Seguidamente una gran sonrisa se extendió por su cara.

Sin cuestionarle ni dejar que una nota de suspicacia tiñera su voz, Arruda le pidió que le dijese cómo había adivinado que el sonido venía de un balón de fútbol.

Nick se hundió en su asiento durante un segundo, poniéndose las manos sobre el mentón. Sabía que necesitaba una respuesta verosímil, pero su primer intento no fue muy creíble. Con gesto perfectamente sereno aseguró:

—La música sonó como un balón.

Buscando una respuesta mejor, pero sin encontrarla, añadió:

—El balón sonó blanco y negro.

Su rostro no indicó que se había dado cuenta de que eso no tenía sentido, pero siguió hablando, como si necesitara algo mejor. Entonces dijo que la música sonaba como los balones de fútbol con los que jugaba en la escuela: hacían un ruido chirriante. Afirmó con la cabeza –esta explicación era la buena– y después siguió explicando que la música sonaba como el chirrido que había oído cuando daba patadas al balón. Para resaltar este argumento ganador, pasó las manos por los lados del balón de fútbol, como para demostrar cómo su pie producía un sonido chirriante al golpear el lateral del balón.

Este experimento no sólo es una prueba para ver si los niños hacen trampas y mienten cuando están sometidos a una tentación. También está diseñado para evaluar la capacidad del niño de mentir, ofreciendo explicaciones verosímiles y evitando lo que los investigadores llaman un «goteo»: las incoherencias que revelan una mentira. Los resoplidos de Nick al encubrir su mentira serían puntuados posteriormente por los codificadores que observaran la cinta. De modo que Arruda aceptó sin cuestionar el hecho de que los balones de fútbol tocan música de Beethoven cuando son golpeados y le dio el premio a Nick. Él estaba encantado.

Una serie de investigadores han usado variantes de este paradigma de la tentación para evaluar a miles de niños a lo largo de los últimos años. Lo que han descubierto ha vuelto del revés las suposiciones convencionales.

Lo primero que han descubierto es que los niños aprenden a mentir mucho antes de lo que suponíamos. En el juego de Talwar, sólo un tercio de los niños de tres años se daban la vuelta para mirar furtivamente, y cuando se les preguntaba si lo habían hecho, la mayoría de ellos lo admitían. Pero más del 80% de los de cuatro años miraron. Y de ellos, más del 80% mintieron cuando se les preguntó si lo habían hecho. Al cumplir los cuatro años, casi todos los niños empiezan a experimentar con las mentiras.

Asimismo, los que tienen más hermanos parecen aprender a mentir un poco antes.

Los padres no suelen tener en cuenta las primeras mentiras de la infancia, puesto que normalmente son inocentes: sus hijos son demasiado pequeños para saber qué son las mentiras y que mentir está mal. Cuando el niño se hace mayor y aprende esas distinciones, los progenitores creen que dejan de mentir. Según Talwar, esto es una gran equivocación. Cuanto mejor distingue un niño entre la verdad y la mentira, más probable es que mienta cuando tenga ocasión. Los investigadores plantean elegantes anécdotas a los niños y les preguntan: «¿Suzy ha dicho una mentira o ha dicho la verdad?». Los que entienden la diferencia son los más tendentes a mentir. Ignorantes de este hecho, muchas páginas web y revistas especializadas aconsejan a los padres que no hagan caso de las mentiras; los niños las superarán. La verdad es que mienten más a medida que crecen.

En los estudios en los que se observa a los niños en sus casas, los de cuatro años mienten una vez cada dos horas y los de seis lo hacen una vez cada hora. Pocos son la excepción. Según los mismos estudios, el 96% de los niños dicen mentiras.

La mayoría de las mentiras que se dicen a los padres son para ocultar una transgresión. En primer lugar, el niño hace algo que no debería, y después, para evitarse problemas, niega haberlo hecho. Pero esta negación es algo que cabe esperar, y es tan común que los padres no suelen hacerle caso. En los mismos estudios sobre el comportamiento infantil, los investigadores informan de que en menos del 1% de estas situaciones los progenitores usan una mentira flagrante del niño para enseñarle la lección de que no se debe mentir. Censuran la transgresión original, pero no el encubrimiento posterior. Desde el punto de vista del niño, su intento de mentir no ha tenido ningún coste extra.

A medida que aprenden a decir y mantener mentiras, los niños también aprenden cómo se sienten cuando se les miente a ellos. Pero no piensan de partida que está bien mentir y gradualmente se van dando cuenta de que no es así. Ocurre lo contrario. Empiezan pensando que cualquier engaño, del tipo que sea, está mal, y lentamente van siendo conscientes de que algunas mentiras son tolerables.

En un estudio de la doctora Candida Peterson, de la Universidad de Queensland, que ha llegado a ser un clásico, adultos y niños de distintas edades vieron videos de diez escenas en las que se decían mentiras: desde mentiras piadosas y benevolentes hasta grandes mentiras manipuladoras. Los niños desaprobaron las mentiras y a los mentirosos mucho más que los adultos; tendían a pensar que el mentiroso era una mala persona y que mentir estaba moralmente mal.

El papel determinante de la intención parece ser la variable más difícil de entender para los niños. Ellos ni siquiera creen que el error sea una excusa aceptable. Lo único que importa es que la información estaba equivocada.

Según el doctor Paul Ekman, pionero de las investigaciones sobre las mentiras de la Universidad de California, en San Francisco, lo que sigue es un ejemplo de cómo se despliega esta noción. Un martes, de camino a casa después de la escuela, un padre promete a su hijo de cinco años que le llevará al partido de béisbol el sábado por la tarde. Cuando llegan a casa, papá habla con mamá y se entera de que, anteriormente, ese mismo día, ella ha reservado una clase de natación para el sábado por la tarde y no puede cambiarla. Cuando se lo cuentan a su hijo, él se disgusta mucho. ¿Por qué se siente tan molesto el niño? Papá no sabía nada de la clase de natación. Según la definición del adulto, papá no mintió. Pero, según la definición infantil, sí lo hizo. Cualquier declaración falsa –independientemente de su intención– es una mentira. Por lo tanto, papá ha dado inadvertidamente el mensaje al niño de que él condona las mentiras.

La segunda lección es que aunque pensamos que la veracidad del niño es su mayor virtud, la mentira implica un mayor desarrollo de sus capacidades. El niño que va a mentir debe reconocer la verdad, concebir intelectualmente una realidad alternativa y ser capaz de vender convincentemente esa nueva realidad a otra persona. Por lo tanto, mentir exige tanto un desarrollo cognitivo avanzado como habilidades sociales que la verdad simplemente no requiere. «Es un gran indicador del desarrollo», ha concluido Talwar.

Los niños que empiezan a mentir a los dos o tres años –o que no pueden controlar el «goteo» verbal a los cuatro o cinco– sacan mejores resultados en las pruebas de habilidades académicas. «Mentir está relacionado con la inteligencia –confirma Talwar–, pero aun así tienes que lidiar con ello».

Originalmente, cuando los niños empiezan a mentir, lo hacen para evitar el castigo, y por tanto mienten indiscriminadamente cuando existe la posibilidad de ser castigados. El niño de tres años dirá: «No le he pegado a mi hermana», aunque el padre le haya observado haciéndolo. Uno de seis no cometerá ese error: sólo mentirá sobre un golpe que ha dado cuando el padre no estaba en la habitación.

Cuando el niño llega a la edad escolar, sus razones para mentir son más complejas. El castigo es el principal catalizador para la mentira, pero, a medida que los niños desarrollan empatía y son más conscientes de las relaciones sociales, empiezan a tener en cuenta a los demás cuando mienten. Puede que no digan la verdad para no herir los sentimientos de un amigo. En primaria, dijo Talwar, «mantener un secreto es parte importante de la amistad, y mentir puede llegar a ser parte de ello».

Mentir también es una manera de incrementar el poder de los niños y su sensación de control: pueden manipular a sus amigos con provocaciones, fanfarronear para afirmar su estatus y darse cuenta de que son capaces de engañar a sus padres.

En primaria muchos niños empiezan a mentir a sus iguales como mecanismo de adaptación: en cierto sentido para descargar la frustración o para conseguir atención. Podrían estar intentando compensar, pues sienten que están quedando por debajo de sus semejantes. Cualquier brote repentino de mentiras, o cualquier incremento drástico, es un signo de que algo ha cambiado en la vida de ese niño en un sentido que le inquieta: «Mentir es un síntoma, y suele ser el síntoma de un problema mayor –explicó Talwar–. Se trata de una estrategia para mantenerse a flote».

En los estudios longitudinales, un niño de seis años que mienta con frecuencia podría simplemente crecer y dejar de mentir. Pero si mentir se ha convertido en una buena estrategia para afrontar situaciones sociales difíciles, seguirá haciéndolo. Aproximadamente un tercio de los niños lo hacen, y si siguen mintiendo a los siete, es probable que continúen con esa costumbre más adelante. Están enganchados.

En el juego de mirar furtivamente de Talwar, a veces el investigador detiene el procedimiento y dice:

—Voy a hacerte una pregunta. Pero, antes de eso, ¿me prometes decir la verdad?

—Sí –responde el niño.

—De acuerdo, ¿has mirado el juguete cuando yo no estaba en la habitación?

Esta promesa recorta las mentiras en un 25%.

En otros casos, la investigadora le lee al niño un breve cuento antes de preguntarle si ha mirado. Una de las historias que se leen en voz alta es *El pastorcillo y el lobo*: la versión en que tanto el niño como la oveja son comidos por sus mentiras repetidas. Alternativamente se lee la historia de *George Washington y el cerezo*, en la que el joven Washington confiesa a su padre que taló su querido árbol con su hacha nueva. La historia acaba con la respuesta de su padre: «George, después de todo estoy contento de que hayas cortado el cerezo. Oírte decir la verdad es mejor que tener mil cerezos».

Ahora, si tuvieras que adivinarlo, ¿qué historia crees que redujo más las mentiras? Propusimos una encuesta en nuestra página web y obtuvimos unas 1.000 respuestas a esa pregunta. De ellas, el 75% decía que *El pastorcillo y el lobo* funcionaría mejor. Sin embargo, esta famosa fábula contada en todo el mundo no recortó las mentiras en los experimentos de Talwar. De hecho, después de escuchar la historia, los niños mintieron aún un poco más de lo habitual.

Por el contrario, escuchar la historia de *George Washington y el cerezo* redujo las mentiras declaradas un 75% en los niños y un 50% en las niñas.

Podríamos pensar que la historia funciona porque Washington es un ídolo nacional –y a los niños se les dice que emulen la sinceridad del fundador de la nación–, pero los niños de Talwar son canadienses, y los más pequeños ni siquiera han oído hablar de él. Para determinar si la celebridad de Washington era un factor importante para los niños mayores, Talwar volvió a repetir el experimento reemplazándole por un personaje desconocido y dejando el resto de la historia intacto. Esta versión genérica produjo el mismo resultado.

¿Por qué una fábula funciona muy bien y la otra no, y qué nos dice esto con respecto a cómo enseñarles a los niños a mentir menos?

El pastor acaba sufriendo el castigo definitivo, pero que se reciben castigos por mentir no es nuevo para los niños. Cuando se les pregunta si las mentiras siempre están mal, el 92% de los de cinco años dicen que sí. Y cuándo se les pregunta por qué está mal mentir, la mayoría de ellos dicen que si mientes te castigan. En este sentido, los niños pequeños procesan el riesgo de no decir la verdad considerando únicamente su propia autoprotección. Los niños necesitan años para entender la mentira sobre una base moral más sofisticada. Hasta los once años la mayoría de ellos no demuestran ser conscientes de que hacen daño a otros; en ese punto, el 48% afirma que el problema de mentir es que destruye la confianza, y el 22% que conlleva culpabilidad. Pero, incluso entonces, un tercio de los niños sostiene que el problema de mentir es que te castigan por ello.

Como ejemplo de hasta qué punto los niños asocian el mentir con el castigo, ten en cuenta este dato: el 38% de los de cinco años consideran que decir palabrotas es mentir. ¿Por qué creerían eso los niños? Porque, en su mente, las mentiras son esas cosas que causan castigos o amonestaciones. Por lo tanto, decir palabrotas es mentir.

Aumentar la amenaza del castigo por mentir sólo hace que el niño sea más consciente del coste personal que implica. Y le distrae de aprender cuál es su coste para los demás. En los estudios realizados, los investigadores han descubierto que los niños que viven bajo la amenaza continuada de un castigo no mienten menos. Más bien aprenden a mentir mejor a una edad más temprana, para que los sorprendan con menos frecuencia. Talwar hizo una versión del juego de mirar furtivamente en África occidental, con los niños que asistían a una escuela colonial tradicional. En aquella escuela, la investigadora describió: «Los profesores daban golpes a los niños en la cabeza, los golpeaban con varas, los pellizcaban por cualquier cosa, por olvidar un lápiz, por hacer mal las tareas para casa. A veces, un niño bueno tenía que usar estas medidas de fuerza con uno malo». Mientras que los niños norteamericanos por lo general miran furtivamente en el plazo de cinco segundos, «los niños de aquella escuela tardaban más en mirar, 35 segundos, e incluso 58 segundos. Pero el número de los que miraron fue equiparable. Luego mintieron y siguieron mintiendo; llevaron la mentira hasta el final por las duras consecuencias que sufrirían si los sorprendieran». Incluso niños de tres años fingieron no saber cuál era el juguete, aunque habían mirado. Entendían que nombrar el juguete era dar una pista, y la tentación de acertar no compensaba el riesgo de ser atrapados. Fueron capaces de controlar totalmente su goteo verbal, una capacidad de la que Nick carecía a los seis años.

Sin embargo, el simple hecho de retirar la amenaza de un castigo no es suficiente para los niños. En otra variante del experimento, los investigadores de Talwar prometen a los niños: «No me enfadaré contigo si has mirado. No importa que lo hayas hecho». Los padres suelen usar versiones de estas frases habitualmente. Pero esta actitud, por sí misma, no reduce las mentiras en absoluto. Los niños se mantienen alerta; no confían en la promesa de inmunidad. Piensan: «Lo que mi padre quiere es que no lo haya hecho; si digo que no lo hice, tengo más posibilidades de hacerle feliz».

En esos momentos decisivos, los niños quieren saber cómo volver a estar en buena armonía contigo. De modo que no es suficiente con decirle a un niño de seis años: «No me enfadaré si has mirado, y si dices la verdad te sentirás muy bien contigo mismo». Esto reduce bastante las mentiras, pero el niño de seis años no quiere hacerse feliz a sí mismo, quiere hacer felices a sus padres.

Lo que mejor funciona es explicarle: «No me enfadaré contigo si has mirado, y si dices la verdad, me sentiré muy feliz». Esto le ofrece inmunidad y una vía clara hacia la recuperación de la armonía. Talwar explicó este último descubrimiento: «Tus hijos mienten para hacerte feliz; están tratando de agradarte». De modo que explicarle al niño que decir la verdad hará a su padre muy feliz cuestiona su suposición original de que lo que agradará a sus progenitores es oír una buena noticia, en lugar de la verdad.

Por eso el cuento de *George Washington y el cerezo* funciona tan bien. El pequeño George tiene inmunidad y recibe elogios por decir la verdad.

En último término, no son los cuentos de hadas los que hacen que los niños dejen de mentir, sino el proceso de socialización. Pero, según Talwar, se puede aplicar la sabiduría del cuento del cerezo: los padres tienen que insistir tanto en el valor de la sinceridad como en explicarles a sus hijos que mentir está mal. Cuanto más oigan este mensaje, más rápidamente aprenderán esta lección.

La otra razón por la que los niños mienten, según Talwar, es que lo aprenden de nosotros. Propone que los padres nos detengamos a considerar seriamente la importancia de la honestidad en nuestras propias vidas. Afirma que con demasiada frecuencia nuestras acciones les muestran a los niños una interpretación de la honestidad adaptada a la situación: «No les decimos mentiras explícitamente, pero ellos nos ven mentir. Nos oyen decirle al vendedor que llama por teléfono: 'Sólo soy un invitado en esta casa'. Nos ven alardear y mentir para suavizar las relaciones sociales».

Considera cómo esperamos que actúe el niño cuando abre un regalo que no le gusta. Esperamos que se trague todas sus reacciones honestas –enfado, decepción, frustración– y que muestre una sonrisa educada. Talwar hace un experimento en el que los niños juegan a diversos juegos para conseguir un regalo, y cuando finalmente lo reciben, sólo es una pastilla de jabón. Después de darles un momento para superar la primera impresión, el investigador les pregunta si les gusta el regalo. Talwar pone a prueba la capacidad del niño para decir una mentira inocente, y también para controlar las muestras de decepción de su lenguaje corporal. Aproximadamente una cuarta parte de los niños de preescolar son capaces de mentir y decir que les gusta el regalo; y cuando llegan a primaria el porcentaje aumenta a la mitad. Estas mentiras hacen que se sientan muy incómodos, especialmente cuando se les presiona para que enumeren las razones por las que les gusta la pastilla de jabón. Fruncen el ceño, miran fijamente la pastilla y no se atreven a mirar a los ojos del investigador. Los niños que chillaron de alegría cuando ganaron el juego de la mirada furtiva de repente balbucean y se muestran inquietos.

Entre tanto, los padres están observándole y casi los vitorean cuando dicen una mentira educada: «Los padres suelen sentirse orgullosos de que sus hijos sean 'educados', y no lo consideran una mentira», comenta Talwar. A pesar de todas las veces que ha presenciado estas situaciones, sigue sintiéndose asombrada ante la aparente incapacidad de los padres de reconocer que una mentira sigue siendo una mentira.

Cuando se les pide a los adultos que lleven diarios de sus propias mentiras, admiten que dicen un embuste por cada cinco interacciones sociales, aproximadamente una media de una mentira al día (el doble de esta cantidad para los estudiantes universitarios). La mayoría son mentiras inocentes, destinadas a hacer que otra persona se sienta bien, como decirle a una compañera de trabajo que las pastas que trajo estaban deliciosas.

Como se los anima a decir tantas mentiras educadas, los niños acaban sintiéndose cómodos con el engaño. Literalmente, la falta de sinceridad se convierte en un suceso habitual. Aprenden que la sinceridad sólo crea conflictos, mientras que la deshonestidad los evita con facilidad. Y aunque no confunden las mentiras inocentes con mentir para encubrir sus fechorías, trasladan esta base emocional de una circunstancia a otra. Así se vuelve más fácil mentirles a los progenitores. De modo que si tu padre te dice: «¿De dónde has sacado estas cartas de Pokémon? ¡Ya te dije que no puedes derrochar tu paga en esto!», el niño puede interpretar que esta situación es adecuada para una mentira social, y creer que puede hacer que su padre se sienta mejor diciéndole que se las ha regalado un amigo que las tenía repetidas.

Ahora, comparemos esto con cómo se les enseña a los niños a no acusar ni delatar a sus compañeros. En realidad empiezan a hacerlo antes de aprender a hablar; hacia la edad de catorce meses, lloran, apuntan y usa la vista para pedir ayuda a su madre cuando otro niño les ha quitado una galleta o un juguete. Atraer la atención de los adultos se convierte en un hábito, y hacia los cuatro años, los niños empiezan a escuchar una regla para evitar este hábito: «No te chives», «No acuses a otros niños».

Lo que los adultos queremos decir con «no acuses» es que preferimos que resuelvan sus diferencias por sí mismos. Los niños necesitan tener habilidades sociales para resolver sus problemas, y no las desarrollarán si los padres se inmiscuyen continuamente. Los chismes de los niños a veces son mentiras declaradas y pueden usarlas para vengarse. Cuando les decimos «que no acusen», estamos intentando poner fin a todos estos juegos de poder.

Los profesores de preescolar y de primaria proclaman que las habladurías, las acusaciones y las delaciones son el azote de su existencia. Uno de los mayores programas de formación de profesores en Estados Unidos clasifica los chismes de los niños como una de las cinco principales preocupaciones en el aula: producen tanta alteración como pelearse o morder a un compañero de clase.

Pero las murmuraciones y las acusaciones han recibido un interés científico especial, y los investigadores han pasado muchas horas observando jugar a los niños. Han aprendido que en nueve de cada diez ocasiones, cuando un niño corre a sus padres para contarles lo sucedido, está siendo completamente sincero. Y aunque al adulto le pueda parecer que sus acusaciones son incesantes, para el niño no es así: por cada vez que busca la ayuda de sus padres, ha habido otras catorce en las que le han tratado injustamente y no ha pedido ayuda.

Cuando el niño –que ha soportado todo lo que podía soportar– finalmente va a contarle a su padre la verdad, de hecho lo que oye es: «¡Deja de traerme problemas!». Según el trabajo de un investigador, es *diez veces* más probable que los padres reprendan a un niño por acusar a otro que por mentir.

Los niños notan el poder del «no me vengas con chismes» y aprenden que se pueden silenciar mutuamente con ello. En los años medios de primaria, ser etiquetado de «chivato» es lo peor que le puede ocurrir a un niño en el patio. De modo que aquel que le cuenta un problema a un adulto no sólo afronta la condena de los demás por traidor, y el equivalente en la escuela a la pena de muerte –el ostracismo–, sino que también recuerda todas las veces que los profesores y sus padres le dicen: «Resuélvelo por ti mismo».

Cada año, los problemas con los que lidian los niños crecen exponencialmente. Ven a otros niños pintar en las paredes, robar en las tiendas, hacer novillos y saltar vallas para acceder a lugares donde no deberían estar. Delatar cualquiera de estas acciones es actuar como un niño pequeño, y resulta mortificador para cualquiera que se respete a sí mismo. Resulta fácil mantener la boca cerrada; se les ha animado a hacerlo desde que eran pequeños.

La era de la información restringida a los padres ha empezado.

Durante dos décadas, los padres han clasificado la «honestidad», entendida como «sinceridad», como el rasgo más deseable en sus hijos. Otros rasgos, como la confianza o el buen juicio, ni siquiera se le acercan. Sobre el papel, a los niños les está llegando este mensaje: en las encuestas, el 98% dijeron que la confianza y la sinceridad eran esenciales en las relaciones personales. Dependiendo de su edad, entre el 96 y el 98% reconocen que mentir está moralmente mal.

Pero esto es sólo lo que se dice desde ambas partes. Los estudios muestran que el 96% de los niños engañan a sus padres, y sin embargo la mentira nunca ha sido el tema número 1 en las juntas de padres, o en los bancos de los patios de recreo.

El hecho de tener las mentiras en la pantalla de mi radar ha cambiado cómo funcionan las cosas en casa de los Bronson. Por pequeñas que sean, las mentiras ya no se pasan por alto. Los momentos se ralentizan, y tengo una sensación más clara de cómo gestionarlas.

Hace unos meses mi esposa estaba hablando por teléfono, contratando a una niñera. Le dijo que mi hijo tenía seis años, para que supiera qué juguetes traer. Luke empezó a protestar, interrumpiendo a mi esposa en voz alta. Mientras que antes me habría sentido perplejo o enfadado por el repentino estallido de mi hijo, ahora lo entendía. Todavía le quedaba una semana para su sexto cumpleaños, en el que tenía puestas sus expectativas. De modo que, en su mente, su madre había mentido con respecto a algo muy importante para él. En su nivel de desarrollo, que la mentira tuviera una motivación benigna era irrelevante. En cuanto Michelle colgó el teléfono, le expliqué por qué se sentía tan molesto; ella se excusó y le prometió ser más precisa. Luke se calmó inmediatamente.

A pesar de su resentimiento cuando otros mienten, Luke no deja de intentar sus propios encubrimientos. El otro día vino a casa de la escuela tras haber aprendido una nueva frase y una nueva actitud: decía «no me importa» despectivamente y se encogía de hombros ante cualquier cosa. De repente estaba actuando como un adolescente, y no quería acabar su cena ni sus deberes. Repitió tantas veces «no me importa» que me sentí frustrado y quise saber si alguien del colegio le había enseñado esa frase arrogante.

Se quedó congelado. Y de pronto pude intuir la tensión que tenía en su mente: ¿debía mentir a su papá o delatar a su amigo? Sabía por la investigación de Talwar que en esta ocasión yo iba a salir perdiendo. Reconociéndolo, le detuve y le dije que si había aprendido esa frase en la escuela, no tenía que decirme quién se la había enseñado. Decirme la verdad no iba a hacer que su amigo se metiera en problemas.

—De acuerdo –dijo aliviado–, la he aprendido en la escuela.

Entonces me dijo que sí le importaban las cosas y me dio un abrazo. No he vuelto a escuchar esa frase.

¿Tendrá nuestra manera de lidiar ahora con la mentira de un niño alguna repercusión en su futuro? Lo paradójico de mentir es que se trata al mismo tiempo de una conducta normal y anormal. Es algo que cabe esperar, y sin embargo no es posible tolerarlo y descartarlo.

La doctora Bella DePaulo ha dedicado buena parte de su carrera profesional a estudiar las mentiras de los adultos. En uno de sus estudios hizo que algunos estudiantes universitarios y miembros de la comunidad entraran en una habitación privada, equipada con una grabadora. Después de prometerles completa confidencialidad, su equipo les pidió a los participantes que recordaran la peor mentira que hubieran contado nunca, con todos los detalles posibles. «Yo esperaba mentiras gordas –comentó

DePaulo–, historias de aventuras negadas al esposo o esposa, historias de despilfarrar dinero, o de vendedores que engañan a sus clientes».

Y realmente oyó este tipo de mentiras, algunas relacionadas con robos, e incluso un asesinato. Pero, para su sorpresa, en la mayoría de las historias que se contaron los sujetos eran niños, y no eran, a primera vista, mentiras con consecuencias graves: «Uno confesó que se había comido la guinda del pastel, y después le dijo a sus padres que el pastel había venido así. Otro, que le había robado unas monedas a su hermana».

A medida que escuchaba estas historias, DePaulo se mofaba, pensando: «Vamos, ¿es ésa la peor mentira que hayas contado nunca?».

Pero las historias infantiles siguieron saliendo, y la investigadora tuvo que crear una categoría especial para ellas en sus análisis: «Tuve que reencuadrar mi comprensión para considerar lo que debe de haber supuesto haber contado este tipo de mentiras de niño –recuerda–. Para los niños pequeños, la mentira cuestiona su concepto de sí mismos, de que son buenos niños y de que han hecho lo correcto».

Muchos sujetos comentaron que esa mentira trascendental al comienzo de la vida estableció un patrón que les afectó posteriormente. «Algunos reconocían: 'Dije esta mentira, me pillaron y me sentí tan mal que prometí no volver a hacerlo'. Otros dijeron: 'Vaya, nunca me había dado cuenta de que podía engañar a mi padre tan bien; puedo seguir haciéndolo'». Las mentiras que se dicen al principio de la vida son significativas, y la reacción de los padres puede tener un efecto contundente en ellas.

Talwar afirma que los progenitores suelen embarullar a sus hijos, poniéndolos en la posición de mentir y poniendo a prueba su sinceridad innecesariamente. La semana pasada, puse a mi hija de tres años y medio en esta misma situación. Noté que había garabateado en la mesa del comedor con un rotulador lavable. Con desaprobación en la voz le pregunté:

—¿Has dibujado en la mesa, Thia?

Antes, habría respondido honestamente, pero mi tono delató que había hecho algo mal. De inmediato deseé poder retirar la pregunta y reformularla. Debería haberme limitado a recordarle que no escribiera en la mesa, poner un periódico debajo de su libro de colorear y lavar la tinta. En cambio, hice exactamente lo que Talwar asevera que no hay que hacer.

—No, no lo hice –dijo mi hija, mintiéndome por primera vez.

De esa mancha sólo podía culparme a mí mismo.

5

La búsqueda de vida inteligente en preescolar

Millones de niños compiten por acceder a programas para genios y a escuelas privadas. Los encargados de la admisión afirman que su trabajo es un arte. La nueva ciencia nos dice que se equivocan el 73% de las veces.

Imagina a un niño que acaba de cumplir cinco años y al que escoltan hasta el despacho de un extraño. Su madre le ayuda a acomodarse durante unos minutos y después se va.

Es posible que mami le haya dicho que el extraño le ayudará a determinar a qué escuela irá el año que viene. Idealmente, no se pronunciará la palabra «test». Si el niño pregunta: «¿Voy a hacer un test?», se le responderá: «Habrá rompecabezas, dibujos, bloques y algunas preguntas que responder. La mayoría de los niños creen que esas actividades son divertidas».

Se guía al niño a sentarse en una mesa y la examinadora se sienta frente a él. Si al rato se empieza a sentir inquieto, ambos podrían trasladarse al suelo. (Si hay algún problema significativo, algunas escuelas permiten una repetición de la prueba, pero la mayoría no le dejarán volver a intentarlo durante un año o dos.)

Cada prueba comienza con una serie de preguntas de muestra, y la examinadora hace una demostración. Es entonces cuando se inicia la verdadera prueba. La examinadora plantea una pregunta apropiada para la edad del niño. Uno de cinco años podría empezar por la pregunta número 4 del libro de tests. Cada pregunta se va haciendo un poco más difícil, y el niño sigue respondiendo hasta que comete varios errores seguidos. En ese momento, se activa la «regla de la discontinuidad», el pequeño ha llegado al máximo de su capacidad y se pasa a otra sección.

El vocabulario se puede poner a prueba de dos maneras: al principio, el niño simplemente tiene que nombrar la figura que se le presenta. Cuando la dificultad aumenta, se le presenta una palabra como «confinar» y se le pregunta qué significa. Las definiciones detalladas merecen un 2; las menos detalladas se puntúan con un 1.

El pequeño tendrá que discernir el significado de un término con unas pocas claves. «¿Puedes decirme en qué estoy pensando? –le pregunta el examinador–. Se trata de algo sobre lo que te puedes sentar o poner de pie, y es algo que se puede limpiar...»

El niño tiene cinco segundos para responder.

En otra sección, se le muestran imágenes y después se le pide que encuentre lo que falta. «¡La pata del oso!», responde, y es de esperar que lo haga en un máximo de veinte segundos.

Más adelante, el examinador coloca algunos bloques de plástico rojos y blancos sobre la mesa. Al niño se le muestra una carta con una forma y se le pide que ensamble cuatro de esos bloques para reflejarla. Los bloques que están a más de ocho milímetros de distancia son penalizados. En las preguntas más difíciles se usan con lados bicolores, triángulos rojos y blancos. Los niños mayores trabajan con nueve bloques.

También pueden tratar de resolver algunos laberintos. En este caso no se les permite levantar el lápiz y se les restan puntos por entrar en callejones sin salida.

Discernir las pautas repetitivas es un componente de todos los tests. Por ejemplo, el niño tiene que reconocer que un círculo es a un óvalo lo que un cuadrado es a un rectángulo, mientras que un triángulo es a un cuadrado lo que un cuadrado es a un pentágono. O que la nieve es a un muñeco de nieve lo que la harina es a una hogaza de pan.

Si el niño tiene seis años, se le podrían leer cuatro números en voz alta (por ejemplo 9, 4, 7, 1) y pedirle que los repita. Si los acierta, se pasa a leer cinco números. Si puede hacer siete números, puntuará 99 de 100. Entonces se le pedirá que repita la secuencia de números en el orden inverso; se considera que si el niño es capaz de repetir correctamente cuatro números hacia atrás se le puede calificar de avanzado.

Cada invierno, decenas de miles de niños pasan una mañana o una tarde haciendo esto. Las sesiones de este tipo son clave para ser admitidos en las escuelas privadas de élite y en los programas especiales para niños avanzados de las escuelas públicas. Se les puntúa con relación a otros niños nacidos en el mismo tercio del año. Basándose principalmente en estos tests, más de 3 millones de niños –casi el 7% de la población escolar de

Estados Unidos– participan en un programa especial. Otros 2 millones consiguen entrar en escuelas privadas independientes.

Los tests varían en función de lo que tratan de evaluar. Algunos son variantes del test de inteligencia clásico. Por ejemplo, la escala de inteligencia Wechsler para preescolar y primaria. Otros centros optan por un examen que no mide estrictamente el coeficiente de inteligencia; pueden usar un test para evaluar la capacidad de razonamiento, como el test de habilidades cognitivas, o un híbrido de los tests de inteligencia y de aptitud para aprender, como el Otis-Lennon de habilidad escolar.

Independientemente de lo que se esté evaluando, y de los tests que se usen, todos ellos tienen algo en común: son asombrosamente ineficaces para predecir el éxito académico del niño.

Si bien no es una sorpresa que no todos los alumnos avanzados acaban en Harvard, se suponía que estos tests predecían cuáles serían los mejores en lectura, escritura y matemáticas en segundo y tercero. Pero resulta que ni siquiera consiguen eso.

Para darte una pista de la escala del problema: si tomaras 100 niños de preescolar que consideras «avanzados», es decir, los más listos, en tercero sólo un 27% de ellos seguirían mereciendo esa clasificación. Habrías dejado fuera equivocadamente a otros 73 alumnos meritorios.

La mayoría de las escuelas no se dan cuenta de lo imprecisos que son los tests a la hora de predecir los resultados académicos de un niño de primaria. Los pocos centros a los que este hecho les preocupa han intentado otras maneras de evaluar a los superdotados: y lo han probado todo, desde pedirle al niño que haga un dibujo hasta evaluar su empatía emocional o su conducta. No obstante, los análisis de los investigadores han mostrado que cada una de estas alternativas acaba siendo aún menos eficaz que los tests de inteligencia.

El problema no es qué test se use, ni qué estudian los tests. El problema radica en que los cerebros de los niños pequeños aún no están acabados.

Durante décadas, los tests de inteligencia se han visto rodeados por la controversia. Los críticos llevan tiempo argumentando que contienen sesgos culturales o de clase. Lo que ha pasado desapercibido es que, a consecuencia de estas alegaciones, todas las empresas dedicadas a la elaboración de tests han modificado sus productos para minimizar estos efectos, hasta el punto de que los sesgos ya no se consideran un problema. (Aunque ésta parezca una píldora difícil de tragar, consideremos que se usan versiones de estos tests en todo el mundo.) Además de haber introducido estos cambios, las escuelas con las exigencias más estrictas en cuanto al coeficiente de inteligencia suelen hacer excepciones para niños que provienen de entornos marginales o cuya primera lengua no es la oficial del país.

Entre tanto, este debate en torno a los sesgos de los tests nos ha llevado a ignorar completamente otra cuestión: ¿con qué frecuencia y precisión identifican los tests a los niños más brillantes, e incluso a aquellos que están en la media?

Se lo hemos preguntado a los directores y superintendentes de las escuelas, y todos ellos tenían la impresión de que los tests son precisos en sus predicciones. Suelen venir acompañados de manuales, en cuyos primeros capítulos se describen investigaciones que les otorgan un aura de autenticidad. No obstante, las estadísticas presentadas no suelen indicar con cuánta precisión predicen los tests los resultados *futuros*. Estas estadísticas tan sólo miden su precisión para señalar el rendimiento actual, y la precisión de los tests de esa empresa en comparación con los de la competencia.

El doctor Lawrence Weiss es vicepresidente de Clinical Product Development en Pearson/Harcourt Assessment, los propietarios del test WPPSI. Cuando le pregunté con qué eficacia predice su test el rendimiento escolar dentro de dos o tres años, me explicó que la recopilación de esos datos no forma parte de la política de su compañía: «No les hacemos un seguimiento en el tiempo. No registramos la validez predictora».

Esto me dejó conmocionado, porque las decisiones que se toman basándose en los resultados de los tests de inteligencia tienen unas consecuencias enormes. Una puntuación superior a 120 pone al niño en el percentil 90 o aún más alto, la línea que convencionalmente indica que es un niño «avanzado» y puede ser apto para recibir clases especiales. Con una puntuación de 130, se sitúa en el percentil 98, y se le podría enviar a una escuela especial para los más avanzados.

Ten en cuenta que éstos no son niños prodigio; el niño prodigio es mucho más escaso, es un fenómeno que ocurre una vez por cada medio millón de niños. Recibir la clasificación de «avanzado» por el distrito escolar significa que el alumno es brillante, pero no necesariamente extraordinario. La mitad de los licenciados universitarios tienen un coeficiente de inteligencia de 120 o superior; y la media entre los adultos que poseen un doctorado es de 130.

Ganarse esta clasificación cuando se es joven es como tener una entrada privilegiada al mundo de la enseñanza. El entorno de aprendizaje selecto, lleno de compañeros rápidos, permite a los profesores avanzar mucho en el programa de estudios. Esto puede establecer una gran diferencia en la manera de aprender del niño. Según un estudio del gobierno estatal, en California los niños que acuden a estos programas especiales progresan un 36,7% más que la media. Y, en muchos distritos, como en la ciudad de Nueva York y en Chicago, a los alumnos no se les vuelve a evaluar y se quedan en el programa hasta que terminan el colegio. Los que son admitidos en escuelas privadas en preescolar seguirán allí hasta octavo.

Aunque los autores de los tests de inteligencia no tratan de determinar lo bien que dichos tests predicen los logros futuros, los investigadores académicos sí están interesados en saberlo.

En 2003, el doctor Hoy Suen, profesor de psicología educativa de la Universidad Estatal de Pensilvania, publicó un metaanálisis de 44 estudios que analizaban hasta qué punto los tests realizados antes de preescolar o preescolar predecían las puntuaciones en los tests de rendimiento que los alumnos realizarían dos años después. La mayoría de estos 44 estudios habían sido publicados entre mediados de los setenta y mediados de los noventa, y gran parte de ellos estudiaba una única escuela o distrito escolar. Examinándolos conjuntamente, Suen descubrió que las puntuaciones obtenidas en los tests de inteligencia antes de que los niños empezaran la escuela, como media, sólo tenían una correlación del 40% con los resultados de los tests de rendimiento posteriores.

Esta correlación del 40% incluye a todos los niños, de todos los niveles de capacidad. Cuando Suen se enfocó en el estudio de los avanzados y de las escuelas privadas, las correlaciones no mejoraron.

Por ejemplo, un equipo de investigadores de la Universidad de Carolina del Norte, en Charlotte, analizó las puntuaciones obtenidas a lo largo de tres años en una escuela privada de un barrio acomodado de Charlotte. El centro exigía que todos los solicitantes realizaran el test WPPSI antes de ser admitidos en preescolar. Se los identificaba como niños listos; el coeficiente de inteligencia medio era de 116. En tercero, los alumnos realizaron el Comprehensive Testing Battery III, una prueba desarrollada para encajar con los programas de estudios avanzados de las escuelas privadas. Como grupo, a los alumnos les fue bien, y las puntuaciones medias estaban en el percentil 90.

Pero ¿predijeron los resultados del WPPSI a *qué* estudiantes les iría bien? En realidad no. La correlación entre los resultados del WPPSI y las puntuaciones en el test de rendimiento era de sólo el 40%.

Y para los alumnos situados en el extremo superior del espectro, las correlaciones parecían ser incluso inferiores. El doctor William Tsushima estudió dos escuelas privadas y exclusivas de Hawai: en una de ellas, los niños tenían un coeficiente de inteligencia medio de 130, y en la otra de poco más de 126. Pero sus puntuaciones en lectura en segundo sólo mantenían una correlación del 26% con los resultados del WPPSI. Y sus resultados en matemáticas tenían una correlación todavía peor.

Por lo tanto, la pregunta relevante es: ¿cuántos niños entran en una categoría equivocada por haber realizado los tests a una edad tan temprana?

Como he mencionado antes, usando los tests con ese 40% de correlación, si una escuela quisiera que el 10% superior de sus alumnos estuviera en el programa para avanzados de tercer curso, el 72,4% de ellos no habrían sido identificados por la puntuación obtenida en el test de inteligencia realizado antes de preescolar. Y no es que estos niños no hubieran llegado por un pelo; muchos ni siquiera se habrían acercado. Un tercio de los niños más brillantes en tercero habrían puntuado «por debajo de la media» antes de preescolar.

Para expertos como el doctor Donald Rock, investigador del Educational Testing Service, la cantidad de falsos positivos y falsos negativos es preocupante. «La identificación de los niños muy brillantes en preescolar o en primero no se hace sobre bases muy sólidas –dijo Rock–. Las mediciones del coeficiente de inteligencia no son muy precisas. En tercero, sí; en segundo, tal vez. Si haces las pruebas a niños más pequeños, lo que detectas básicamente es a los niños que han recibido apoyo y una buena educación».

Rock añadió que los niños no fallan mucho. «El 1% superior estará dentro del 10% superior dentro de cinco años. Es cierto que el niño que saca un resultado sobresaliente en ese test es un niño brillante, sin duda, pero otros niños que sacan buenos resultados podrían no estar en esa posición en tercero».

Según el investigador, en tercero el programa de estudios de las escuelas públicas se endurece mucho. A los alumnos se les pide que razonen las matemáticas, en lugar de sólo memorizar sumas, y en la lectura se pone el énfasis en la comprensión, en lugar de limitarse a leer en voz alta y mejorar la fonética. Este aumento de la dificultad hace que los estudiantes se diferencien. «El crecimiento nivela mucho a los niños».

Consecuentemente, Rock cree que es en tercero cuando los tests pueden dar resultados reveladores: «La clasificación de los niños en tercero es muy significativa. Si medimos la lectura en este curso, puede predecir el rendimiento en muchas áreas a una edad muy posterior».

El problema no es la existencia de un fallo intrínseco en los tests de inteligencia. El problema consiste en que los niños hacen las pruebas cuando son demasiado jóvenes, y esto es válido para cualquier test: «Me preocupa que algunas decisiones de gran calado, como la entrada del niño en escuelas privadas muy selectivas, se basan en los resultados de esos tests –dijo el doctor Steven Strand, de la Universidad de Conventry, Inglaterra–. Estas decisiones estructurales tienden a ser inflexibles, y los niños pueden verse atrapados en función de un resultado obtenido a una edad muy temprana, mientras que otros niños podrían quedarse fuera. Se trata de tener la flexibilidad suficiente para alterar las decisiones posteriormente».

En contraste con el valor predictivo de los tests administrados en preescolar o al principio de primaria, Strand descubrió que los de inteligencia realizados entre los grados quinto y octavo predicen muy bien el éxito académico en secundaria, en los grados del noveno al duodécimo.

En un estudio recientemente publicado por el periódico *Intelligence*, Strand analizó las puntuaciones de 70.000 niños británicos. Comparó sus resultados en los tests de inteligencia realizados a los once años con las puntuaciones del examen GCSE, realizado a los dieciséis. Las correlaciones entre ambos eran muy altas. Si los tests de inteligencia de preescolar pudieran predecir tan bien como los llevados a cabo a los once años, identificarían a los estudiantes superdotados con el doble de eficacia.

Todos los investigadores con los que hemos hablado nos advirtieron de los peligros de clasificar a los niños pequeños sobre la base de un único test; todos ellos aconsejaron que se debían realizar más pruebas. Y esta advertencia no venía de los que están moralmente en contra de la idea de realizar tests de inteligencia, sino de quienes los elaboran, entre los que podemos incluir al profesor doctor David Lohman, de la Universidad de Iowa, uno de los autores del test de habilidades cognitivas; al doctor Steven Pfeiffer, autor de escalas de evaluación para niños avanzados, y al doctor Cecil Reynolds, autor de la escala de evolución intelectual Reynolds.

A pesar de que este punto de vista es unánime, teniendo en cuenta el coste y el tiempo involucrados, a los niños se les concede o se les niega rutinariamente la entrada basándose en un único test, que en muchas escuelas nunca vuelve a repetirse. «Poner unos límites rígidos es ridículo –dice Reynolds–. Si hiciéramos eso mismo para identificar a los estudiantes que necesitan ayuda especial, estaríamos violando una ley federal».

Consideremos el caso de Carolina del Sur. Hace unos años, este estado contrató a un centro especializado –College of William & Mary's Center for Gifted Education– para evaluar sus procesos de selección de niños avanzados. Las autoridades estaban preocupadas porque las minorías no tenían suficiente representación en los programas para avanzados, pero, de camino, acabó surgiendo un problema aún más complejo.

A pesar de renovar el proceso de admisiones para aumentar la participación de las minorías, la mayoría de los alumnos blancos seguía siendo desproporcionada (el 86%). Sin embargo, aún era más inquietante la cantidad de niños del programa, independientemente de su raza, que no estaban comportándose como avanzados en absoluto.

Cuando el William & Mary's examinó los tests de rendimiento de 2002 para los alumnos avanzados de tercero, cuarto y quinto, los resultados eran desastrosos. En matemáticas, las puntuaciones del 12% de los alumnos avanzados sólo alcanzaron el «nivel de habilidad básico». Otro 30% eran únicamente «competentes». En lengua los porcentajes eran mucho peores. Cabría esperar que los investigadores hubieran concluido que esos niños debían ser trasladados a un aula normal, pero el centro recomendó al estado que ofreciera programas especiales para niños con dificultades y sin embargo avanzados, un concepto que suena verdaderamente paradójico.

Telefoneamos a los veinte mayores distritos escolares de Estados Unidos para enterarnos de los programas de educación para avanzados que ofrecían. Éstos son los veinte distritos escolares más grandes:

Ciudad de Nueva York
Distrito unificado de Los Ángeles
Ciudad de Chicago
Condado de Dade (Miami)
Condado Clark (Las Vegas)
Condado Broward (Fort Lauderdale)
Houston ISD
Condado Hillsborough (Tampa)
Ciudad de Filadelfia
Dep. de Educación de Hawai
Condado de Palm Beach
Condado de Orange (Orlando)
Condado de Fairfax (VA)
Dallas ISD
Ciudad de Detroit
Condado de Montgomery (MD)
Condado de Prince George (MD)
Condado de Gwinnett (GA)
Distrito unificado de San Diego
Condado de Duval (Jacksonville)

Los veinte tienen algún tipo de programa para los avanzados, y doce de ellos los comienzan en preescolar. Ningún distrito espera hasta tercero para filtrar a los niños; para el final del segundo curso, los veinte distritos han seleccionado a los niños, declarándolos excepcionales.

Sobre el papel, esto contradice la ciencia evolutiva. «No tengo la respuesta perfecta –dijo la doctora Lauri Kirsch, supervisora del programa para niños avanzados del distrito escolar del condado de Hillsborough, en Tampa, Florida–. Simplemente tengo los ojos abiertos y miro a los niños. Nosotros creamos oportunidades para que los alumnos las aprovechen y tengan resultados sobresalientes. Queremos darles tiempo para desarrollar sus dones».

Cuando hablé con estas escuelas, me di cuenta de que no era justo juzgar sus programas únicamente en función de la edad a la que examinaban a los niños; también era importante evaluar otros aspectos: si los programas para avanzados eran radicalmente mejores que las clases normales, o si sólo suponían un suplemento modesto con respecto a éstas. Algunos de estos distritos, como Dallas, identifican a los niños muy pronto, en preescolar, pero no toman una decisión estructural que determinaría su destino. Los niños identificados como avanzados permanecen en sus aulas habituales y una vez por semana asisten a dos horas de clase sólo para ellos. Eso es lo único que se les ofrece, y casi seguramente resulta insuficiente. Resulta difícil argumentar que el programa de Dallas es mejor que el de Detroit, que toma una decisión definitiva antes de preescolar, pero los niños identificados como superdotados reciben un trato mucho mejor: se les permite asistir a una academia especial a tiempo completo.

A la hora de aplicar la ciencia a la realidad, la dificultad no parece residir en la edad de aplicación del filtro inicial. Incluso en preescolar, unos pocos niños están clara e indiscutiblemente avanzados. En cualquier caso, los principales problemas son los distritos que no dan oportunidades adicionales de pasar los tests a los niños que florecen tardíamente y la falta de pruebas objetivas para asegurarse de que los que entraron en estos programas siendo muy pequeños están realmente en su lugar.

De los veinte mayores distritos escolares, *ninguno* exige que los estudiantes puntúen alto en las pruebas de aptitud o en los tests de inteligencia para mantenerse en el programa. Pueden permanecer en la clase avanzada siempre que no se queden muy atrás. La prioridad de los distritos no es expulsar a los niños de estos programas especiales, sino darles entrada.

Muchos de los distritos aún funcionan bajo la premisa de que la inteligencia es innata y estable. Siguiendo esta antigua lógica, no hace falta repetir las pruebas porque se supone que el coeficiente de inteligencia sigue teniendo validez para toda la vida. La falta de reevaluación parece responder a una actitud bondadosa, pero presupone este doble criterio: los distritos creen firmemente en usar las puntuaciones del coeficiente de inteligencia para la admisión inicial, y piensan que los tests posteriores no son necesarios.

Volviendo a Carolina del Sur, allí se han instaurado nuevas reglas para proteger a los niños que sacan malos resultados en las aulas para avanzados. En primer lugar, los estudiantes no pueden ser excluidos del programa por el simple hecho de ir retrasados en clase; para que el niño sea expulsado tiene que ocurrir algo más. En segundo lugar, si se traslada a un alumno a un aula normal para el resto del año, se le permite volver automáticamente al programa para avanzados al principio del curso siguiente, sin tener que volver a pasar un test.

Carolina del Sur no es el único estado que cree que es tabú esperar que los niños avanzados prueben sus méritos. En Florida, un decreto de 2007 para reformar la enseñanza estatal de los niños avanzados no pudo salir del comité hasta que se anuló una provisión que exigía repetir los tests cada tres años.

Una vez más, los autores de los tests no están de acuerdo con estas prácticas basadas en la creencia de que si una vez fuiste un niño avanzado, lo serás toda la vida. Ésta es la explicación del coautor del test CogAT, el doctor Lohman: «Llevamos algún tiempo tratando de superar el modelo clásico de superdotado –la creencia de que es algo fijo–, pero sin mucho éxito».

De todos los distritos que examinamos, ninguno ignoraba tanto las recomendaciones de los científicos sociales como Nueva York. Un único test antes de preescolar determina quién entra en los programas especiales. Entre tanto, los admitidos nunca vuelven a ser examinados, y los niños continúan hasta quinto u octavo, dependiendo de la escuela. En 2008, el Departamento de Educación de Nueva York había cambiado los tests cuatro veces en cuatro años porque era incapaz de conseguir los resultados deseados. En 2007, el informe de un supervisor indicó que eran muy pocos los niños que superaban el límite del percentil 90, de modo que las clases especiales estaban llenas de alumnos normales: el 42% de las plazas para niños avanzados eran ocupadas por alumnos que estaban por debajo del percentil 80. Muchos se quejaban de que el contenido del programa se había diluido mucho. Mientras tanto, la página web del distrito advertía a los antiguos solicitantes que se les pondría en listas de espera por si había plazas disponibles –y el distrito mismo advertía que esto era muy raro– incluso en cuarto y en quinto.

Lo cierto es que las escuelas privadas independientes no tienen otra opción: casi por definición han de filtrar a los niños antes de preescolar. Pero debe reconocerse lo falible que es este proceso de selección y cuántos niños geniales deja de detectar. Los directores de admisiones podrían advertir a los padres: «El proceso de admisión es más un arte que una ciencia», pero las investigaciones científicas demuestran que no tiene 60% de arte, sino 60% de azar.

En algunas ciudades, los centros de preescolar de élite han empezado a usar estos mismos tests de inteligencia. Y no se avergüenzan de ello: en la región de Seattle, la página web de un centro de preescolar anuncia orgullosamente que es el único en el estado que exige pasar un test de inteligencia para la admisión; a algunos niños se los examina a los veintisiete meses. En Detroit, un centro de preescolar espera hasta que todos los niños cumplan treinta meses.

Al oír hablar de la falta de precisión de los tests de inteligencia, resulta tentador buscar otro método de evaluar el talento excepcional; por ejemplo, examinar la inteligencia emocional o la conducta del niño. Docenas de páginas web preguntan: «¿Es su hijo un superdotado?», y después ofrecen una lista de comportamientos que lo indican. Y esto no es sólo para los padres; algunas escuelas incorporan estas listas a su proceso de selección. Pero ¿son más válidas estas directrices conductuales?

Desde la publicación de la obra del doctor Daniel Goleman *Inteligencia emocional* en 1995, se ha aceptado ampliamente la teoría de que el temperamento y las habilidades interpersonales podrían ser más importantes para el éxito que el intelecto cognitivo. En la edición especial que celebra el décimo aniversario de la publicación original de su obra, Goleman elogia a los distritos escolares que incluyen la inteligencia emocional en su programa de estudios, y sugiere que puede ser la clave del éxito académico para algunos alumnos. También hay otros centros que han incorporado esta premisa en sus procesos de admisión. En las escuelas privadas cada vez es más popular poner a los niños de preescolar a jugar en grupo sobre un escenario; los encargados del proceso de selección usan listas para evaluar rápidamente la conducta, la motivación y la personalidad de los pequeños.

Entonces, ¿podría la dimensión emocional de los niños explicar lo que los coeficientes de inteligencia no detectan?

En la última década han surgido varios métodos para medir la inteligencia emocional. Un test, el MSCEIT, procede del equipo que acuñó originalmente el término «inteligencia emocional», en el que se incluye al doctor Peter Salovey, decano del Yale College. El otro test, el EQ-i, es del doctor Reuven Bar-On, que acuñó el término «coeficiente emocional». Investigadores de todo el mundo han estado usando estas escalas, y los resultados han producido una conmoción.

En un metaanálisis de estos estudios, los investigadores concluyeron que la correlación entre la inteligencia emocional y el rendimiento académico es de sólo un 10%. Todos estos estudios se realizaron con adolescentes y estudiantes universitarios –no con niños pequeños–, pero un estudio de la población reclusa mostró que los presos tienen un alto coeficiente emocional. Aquí acabó la teoría de que las personas emocionalmente inteligentes hacen mejores elecciones en la vida.

Salovey ha vapuleado repetidamente a Goleman por malinterpretar la investigación de su equipo y exagerar su impacto. Considera que las promesas optimistas de Goleman no sólo son «poco realistas» sino «engañosas y no concuerdan con los datos de la investigación».

En un test del conocimiento emocional, a los niños se les pregunta qué sentirían si su mejor amigo se mudara a vivir a otro lugar. Cuanto más verbal sea un niño, más alto puntúa en este tipo de pruebas, pero la habilidad verbal también impulsa la primera inteligencia cognitiva. (En un capítulo posterior hablaremos de lo que impulsa el primer desarrollo del lenguaje.) De modo que en lugar de argumentar con triunfalismo que la inteligencia emocional suplanta la capacidad cognitiva, un investigador influyente está probando que es justo al revés: una mayor capacidad cognitiva incrementa el funcionamiento emocional.

También hay investigaciones que correlacionan las personalidades de los niños con el éxito académico. Sin embargo, el problema es que los rasgos de personalidad que parecen importar son distintos en función de la edad. Un estudio determinó que en preescolar los extrovertidos son buenos estudiantes, pero que en segundo o tercero la extroversión sólo es la mitad de importante, mientras que otros investigadores han descubierto que en sexto ya no es un rasgo favorable. Más bien, va teniendo un impacto cada vez más negativo. En octavo, los mejores estudiantes son concienzudos y a menudo introvertidos.

En 2007, el doctor Greg Duncan publicó un voluminoso análisis de 34.000 niños realizado junto con otros once destacados coautores. Habían peinado los datos de seis estudios de población a largo plazo: cuatro de ellos de Estados Unidos, uno de Canadá y otro del Reino Unido. Antes de preescolar, todos los niños participantes realizaron alguna variante del test de inteligencia o del test de rendimiento escolar. Además, las madres y los profesores evaluaron sus habilidades sociales, su capacidad de atención y su conducta, a veces durante preescolar y otras con anterioridad. Los estudiosos tomaron datos de todos los aspectos del temperamento y la conducta que reconocemos que pueden afectar al rendimiento escolar: actuar caprichosamente, ansiedad, agresión, falta de habilidades interpersonales, hiperactividad, falta de concentración, etc.

El equipo de Duncan esperaba que las habilidades sociales fueran un sólido predictor del éxito académico, pero, según recuerda: «Tardamos tres años en hacer este análisis mientras la pauta emergía lentamente». En general, los tests de inteligencia mostraron un grado de correlaciones parecido al del metaanálisis de Suen: combinando las matemáticas con la lectura, los primeros tests de inteligencia tenían como máximo una correlación del 40% con logros posteriores. En el mejor de los casos, las puntuaciones relacionadas con la capacidad de atención mostraron una correlación del 20% con los logros posteriores, mientras que las puntuaciones relacionadas con la conducta dieron una correlación del 8%. Esto significa que muchos niños que acabaron siendo muy buenos estudiantes aún eran inquietos y se portaban mal a los cinco años, mientras que muchos otros que se portaban bien a los cinco años no acabaron siendo buenos estudiantes. Que las habilidades sociales fueran un mal predictor fue algo totalmente inesperado: «Esto es lo que más nos sorprendió», confirmó Duncan.

Resulta tentador imaginar que uno podría empezar con la correlación del 40% de los tests de inteligencia, añadir la del 20% de las pruebas que miden la capacidad de atención y culminarlo con la medición de las habilidades sociales hasta acumular un total del 70% de correlación. Sin embargo, no funciona así. Las diversas medidas acaban identificando a los mismos niños precoces y de buen comportamiento, y pasando por alto a los que florecen un año o dos más tarde. Por ejemplo, la motivación se correlaciona con el éxito académico casi tan bien como la inteligencia. Pero resulta que los niños con un coeficiente de inteligencia más alto están más motivados académicamente, de modo que todos los análisis que controlan la inteligencia muestran que la motivación sólo puede añadir unos pocos puntos porcentuales a la precisión general.

Casi cada investigador tiene su mezcla de tests favorita, como camareros en una competición de combinados exóticos. En el mejor de los casos, estos híbridos parecen encontrar su máximo en torno a una correlación del 50% cuando se aplican a los niños pequeños.

En un capítulo posterior de este libro comentaremos las mediciones que controlan la capacidad de concentrarse en medio de las distracciones, y éste podría ser el elusivo factor adicional que los investigadores andan buscando. Y también podría ocurrir que en unos pocos años un investigador proponga un test híbrido de inteligencia y de impulsividad que prediga el rendimiento futuro de los niños de cinco años. Hasta entonces, tenemos que reconocer que ninguno de los tests o de los sistemas de evaluación usados actualmente con los pequeños, solos o en combinación, ofrecen un nivel de confianza razonable para justificar una decisión a largo plazo. Un enorme número de niños geniales simplemente no pueden ser «descubiertos» a una edad tan temprana.

Los autores de los tests de inteligencia advierten de que las puntuaciones de los niños en estos tests no son fiables hasta que tienen once o doce años, y eso plantea una cuestión fascinante. ¿Qué ocurre en el cerebro que hace que una persona sea más inteligente que otra? ¿Están esos mecanismos fundamentalmente en su lugar a una edad temprana, o vienen después?

En la década de los noventa, los científicos estudiaron la correlación entre la inteligencia y el grosor de la corteza cerebral: esa estructura parecida a un cráter que rodea al interior del cerebro. Se estima que en cada milímetro cúbico del cerebro adulto hay entre 35 y 70 millones de neuronas, y hasta medio billón de sinapsis. Si se estiraran completamente las fibras nerviosas de un único milímetro cúbico, medirían más de 35 kilómetros. De modo que una corteza cerebral sólo un poco más gruesa implica trillones más de sinapsis y muchos kilómetros de fibra adicionales. Se consideraba que cuanto más gruesa fuera la corteza, tanto mejor.

La corteza del niño medio alcanza su máximo grosor antes de los siete años; parece que a esa edad el material en el que se basa la inteligencia ya está en su lugar –a esa edad la totalidad del cerebro ya tiene el 95% de su tamaño final–. Sobre esa base, podría parecer razonable tomar decisiones clave con respecto al futuro de los niños en esa etapa de su desarrollo.

Pero los doctores Jay Giedd y Philip Shaw, del Instituto Nacional de Salud, hicieron saltar por los aires esta fórmula básica –que cuanto más gruesa sea la corteza, tanto mejor– en 2006. El niño inteligente medio tiene una corteza un poco más gruesa a esa edad que el niño común. Sin embargo, los más inteligentes, que demostraron tener una inteligencia superior, en realidad tenían unas cortezas mucho más finas a una edad más temprana. Entre los cinco y los once añadieron otro medio milímetro de materia gris, y sus cortezas no llegaron a su máximo grosor hasta los once o doce, unos cuatro años después de los niños con una inteligencia normal. «Si te llevan a una clase para niños avanzados a una edad temprana, eso podría no ser lo más adecuado –comentó Giedd–. Así perdemos a los que tardan más tiempo en desarrollarse».

Las neuronas compiten dentro del cerebro. Las que no se usan son eliminadas; las ganadoras sobreviven, y si se emplean con frecuencia, finalmente acaban siendo rodeadas por una capa de tejido blanco y graso que incrementa exponencialmente la velocidad de transmisión. De esta manera, cierta materia gris es promocionada hasta convertirse en materia blanca. Esto no ocurre en todo el cerebro a la vez; más bien, algunas partes pueden aún estar añadiendo materia gris mientras que otras regiones la convierten en materia blanca. Cuando ocurre, esta transformación puede ser rápida: en ciertas áreas, el 50% del tejido se convierte en sólo un año.

El resultado de este proceso pueden ser grandes saltos en el progreso intelectual, muy parecidos a los drásticos aumentos de estatura que a veces se producen en los niños. Durante la parte media de la infancia, un mejoramiento más rápido de las regiones del hemisferio izquierdo conduce a un mayor incremento de las habilidades verbales. El área de la corteza prefrontal que se considera necesaria para el razonamiento de alto nivel ni siquiera empieza este proceso de mejorar la calidad del tejido hasta la preadolescencia: es una de las últimas en madurar.

Durante esos mismos años, el cerebro incrementa la organización de los grandes centros nerviosos que conectan un lóbulo con el otro. Dentro de esas superautopistas cerebrales, los nervios que discurren paralelos son seleccionados con respecto a aquellos que conectan con cierto ángulo. Pequeñas alteraciones en esta área del cerebro producen grandes efectos: una mejora del 10% en su organización marca la diferencia entre un coeficiente de inteligencia por debajo de 80 y otro por encima de 130. Estas mejoras del 10% en la organización no son raras; al contrario, forman parte del desarrollo normal entre las edades de cinco y dieciocho años.

Teniendo en cuenta que todo este proceso de construcción está en marcha, no puede sorprendernos que las puntuaciones en el coeficiente de inteligencia muestren cierta variabilidad durante los primeros años. Entre los tres y los diez, dos tercios de las puntuaciones infantiles en los tests de inteligencia mejorarán o empeorarán más de 15 puntos. Esto es especialmente cierto en los niños brillantes; su inteligencia varía más que la de los más lentos.

El doctor Richard Haier es un eminente neurólogo de la Universidad de California, en Irving. Cuando le conté que los distritos escolares de la ciudad de Nueva York estaban eligiendo a sus estudiantes avanzados basándose en un examen de una hora de duración realizado a los cinco años, se quedó anonadado.

—Pensaba que los distritos escolares habían acabado con esa práctica hace años –dijo Haier–. Cuando se somete a pruebas a los niños de cinco años, no tengo claro que conseguir esa instantánea de la secuencia evolutiva vaya a ser muy bueno, porque no todos los individuos progresan al mismo ritmo. ¿Qué ocurre con los niños que no progresan hasta después de los cinco años?

Haier está especializado en identificar la ubicación de la inteligencia en el cerebro. A la neurociencia siempre le ha obsesionado aislar las funciones de las diferentes regiones cerebrales. Los primeros descubrimientos vinieron de pacientes con daños en regiones concretas; estudiando lo que estos pacientes no podían hacer, aprendimos dónde se produce el procesamiento visual, dónde se almacenan las capacidades motoras y dónde se comprende el lenguaje.

En la última década, los escáneres cerebrales nos han permitido descifrar mucho más: sabemos qué zonas se iluminan cuando hay un peligro inminente, dónde se ubica la experiencia religiosa y en qué parte del cerebro se activan los poderosos deseos del amor romántico.

Pero la búsqueda de la inteligencia en el cerebro se ha ido retrasando. Finalmente, neurocientíficos como Haier están a punto de identificar las agrupaciones exactas de materia gris que se usan para la inteligencia en la mayoría de los adultos. No obstante, durante sus investigaciones, han descubierto algo que les ha hecho reflexionar sobre la suposición habitual que asocia lugares del cerebro con funciones específicas.

A medida que el niño crece, la localización del procesamiento intelectual cambia. La red neural de la que depende un niño pequeño no es la misma de la que dependerá cuando sea adolescente o adulto. Hay una superposición significativa, pero las diferencias son sorprendentes. El éxito intelectual del niño se verá muy afectado por la medida en que el cerebro aprenda a llevar el procesamiento a estas otras redes más eficientes.

El doctor Bradley Schlaggar, neurólogo de la Universidad de Washington, en St. Louis, ha descubierto que tanto los niños como los adultos recurren a 40 racimos diferenciados de su materia gris cuando realizan un test verbal simple dentro del escáner MRI. No obstante, comparando los escáneres de los niños (de nueve años de edad) con los de los adultos (veinticinco años), Schlaggar vio que sólo la mitad de los racimos eran los mismos. Los adultos estaban utilizando sus cerebros de manera muy diferente.

Asimismo, el doctor Kun Ho Lee, de la Universidad Nacional de Seúl, hizo completar rompecabezas medidores de la inteligencia a dos grupos de adolescentes coreanos dentro de un escáner. Los cerebros de los muchachos más inteligentes habían cambiado el lugar de procesamiento a una red que activaba el lóbulo parietal; estos chicos se situaron en el 1% superior. Los cerebros del resto de los adolescentes no habían hecho este cambio.

Otros investigadores están obteniendo los mismos resultados. Equipos de Cornell, Stanford y King's College, de Londres, han descubierto que las redes cognitivas de los niños no son las mismas que las de los adultos: «Esto es muy contradictorio con los viejos principios de la neurociencia –comentó Haier alegremente–. La investigación está siguiendo una dirección nueva: que la inteligencia se mueve por todo el cerebro conforme se activan diferentes áreas cerebrales».

Ninguno de los mecanismos críticos de la inteligencia –dado que la corteza está inacabada y el procesamiento puede cambiar a otras redes neuronales– están operativos a la edad en que la mayoría de los niños realizan los tests para entrar en un programa para superdotados o en una escuela privada. Estamos tomando decisiones estructurales a largo plazo respecto a la vida de los niños en un momento en que sus cerebros ni siquiera han empezado las transformaciones radicales que determinarán su verdadera inteligencia.

El perfil del verdadero desarrollo intelectual no encaja en hermosas curvas de campana con formas redondeadas. Su desarrollo está lleno de puntas afiladas y de grandes retrocesos que tienen que ser superados.

Incluso tenemos que cuestionarnos por qué nos atrae esta idea de detectar a los niños listos. Establecemos este sistema para asegurarnos de descubrir y nutrir el talento natural y sin embargo el sistema fracasa para una gran mayoría de niños: estamos excluyendo buena parte de ese talento natural.

Quizá la pregunta ¿qué sucede con los que florecen más tarde? pueda sonar trillada, pero, en términos de un desarrollo cognitivo verdaderamente superior, la neurociencia sugiere que el desarrollo «tardío» puede ser óptimo. Y la sociedad no tiene que esperar eternamente a que los retrasados florezcan; el método para filtrar a los niños sería significativamente más eficaz si esperara para hacer los tests hasta el final de segundo curso.

Los niños superdotados suelen tener un desarrollo desigual. Es habitual que las puntuaciones en habilidades verbales y no verbales del niño superdotado sean tan dispares que una mitad de una prueba le cualifique para un programa avanzado mientras que la otra mitad podría enviarle a educación especial.

Tal como están diseñados actualmente la mayoría de los programas, los encargados de admisiones nunca consideran que el desarrollo desigual podría ser algo favorable. El niño pequeño que domina las habilidades cognitivas pero tiene problemas con la fonética podría aproximarse posteriormente al lenguaje abstracto de la poesía de una manera profundamente nueva. La fascinación unilateral del niño de cuatro años por los dinosaurios –excluyendo todo lo demás– podría no ser la señal de un déficit; más bien podría ayudarle a desarrollar la concentración y un método de aprendizaje que le sería útil en cualquier otro contexto.

Piensa en la niña que se quedó fuera del programa para avanzados –a pesar de que había estado leyendo desde los dos años– porque no tenía la coordinación manual suficiente para poner cuatro bloques en alineamiento perfecto.

Entre tanto, los niños que florecen tardíamente viven con el dato erróneo de que no son avanzados, pero tienen la suficiente inteligencia para entender que los poderes fácticos han decretado que sería una pérdida de tiempo y de recursos desarrollar su potencial. Las listas de superdotados ya están llenas.

6

El efecto de los hermanos

Freud se equivocó. Shakespeare tenía razón. Por qué luchan realmente los hermanos.

Recientemente, en Brasil, un equipo de investigadores estudió los datos médicos de una unidad de urgencias, examinando todos los casos en que los niños fueron llevados allí por haberse tragado monedas. Los investigadores sentían curiosidad: ¿es más común tragar monedas entre los niños que no tienen hermanos? Finalmente, decidieron que el tamaño de la muestra era demasiado pequeño para extraer conclusiones.

Ésta estaba lejos de ser la primera vez que los investigadores trataban de descubrir los extraños efectos secundarios de ser hijo único. En Italia, hace un par de años, se intentó determinar si las hijas únicas tenían más probabilidades de sufrir algún desorden de la alimentación en la educación secundaria –la respuesta fue no–. En Israel, un investigador descubrió que los niños sin hermanos tenían una mayor incidencia de asma, al menos en comparación con aquellos que tenían entre quince y veinte hermanos y hermanas. Pero, en comparación con los niños que tienen un número normal de hermanos, apenas había ninguna diferencia en la proporción de asmáticos. Los padres de hijos únicos podían dejar de preocuparse.

Entre tanto, en el Reino Unido, los investigadores estaban estudiando si los hijos únicos tenían menos verrugas. No es que tengas que saber la respuesta, pero, para tu conocimiento: los niños que no tienen hermanos presentan algunas verrugas menos. Sin embargo, investigadores escoceses han anunciado que padecen más de eczema.

Parece que la investigación sobre los hijos únicos se ha vuelto loca. La razón no puede sorprendernos: en las últimas dos décadas, la proporción de mujeres con un solo hijo se ha doblado en Estados Unidos, y las familias con un solo hijo ahora son más comunes que aquellas con dos hijos.

Nadie sabe lo que esto significa para los niños, pero parece razonable que debe de significar *algo*. Tenemos esta idea porque siempre hemos estigmatizado la excepción, y los hijos únicos son un buen ejemplo de ello: en 1898, uno de los pioneros de la psicología infantil, G. Stanley Hall, escribió: «Ser hijo único es una enfermedad en sí mismo». Actualmente, muchos investigadores rechazan una declaración tan ridícula, pero los estudios sobre las verrugas y el hecho de tragarse monedas sugieren que algunos aún siguen estando bajo la influencia del punto de vista de Hall.

Los científicos han descubierto algunas cosas sobre los hijos únicos, algunos aspectos en los que se comportan de manera diferente que los niños con hermanos y hermanas. Pero no se trata de descubrimientos sorprendentes. Sabemos que, como media, a los hijos únicos les va un poco mejor en la escuela, probablemente por la misma razón que a los hermanos mayores les va un poco mejor que a los pequeños. Por un estudio realizado en Australia sabemos que las hijas únicas realizan como media quince minutos menos de actividad física al día, lo que probablemente explica el descubrimiento de otro estudio realizado en Alemania: los hijos únicos de preescolar tienen un poco menos de destreza física.

Sin embargo, cuando hablamos de hijos únicos, no es de estos temas que hemos comentado de los que se preocupa la sociedad. Lo que nos preguntamos es: ¿saben interactuar y llevarse bien? Esta cuestión se está estudiando de manera especial en China, que limitó a las familias de áreas urbanas a tener un solo hijo desde 1979. (A pesar de esta normativa, el 42,7% de las actuales familias chinas tienen dos hijos o más.) Cuando esta política se puso en práctica originalmente, los críticos argumentaron que un país de niños sin hermanos destruiría el carácter de toda la nación. A pesar de haber estudiado intensamente esta cuestión durante tres décadas, las investigaciones chinas siguen dando resultados muy cambiantes. Un informe decía que los niños sin hermanos se mostraban menos ansiosos y tenían más habilidades sociales en la enseñanza media. Pero otro informe afirmaba que en secundaria ocurría justo lo contrario. La investigación china sobre las habilidades sociales es igual de concluyente que aquella sobre tragarse monedas realizada en Brasil.

¿Por qué no vemos un efecto claro? Esto nos resulta sorprendente, porque la teoría de que ser hijo único priva a éste de muchas habilidades sociales tiene mucho sentido a nivel lógico. Al crecer con hermanos, el niño tiene miles y miles de ocasiones para aprender a interactuar. Según esta teoría, los niños con hermanos deberían tener muchas más habilidades sociales que los que no los tienen.

Sin embargo, no es así.

Tal vez el error consista en asumir que esas miles y miles de interacciones con los hermanos producen un resultado positivo. Tal vez ocurra justamente lo contrario: de esas interacciones, los niños aprenden tantas habilidades sociales negativas como positivas.

La doctora Laurie Kramer, decana de la Universidad de Illinois, en Urbana-Champaign, está intentando lo imposible: hacer que los niños y las niñas sean más amables entre sí.

Después de pasar unos pocos minutos con los padres que habían apuntado a sus hijos al programa de seis semanas «Más diversión con tus hermanos y hermanas», quedó claro a qué se enfrentaba. Estábamos sentados sobre cojines, en un círculo, en una habitación pequeña, observando a los niños por circuito cerrado de televisión. Al otro lado del muro, en una sala de estar equipada con varias cámaras ocultas, los niños trabajaban con los alumnos de Kramer.

—Cuando se ponen en marcha, son como un tren de mercancías. No hay quien los pare –comentó una madre sobre las luchas entre su hija de cinco años y su hijo de seis. En su vida profesional es psiquiatra clínica y trabaja con los veteranos heridos, pero lo que le parecía más «doloroso de contemplar» eran las peleas de sus hijos.

Otra madre suspiró de frustración al observar a su hijo de siete años acosando constantemente a su hermana de cuatro.

—Él sabe qué decir, pero no puede mostrarse amable –lo justivicaba. Se quedó mirando al espacio, esforzándose por contener una lágrima.

Una madre de dos gemelas de cinco años dijo que generalmente sus hijas se lo pasan genial cuando están juntas, pero, por alguna razón inexplicable, no pueden evitar la disputa diaria mientras ella prepara la cena.

Las familias que participan en el programa de Kramer tienen un alto nivel de educación y de renta. Muchos de los padres son profesores universitarios, y sus hijos asisten a uno de los mejores colegios de primaria de Urbana. Estos padres hacen todo lo posible para ofrecerles a sus hijos un entorno positivo. Sin embargo, hay un aspecto del ambiente que no pueden controlar y que lo socava todo: la relación entre los hermanos.

Mary Lynn Fletcher es la coordinadora del programa de la doctora Kramer; ella es la que recibe las llamadas de los padres que quieren apuntar a sus hijos a este curso: «Muchos están temblando cuando llaman. Siento compasión por ellos –dice Fletcher–. Están tan tensos... En otros casos, la tensión no es tan intensa, pero se sienten muy impotentes. Cada día hay un momento en el que tienen que lidiar con ello. Una madre, mientras llevaba a sus hijos de la escuela a casa, me dijo: 'Escucha esto', y a continuación levantó el teléfono para que pudiera escuchar los gritos».

Podría parecer que estos niños son los casos más problemáticos, pero Ashley y yo hemos revisado videos de los niños que fueron grabados un mes antes en sus hogares. Cada cinta registraba media hora de juegos de los hermanos con sus juguetes, sin que los padres estuvieran en la habitación para mediar. En esas cintas, ciertamente había tensión, pero lo que vimos parecía mejor que lo normal.

Los estudios y observaciones han determinado que los hermanos con edades comprendidas entre los tres y los siete años se pelean una media de 3,5 veces por hora. Algunos choques son breves, otros más prolongados, pero en general se pasan discutiendo diez minutos de cada hora. Según la doctora Hildy Ross, de la Universidad de Waterloo, aproximadamente sólo una de cada ocho peleas acaba en acuerdo o reconciliación; las otras siete veces los hermanos simplemente se retiran, generalmente después de que el mayor haya tiranizado al pequeño o le haya intimidado.

La doctora Ganie DeHart, de la Universidad Estatal de Nueva York College, en Geneseo, comparó el trato que les daban los niños de cuatro años a sus hermanos más pequeños con el que les daban a sus amigos. En su muestra, los niños dijeron siete veces más frases controladoras y negativas a sus hermanos que a sus amigos.

La investigadora y doctora escocesa Samantha Punch halló resultados parecidos cuando entrevistó a noventa niños. Determinó que los niños no tienen incentivos para actuar amablemente con sus hermanos porque estarán allí mañana pase lo que pase. Y concluyó: «La hermandad es una relación en la que los límites de la interacción social pueden llevarse hasta el límite. No hay que reprimir la rabia y la irritación, mientras que la educación y la tolerancia pueden descuidarse».

Entonces, ¿mejoran los niños su comportamiento teniendo miles de interacciones para practicar? Según Kramer, la respuesta es no. En 1990, ella y su mentor, el doctor John Gottman, reclutaron 30 familias que estaban a punto de tener su segundo hijo; el primer hijo tenía tres o cuatro años de edad. Dos veces por semana, durante meses, Kramer fue a los hogares para observar jugar a estos hermanos hasta que los pequeños cumplieron los seis meses. Volvió a los catorce meses y posteriormente a los cuatro años. En cada ocasión, puntuó la calidad de la relación entre los hermanos, anotando cuántas veces los niños eran amables y cuántos desagradables unos con otros. Nueve años después, volvió a hacer un seguimiento de esas familias. A esas alturas, los hermanos mayores estaban a punto de ir a la universidad. Una vez más, grabó sus interacciones. Para asegurarse de que no se ignoraran mutuamente, les dio a los pares de hermanos algunas tareas: varios rompecabezas que resolver juntos, además de proponerles planear un fin de semana imaginario en el que la familia podía gastar 10.000 dólares.

Kramer aprendió que la relación entre hermanos es notablemente estable a largo plazo. A menos que hubiera habido algún suceso importante en la familia –una enfermedad, una muerte, un divorcio– el carácter de la relación no cambió hasta que el hermano mayor se fue de casa. En la mayoría de los casos, el tono, fuera controlador y dominante o dulce y considerado, se establecía cuando ambos hermanos eran muy jóvenes y tendía a permanecer así. «Aproximadamente la mitad de estas familias siguen estando en el área de Urbana-Champaign –dijo Kramer–. Los hijos ahora ya han superado los veinte. Veo los anuncios de su graduación y de sus matrimonios en el periódico. Me topo con sus padres en el supermercado. Les pregunto cómo les va. En realidad siempre es lo mismo».

Kramer suele oír: «Pero yo me peleé mucho con mis hermanos y hermanas, y hemos salido genial». Ella está de acuerdo. Más bien, apunta que en muchas relaciones fraternales la tasa de conflictos puede ser elevada, pero los ratos divertidos en el jardín y en el sótano la equilibran. Este resultado neto positivo es lo que predice una buena relación en un momento posterior de la vida. En cambio, los hermanos que simplemente se ignoran pelean menos, pero sus relaciones se mantienen frías y distantes a largo plazo.

Antes de empezar el programa «Más diversión con tus hermanos y hermanas», Kramer hizo que los padres rellenaran unos cuestionarios con sus expectativas sobre las interacciones entre sus hijos. En realidad aceptaban que el conflicto fuera una forma de vida para los hermanos; más bien lo que parecía preocuparles era que no mostraran ninguna preocupación unos por otros. Sus sentimientos hacia sus hermanos estaban a medio camino entre la ambivalencia indiferente y la irritación.

El programa de Kramer es único en este campo, y no intenta enseñarles a los niños una versión más bondadosa de mediación en el conflicto. A los adultos ya les cuesta mucho dominar estas técnicas: la escucha atenta, la no escalada de la violencia verbal, evitar las generalizaciones negativas, elogiar... Más bien Kramer enfoca el programa en lo que dice su título: hacer que los hermanos *disfruten* jugando juntos. Las seis sesiones de una hora están diseñadas para resultar divertidas. En la mayoría de las actividades en las que participan los niños se los separa por edades: salen a jugar con otros niños de su edad. En este caso, los hermanos juegan juntos.

En la primera sesión aparecen cuatro marionetas de papel maché en un teatro de guiñol. Anuncian que son niños alienígenas del planeta Xandia. Las nubes de Xandia producen lluvia cuando los hermanos y hermanas discuten, y el planeta está a punto de inundarse. Los alienígenas han venido a la Tierra para participar en el campamento con los niños humanos porque quieren aprender a divertirse más cuando están juntos. Todos los niños –los alienígenas y los terráqueos– pasan las seis sesiones siguientes jugando a juegos de mesa, creando proyectos de arte, representando papeles y bailando una canción de rap hecha a medida. Se llevan a casa libros y una serie de juegos de mesa relacionados con Xandia.

A lo largo del proceso, los niños aprenden una terminología que les permite empezar a jugar con sus hermanos, encontrar actividades que les guste compartir y excusarse delicadamente cuando no les interesa participar. Ensayan y representan de una manera consciente estos pasos. Probablemente el nombre que reciben estos pasos (detente, piensa y habla) no es lo importante; lo fundamental es que a los niños se les ofrezca una manera de superar la diferencia de edades, de modo que el mayor no acabe siempre asumiendo el papel de jefe. Durante una de las sesiones, a los niños los visita una mujer irritante llamada Señora Apresurada Mandona; es la caricatura de una jefa que está demasiado ocupada para desconectar su teléfono móvil. Los niños le enseñan a ser menos mandona.

Muchos de los juegos y proyectos de arte enseñan a los niños a reconocer que sus sentimientos se reflejan en los rostros de sus hermanos. El eslogan utilizado es: «Puedes verlo a tu manera y también a mi manera». Dibujan estas expresiones faciales sobre máscaras de papel, después escuchan historias y sostienen en alto las máscaras que corresponden a cómo se siente cada niño de la historia.

Kramer ha afinado los guiones de las sesiones a lo largo de los años, pero probablemente el aspecto más innovador de su programa no está en esos detalles, sino en el hecho de que se enfoca en los niños. Otros investigadores han asumido que los de cuatro años son demasiado pequeños, de modo que han dirigido la formación hacia los padres, intentando aconsejarles sobre cómo responder a las peleas entre hermanos. En el programa de Kramer, la reducción de las peleas es el resultado de enseñarles a los niños las habilidades proactivas de iniciar el juego en unos términos de los que ambos puedan disfrutar. Se trata de *prevención* de conflictos, no de su *resolución*. Los progenitores son meros facilitadores; cuando vuelven a casa, su trabajo consiste en reforzar la regla de que los niños deberían usar el método aprendido para resolver la situación conjuntamente, *sin* su ayuda.

El programa de Kramer es eficaz según todas las medidas. Los videos «antes y después» de los niños jugando en casa revelan una relación más positiva, y los cuestionarios para los padres indican que éstos dedican menos tiempo a mediar en las disputas de sus hijos. Los niños parecen disfrutar del programa, aunque nunca pasa una hora sin que se produzca una exhibición de tensión entre hermanos, cuando el mayor se vuelve controlador y el pequeño se pone provocador. De hecho, la premisa del programa –la idea de que los hermanos disfruten unos de otros– es un objetivo que no todos los niños están dispuestos a aceptar.

—Tengo dos talentos especiales –anunció el pequeño Ethan, de siete años, a los instructores y a los niños del programa–. El primero es que juego al fútbol con mi padre. El segundo es que soy muy bueno golpeando a otros. Cuando le pego a mi hermana, me siento bien.

Su hermana de cuatro años, Sofia, no estaba a más de un metro de él cuando dijo esto, pero no reaccionó a su asombrosa declaración.

La verdad era que Ethan nunca había golpeado a su hermana, que tenía la mitad de su tamaño. Más bien solía preocuparle el hecho de que fuese tan pequeña que podría herirla accidentalmente. Pero, en aquella sesión, Ethan parecía deleitarse en mostrarse cruel con Sofia. Se mofó de ella, protestando en voz alta cuando un instructor le ayudó a leer. Dijo que no quería una hermana pequeña:

—Ella siempre quiere ser la princesa, y que yo sea el príncipe, pero yo quiero ser un ninja. Ahora mismo es muy irritante, y no es una oponente que merezca la pena.

Al final de aquella sesión, su madre confrontó a Ethan en el pasillo, pidiéndole una explicación. Él mencionó un punto particularmente interesante:

—Pero, mamá, *no está muy en la onda* que te guste tu hermana pequeña.

Ethan estaba convencido de que tenía que ser malo con Sofia. No podía dejar que los demás hermanos mayores del programa supieran que le gustaba su hermana: de ahí que presumiera falsamente de golpearla.

Sintiendo curiosidad por cómo se relacionaban realmente Ethan y Sofia, nos sentamos con Kramer a mirar el vídeo grabado en su casa, que duraba más de media hora, y en él Ethan dirigía a Sofia en la construcción de un fuerte hecho con los cojines del sofá. La tensión era abrumadora; parecía una escena de un película de cine negro: cualquier pequeño suceso banal podía estallar y producir la tragedia inminente.

Ethan, que se había designado como director de la construcción, mandaba constantemente a su hermana de cuatro años. Le gritaba y le reñía cuando no podía mantener un cojín perfectamente recto. Cuando ella quería irse a tomar un bocado, Ethan la amenazaba:

—Si cometes otro error, vas a perder tu trabajo y no puedes volver.

Cuando Sofia entendía algo erróneamente, su hermano le decía:

—¡No hay excusas! ¡No hay excusas! ¡Puedes mantener tu trabajo si prometes que nunca, jamás, vas a volver a poner una excusa. Y no hables con la boca llena!

No obstante, Kramer vio mucha esperanza en esta cinta. Sin duda, Ethan regañaba constantemente a su hermana, pero ambos niños habían elegido jugar juntos por propia iniciativa, y habían continuado jugando juntos todo el rato. No se habían pegado. Habían mantenido la conversación en todo momento. Ethan amenazó a su hermana, pero cambió las reglas para que ella pudiera seguir jugando, e hizo un esfuerzo por ayudarle a entender que tenía un papel importante en el juego. Cuando su hermano dejó de darle órdenes, Sofia le pidió que la dirigiera, y eso le encantaba. Después la pequeña intentó arrastrar un gran cojín hasta el fuerte, y entonces Ethan le dijo: «Buen trabajo» y fue a ayudarla.

—Los niños aún están conectados –comentó Kramer–. Hay un intento de gestionar el conflicto. Los niños se gustan y se buscan mutuamente. Creo que hay mucho material con el que trabajar.

Kramer aún no había puntuado esta cinta, pero, a primera vista, estimaba que obtendría unos 50 puntos de 100: un equilibrio entre los momentos positivos y negativos.

—Imagino que en la cinta grabada después del programa obtendrían unos 70 puntos de 100.

Entonces, si a Ethan le gustaba su hermana, ¿de dónde le estaba llegando el mensaje de que eso estaba *fuera de onda* y tenía que esconderlo? Su madre, Rebecca, señaló que los mejores amigos de Ethan eran amables con sus hermanos pequeños. Esa actitud no venía de ellos. Más bien creía que su hijo estaba recibiendo el mensaje de los libros que leía. Era un lector extraordinariamente ávido y leía libros constantemente.

Rebecca sentía cierta reticencia a mencionar su teoría, temiendo que podría sonar como si estuviera buscando un chivo expiatorio. No obstante, la investigación de Kramer sugiere que la madre podría haber dado en el clavo. En uno de sus estudios, la investigadora hizo que un grupo de niños de control vinieran a leer libros en voz alta y a comentar dibujos animados que retrataban historias de hermanos. Eran los típicos productos que cualquier padre podía compartir con sus hijos con la esperanza de que les ayudaran a llevarse mejor: la serie de *Los osos Berenstein*, los libros de *Barrio Sésamo*, y similares. Kramer pensó que las relaciones de estos niños con sus hermanos pequeños mejorarían, pero cruzó los dedos para que no mejoraran *más* que los niños que participaban en *su* programa.

Pero en sólo un par de semanas Kramer empezó a recibir quejas de los padres. Si bien los libros y videos siempre acababan con una nota positiva, con los hermanos aprendiendo a valorarse y apreciarse más, la primera mitad de la serie retrataba con vívidos detalles las peleas e insultos de los niños y cómo menospreciaban a sus hermanos.

—Los niños aprendían de esos libros nuevas maneras de maltratar a sus hermanos pequeños, maneras que no habían considerado antes –recordó Kramer. A las seis semanas quedó claro que la calidad de la relación fraternal había caído en picado.

Kramer pasó a analizar 261 libros infantiles que retrataban las relaciones entre hermanos, desde libros con imágenes para los niños de preescolar hasta otros por capítulos para los niños de tercero. Nuestra investigadora puntuó los libros como podría haber puntuado un vídeo de unos niños jugando juntos. Anotó el número de veces que los hermanos discutían, se amenazaban, se excluían y se provocaban, así como los momentos positivos de compartir, de afecto, de resolución de problemas y de inclusión. Se demostró que en el libro medio había prácticamente tantos comportamientos negativos como positivos. A pesar del hecho de que todos menos uno tenían un final feliz, en el desarrollo de la trama los niños se mofaban, menospreciaban a sus hermanos constantemente y culpaban a otros de sus errores.

Resulta que Shakespeare tenía razón y Freud se equivocaba. El argumento de Freud –que desde el nacimiento los hermanos están abocados a una lucha eterna por el afecto de sus padres– tuvo una enorme influencia en los estudiosos y también en los padres durante casi un siglo. Pero resulta que su teoría era incompleta. La rivalidad entre hermanos tiene menos que ver con una historia edípica de amor a los padres y se parece más a la trama de *El Rey Lear*.

Un equipo de investigadores británicos y americanos de primera línea preguntó a 108 pares de hermanos de Colorado por qué se peleaban exactamente. El afecto de los padres venía en último lugar. Sólo el 9% de los niños dijeron que ésa era la causa de sus discusiones y de su competición.

La razón más común por la que los niños luchaban era la misma que supuso la ruina de Regan y Goneril: compartir los juguetes del castillo. Casi el 80% de los mayores, y el 75% de los más pequeños dijeron que el hecho de compartir las posesiones físicas –o considerarlas suyas– era lo que más peleas causaba.

Ninguna otra razón se acerca a ésta, aunque el 39% de los niños pequeños se quejaron de que sus peleas venían de otras peleas. Declararon que empezaban las peleas para impedir que sus hermanos mayores les golpearan.

Conscientes del paradigma freudiano, los investigadores reevaluaron sus descubrimientos, preguntándose si los niños eran demasiado inmaduros para entender las profundidades del psicodrama familiar del que eran actores principales. Pero los hermanos de los que hablamos no eran niños de cuna. Los más pequeños estaban en primaria, y algunos de los mayores ya eran adolescentes. Los investigadores sintieron que los psicólogos tenían que reconocer que «los hermanos tienen su propio repertorio de conflictos, separado del de sus padres». La pelea por ganar una porción mayor del amor parental puede ser un factor, escribieron, pero los niños que están hacia la mitad de la infancia no piensan en él: no lo reconocen ni lo articulan.

Laurie Kramer llegó a esta misma conclusión. Revisó 47 manuales populares de paternidad, y analizó cuántos de sus consejos sobre las relaciones fraternas estaban basados en investigaciones empíricas y cuántos en teorías que no habían sido probadas. Descubrió que todos estos manuales repetían el paradigma psicodinámico: que el resentimiento entre hermanos surge de una pérdida de atención de los padres cuando nace el niño pequeño. Kramer indicó que ciertamente hay investigaciones que ilustran este punto. Por ejemplo, un estudio reciente demostró que los celos de un hermano mayor cuando el pequeño tiene dieciséis meses predice el tipo de relación que mantendrán dentro de dos años. Pero siente que esta fijación en la competición por el amor de los padres enmascara y distrae de una verdad más importante: incluso en familias en las que ambos progenitores dan abundante afecto a sus hijos, «los niños pequeños pueden fracasar en el desarrollo de las relaciones sociales con sus hermanos si nadie les enseña a establecerlas». Tenemos que poner menos énfasis en la psicología y más en la acumulación de habilidades.

¿Qué otras cosas están sobrevaloradas? Los padres imaginan que la diferencia de edad entre hermanos es un factor importante. Algunos piensan que es preferible tener hijos con menos de dos años de separación para que tengan una edad parecida y puedan jugar juntos; otros sienten que deberían esperar tres o cuatro años para ayudarles a desarrollar su independencia. Pero los resultados de las investigaciones están muy mezclados: por cada estudio que concluye que las diferencias de edad son importantes, hay otro que prueba lo contrario. «Con relación a otros factores –dice Kramer– el espaciamiento de las edades no es un predictor fiable. Ni tampoco lo es el sexo. Hay muchas otras variables de las que preocuparse».

Y en cuanto a los factores que sí son importantes, el trabajo de Kramer ofrece una gran sorpresa. Uno de los mejores predictores de lo bien que se llevarán dos hermanos se determina *antes* del nacimiento del pequeño. A primera vista, esto es asombroso: ¿cómo es posible predecir un choque de personalidades si una de las implicadas todavía no existe? ¿Cómo podría conocerse su relación futura? Pero la explicación es muy razonable, y no tiene nada que ver con los padres. El factor predictor es la calidad de la relación del niño mayor *con su mejor amigo*.

Kramer estudió a los niños pequeños de familias que estaban esperando otro hijo, y los observó jugando con sus mejores amigos. Los que podían jugar estableciendo un intercambio mutuo y recíproco con sus mejores amigos eran los que años más tarde tendrían una buena relación con sus hermanos pequeños.

Desde hace tiempo se ha asumido que los hermanos aprenden unos de otros y después aplican las habilidades sociales adquiridas a las relaciones con sus iguales fuera de la familia. Pero Kramer afirma que el asunto va en el otro sentido: los niños mayores se entrenan con sus amigos y después aplican lo que saben a sus hermanos pequeños.

Tras hacer un seguimiento de estas amistades con sus mejores amigos, Kramer vio que uno de los factores destacaba de manera especial: el juego en el que se comparten las fantasías. Como explicaron ella y John Gottman: «El juego en el que se comparten fantasías representa uno de los niveles más elevados de implicación social para los niños pequeños». Para que estos juegos funcionen, los niños deben comprometerse emocionalmente uno con el otro, y prestar atención a lo que el otro está haciendo. Tienen que articular lo que está en el ojo de su mente, y negociar un escenario que permita que ambas visiones cobren vida. Cuando un niño anuncia el comienzo de una batalla de ninjas, pero el otro quiere ser un vaquero, tienen que resolver cómo cabalgar juntos hacia la puesta de sol.

No obstante, si el niño no ha desarrollado estos buenos hábitos con sus amigos y el hermano pequeño viene a hacerle compañía, tendrá muy pocos incentivos para aprender las habilidades características del juego compartido (elegir una actividad que ambos puedan disfrutar, invitar al otro o pedir que lo incluyan, reconocer cuándo alguien está ocupado o quiere jugar solo...). El incentivo no está presente porque, como ha señalado Samantha Punch, el hermano estará ahí mañana pase lo que pase. Los hermanos son prisioneros, están sentenciados genéticamente a vivir juntos sin tiempo libre. Sencillamente no tienen motivación para cambiar.

Kramer también estudió la conducta infantil en las guarderías y en preescolar. El hecho de que los niños pudieran cooperar en clase o participar en un marco grupal no predecía una mejora de las relaciones fraternales. La verdadera conexión entre amigos –que hace que al niño le importe el impacto de su comportamiento en alguien que le gusta– es lo que cataliza la diferencia. «Un padre se esfuerza mucho por satisfacer las necesidades de su hijo. Están muy motivados por el amor –explicó Kramer–. A los otros niños no les importa si tienes hambre o un moratón en la rodilla, porque ellos también lo tienen».

En otras palabras, conseguir lo que quieres de un padre resulta fácil. Conseguir lo que quieres de un amigo es lo que obliga al niño a desarrollar habilidades. «No es que los padres no importen –concluye Kramer–, pero importan de otra manera».

Y ésta es la razón por la que, en cierto sentido, estas investigaciones intentan transformar las relaciones de hermandad en algo más parecido a la verdadera amistad. Si los niños disfrutan de su mutua presencia, las peleas tendrán otro coste. El castigo por pelear no es únicamente un periodo de desconexión, sino la pérdida de un oponente meritorio.

7

La ciencia de la rebelión adolescente

Por qué, para los adolescentes, discutir con los adultos es un signo de respeto, no de falta de respeto, y discutir es más constructivo que destructivo para la relación.

Jasmine está en el último curso de secundaria en el instituto del condado de Miami-Dade, Florida. Es una belleza natural con largas trenzas oscuras y ojos de ébano. Aunque se crió y vive en Opa-Locka, una zona conocida por su pobreza y por las bandas juveniles, asiste a una escuela privada competitiva en el otro extremo de la ciudad («Allí van muchos niños blancos y ricos», dice). A pesar de la exigente carga de cursos preparatorios para la universidad, Jasmine mantiene un sólido promedio de 3,6 y ha sido seleccionada para un prestigioso programa destinado a los hijos de inmigrantes latinoamericanos, niños que serán los primeros de su familia en ir a la universidad.

Es la hija pequeña de una familia con fuertes convicciones católicas y canta en el coro de la iglesia. Suele subir al púlpito de la iglesia para hacer la lectura semanal. Inspirada por su trabajo a tiempo parcial en un hospital local, Jasmine tiene la intención de estudiar más este año y matricularse en la Universidad de Florida: quiere ser médica.

—Creo que mis padres están orgullosos de mí porque saben los esfuerzos que he tenido que hacer, pero siempre me he sentido motivada –dice.

Tal vez, si conocieran el resto de sus actividades extracurriculares, sus progenitores podrían no volver a hablarle.

Hace mucho tiempo vio que sus padres detectaban su nivel de interés por los chicos. Cuando era evidente que un muchacho le interesaba, nunca la dejaban estar a solas con él. Sólo le permitían salir en grupo, y las citas siempre tenían que ser con alguien que hiciera de carabina. Ahora ella siempre insiste en que no le interesa ningún hombre –son «sólo amigos»– para que sus padres los dejen salir solos. Así puede ir a la casa del muchacho, donde está libre de supervisión, y practicar el sexo: unas veces planeado, y otras simplemente un accidente afortunado.

A los catorce años Jasmine ya salía furtivamente de noche por la ventana de su habitación una vez por semana. Asistía a las fiestas de los pandilleros locales y bebía tanto alcohol que perdía el conocimiento. Hay noches enteras que las tiene borradas de la memoria.

—Soy una bebedora competitiva –se ríe como la escolar que es–. Si alguien bebe, yo puedo beber más que él.

Con sólo catorce años empezó a salir con un chico de dieciocho. Sus padres conocían al muchacho, lo detestaban y no querían que entrara en su casa, pero Jasmine se escapaba de noche para verle. Practicaron sexo desde el primer mes que empezaron a salir juntos. Su novio pagó en secreto las recetas de las pastillas anticonceptivas y trató de convencerla de que huyera con él. Esta situación se prolongó durante meses hasta que su madre encontró accidentalmente las píldoras cuando colocaba ropa lavada en su armario.

—Se volvió loca –dice Jasmine–. Estaba tan disgustada que casi no podía hablar conmigo. De modo que hizo que viniera mi tía y se enterara de lo que estaba pasando.

Jasmine mintió inmediatamente, diciendo que el médico le había recetado las píldoras para regular sus hormonas, y, transcurrido algún tiempo, sus familiares se convencieron. Para ellos, ella sigue siendo virgen.

Jasmine empezó a conocer a hombres en los chat de Internet. Siempre tenían algunos años más que ella. Uno de ellos, que como mínimo tenía veinte años, fue a buscarla a casa para salir con ella. La chica miró por la ventana, dispuesta a salir con él, pero decidió que era demasiado mayor y no fue hasta su coche.

En cuatro años de estas andanzas sólo la sorprendieron una vez: la policía la detuvo en compañía de una amiga caminando por la calle a las 3 de la mañana, muchas horas después del toque de queda. La llevaron a casa y sus padres la castigaron sin salir durante dos meses. Ahora que ya tiene dieciocho años y es más madura, sólo se escapa por la ventana una vez cada quince días.

—Ahora ya no lo hago tanto... aunque mantengo las citas secretas y algún devaneo ocasional.

En dos ocasiones un ex novio la emborrachó y después la forzó. Ella reconoce que fue violada, pero insiste en que ambos incidentes fueron por su culpa.

—Me bebí toda una botella de vodka, y sabía que si me emborrachaba eso podía pasar. Fui estúpida. Ocurrió porque no soy lista. Gracias a Dios que no me quedé embarazada. –Hace una pausa–. Creo que Dios debe de quererme, porque aún estoy viva.

Y no sólo miente sobre las citas. También lo hace sobre cosas que no necesita encubrir. Mentir es como su piloto automático.

—Miento a mis padres a diario. Miento sobre las tareas por las noches. Les digo que ya he acabado cuando ni siquiera he empezado. Las termino, pero lo hago en la escuela antes de clase, nunca cuando digo que las he acabado.

Jasmine sigue explicando:

—No quiero decirle a mi madre algo que me complique la vida. Ella me sermonea mucho y no quiero que deje de hacerlo. Si lo hiciera, pensaría que no le importo. De modo que a veces, cuando tengo ganas de que me sermonee, le digo la verdad. Depende de mi estado de ánimo. Pero sólo digo la verdad cuando quiero.

Si ahora sus padres descubrieran algo, sería malo, pero a ella no le preocupa tanto: ya es legalmente adulta y tiene muchas ganas de votar en su primera elección presidencial.

—Tal vez se lo cuente a mamá algún día, pero será dentro de mucho tiempo. Cuando vea que a pesar de todo he salido bien, que me he hecho adulta, para que no tenga que preocuparse. Cuando tenga mi carrera y esté asentada.

Hasta hace poco no sabíamos con qué frecuencia los adolescentes mienten a sus padres. La contabilidad sistemática no existía. La mayoría de los padres tienen la sensación de que no oyen toda la verdad de sus hijos adolescentes, y llenan el vacío de información con intuición, confianza y miedo a partes iguales.

Como en otros aspectos inciertos de la vida, usamos medias estadísticas para hacernos una idea de qué es lo normal. Por ejemplo, cuando una pareja se casa, tienen una probabilidad del 57% de vivir su décimo quinto aniversario de bodas. Si te preguntas cuánto tiempo podrías vivir, te gustará saber que ahora la esperanza de vida ronda los setenta y ocho años. Los que hacen el examen para practicar la abogacía en el estado de Nueva

York tienen una probabilidad de aprobar del 83%, y los alumnos de preuniversitario que solicitan el ingreso en Harvard tienen una posibilidad del 7% de ser admitidos.

¿No deberíamos tener estadísticas parecidas sobre cuánto mienten (y esconden) los adolescentes a sus padres?

Las doctoras Nancy Darling y Linda Caldwell creyeron que sí.

Darling y Caldwell coincidieron en la Universidad Estatal de Pensilvania, y cada una de ellas se interesó por el trabajo que estaba haciendo la otra. La primera estaba estudiando las citas de los adolescentes, sobre las que les mienten a sus padres habitualmente. La segunda investigaba un nuevo campo llamado «estudios sobre el tiempo libre» y aunque inicialmente a Darling le sonó como un tema trivial, acabó siendo un estudio de lo que hacen los niños en su tiempo libre. Una de las hipótesis operativas de los «estudios sobre el tiempo libre» es que, en parte, los adolescentes se dedican a la bebida y al sexo porque tienen mucho tiempo libre sin supervisión. Están aburridos y no saben qué más hacer. «A los catorce años, todo es más interesante cuando estás borracho», comentó Darling.

Ambas se preguntaron si podrían conseguir que los alumnos de secundaria colaborasen en un estudio en el que confesaran las cosas que ocultaban a sus padres. Darling reconoció que si ella se sentaba con un alumno adolescente, sería una figura de autoridad demasiado imponente para que le contaran la verdad. Incluso sus alumnos graduados eran demasiado maduros para relacionarse con los adolescentes y ganarse su confianza. De modo que reclutó un equipo de investigación especial cuyos miembros tenían menos de veintiún años.

Durante el primer semestre, estos 8 alumnos universitarios se encontraron con ella y aprendieron métodos de investigación y técnicas de entrevista. Después Darling los envió a los lugares donde suelen reunirse los adolescentes. Distribuyeron trípticos en el centro comercial, pero tuvieron más éxito por la noche en un pequeño callejón cerca de Calder Way, la calle a la que da la puerta de atrás de una sala de juegos. Se aproximaron a los adolescentes y les ofrecieron un bono intercambiable por un CD en la tienda de música local a cambio de participar en el estudio. Si los adolescentes accedían, los investigadores les tomaban el número de teléfono. Darling quería que los primeros reclutados fueran los chicos «que están en la onda»: «La idea era que si íbamos a la escuela y pedíamos voluntarios, nos encontraríamos con los chicos más formales. Entonces los que están más en la onda no participarían en el estudio. Estaríamos tomando una muestra demasiado grande de los que se portan bien. Pero si conseguíamos primero a los chicos más informales, los otros los seguirían. En el instituto se puso muy de moda participar en el estudio», recordó.

El núcleo de los reclutados asistía al State College Area High School, un instituto con más de 2.600 alumnos. Darling pronto tuvo una muestra representativa que se correspondía con las medias nacionales en una serie de medidas estadísticas, desde el curso en el que estaban hasta con qué frecuencia bebían.

Posteriormente, los grupos de investigadores se encontraban con cada uno de los alumnos en un lugar donde ellos se sintieran cómodos. Y este lugar solía ser la pizzería Four Brothers, en Beaver Avenue. Como únicamente tenían cuatro dólares de presupuesto por cita, sólo podían comprarles a los adolescentes una Coca Cola y patatas fritas antes de presentarles una baraja de 36 cartas. Cada carta de esta baraja describía un tema en el que los adolescentes a veces mienten a sus padres. A lo largo de las dos horas siguientes los adolescentes y los investigadores repasaban la baraja de cartas, comentando en qué temas el muchacho y sus padres estaban en desacuerdo, qué normas se había saltado el chico, cómo había mentido y por qué. Gracias a la similitud de edades, los investigadores nunca tuvieron problemas para que los estudiantes confiaran en ellos. A pesar de todos los alumnos entrevistados y de todos los temas tratados, sólo en una ocasión –con una carta particular– un alumno se contuvo diciendo: «No quiero hablar de eso».

La baraja de cartas activó en los chicos el reconocimiento de lo omnipresentes que eran sus engaños. «Empezaban la entrevista diciendo que los padres te lo dan todo y, sí, les deberías contar todo», observó Darling.

Al final de la entrevista los muchachos empezaban a ver que mentían mucho y se saltaban demasiadas reglas familiares. «Era algo de lo que se daban cuenta, y no les gustaba», dijo Darling.

De los 36 temas potenciales, el adolescente medio no le dice la verdad a sus padres en unos 12. Mienten con respecto a en qué se gastan su asignación, si han empezado a salir con personas del otro sexo y qué tipo de ropa llevan puesta cuando están fuera de casa. Mienten respecto a qué película han ido a ver y con quién fueron a verla. Mienten respecto al uso de drogas y alcohol, y también respecto a si están con amigos que sus padres desaprueban. Mienten sobre cómo pasan la tarde cuando sus padres aún están trabajando. Mienten respecto a si en la fiesta había un supervisor, o si montaron en un coche conducido por un amigo borracho. Mienten incluso con respecto a algunas cosas de cada día, como si han terminado sus tareas escolares o qué música están escuchando. «La bebida, el uso de drogas y sus vidas sexuales son lo que más ocultan a sus padres –anotó Darling–. Pero no ocultan sólo los actos sexuales –añadió–; pusieron muchas objeciones a la intrusión emocional cuando se les preguntaba: '¿Cómo de seria es esa relación?', y '¿Les gusta a tus padres esa persona?'. Los chicos no quieren responder a esas preguntas».

Sólo la cuarta parte de las veces que los adolescentes dicen una mentira manifiesta, es para ocultar un engaño. Según los datos de Darling, estas mentiras directas se usan para encubrir cosas peores. La mitad del tiempo, los adolescentes engañan reteniendo los detalles relevantes que molestarían a sus padres; éstos sólo oyen la mitad de la historia. Y otra cuarta parte del tiempo engañan al no sacar el tema en absoluto, esperando que sus progenitores no pregunten.

Raro es el niño completamente sincero con sus padres: el 96% de los adolescentes del estudio de Darling reconocieron que les mienten. Y, según otra investigación, ser un alumno con buenas calificaciones académicas no cambia mucho esos números. Y tampoco los cambia el hecho de estar muy ocupado.

Aparentemente, ningún niño está demasiado ocupado para saltarse unas cuantas reglas. «Cuando di comienzo a esta investigación, pensaba que los adolescentes dirían que la principal razón por la que mienten es que quieren evitarse problemas –explicó Darling–. Pero, en realidad, la razón más común para mentir es: 'Estoy tratando de proteger la relación con mis padres; no quiero decepcionarlos'».

Darling también envió encuestas y cuestionarios a los padres, y era interesante ver que ambos conjuntos de datos se reflejaban mutuamente. Sobre todo le sorprendió el gran temor de aquéllos de empujar a sus hijos a una rebelión abierta: «Actualmente, muchos padres creen que la mejor manera de que los adolescentes se abran es ser más permisivos y no establecer reglas estrictas», dijo Darling.

Los padres buscan un punto medio entre estar informados y mostrarse estrictos. Es mejor oír la verdad y ser capaz de ayudar que mantenerse en el desconocimiento.

La investigadora descubrió que los padres permisivos en realidad no saben más sobre las vidas de sus hijos: «Los niños más inquietos y que se meten en problemas suelen tener padres que no establecen normas o criterios. Sus padres los quieren y los aceptan hagan lo que hagan. Pero los chicos toman la falta de reglas como una señal de que no les importan a sus padres, de que en realidad éstos no quieren el trabajo de ser padres».

Darling ha realizado versiones de su estudio cooperando con otros investigadores en otros países del mundo, como Filipinas, Italia y Chile: «En Chile, los padres permisivos son la norma. Y allí los chicos mienten a sus padres más que en ningún otro lugar».

Empujar a los adolescentes a la rebelión por imponer demasiadas reglas era una especie de mito estadístico: «En realidad eso no ocurre –comentó Darling, pues había descubierto que la mayoría de los padres que imponen muchas reglas no obligan a cumplirlas–. Es demasiado trabajo. Es mucho más trabajo obligar a cumplir tres reglas que enunciar veinte». Estos adolescentes evitaban la rebelión directa y hacían lo que querían a espaldas de sus padres.

Al retener información sobre su vida, los adolescentes esculpen un dominio social y una identidad que les pertenecen exclusivamente, que son independientes de sus progenitores y de otras figuras de autoridad. De acuerdo con un estudio reciente, el 78% de los padres estaban seguros de que sus hijos adolescentes podían hablarles de cualquier cosa. Sin embargo, éstos no estaban de acuerdo.

Buscar la ayuda de un padre es, desde la perspectiva de un adolescente, una admisión tácita de que él no es lo suficientemente maduro para gestionarlo solo. Tener que contárselo a un padre puede ser psicológicamente castrante, tanto si uno es obligado a realizar la confesión como si la revela voluntariamente. Para el adolescente es esencial poder decir «no es asunto tuyo» en algunos temas.

La gran sorpresa que ofreció esta investigación reside en *cuándo* es más intensa esta necesidad de autonomía. Comienza a los doce, es moderada a los quince y máxima a los dieciocho. Los estudios de Darling muestran que las objeciones a la autoridad parental llegan a su punto álgido en torno a los catorce o quince años. De hecho, esta resistencia es ligeramente más fuerte a los once que a los dieciocho. En la cultura popular pensamos que los años de riesgo son los cuatro últimos de la enseñanza secundaria, antes de la universidad, pero las fuerzas psicológicas que llevan a mentir surgen antes.

Unos pocos padres logran representar fielmente el estereotipo de los padres opresivos, con mucha intrusión psicológica, pero precisamente sus hijos adolescentes no se estaban revelando. Eran obedientes y se sentían deprimidos.

«Paradójicamente, el tipo de padres que son más coherentes a la hora de imponer las reglas también son los más cálidos y los que mantienen más conversaciones con sus hijos», observó Darling. Establecen una serie de reglas en ciertas áreas básicas y explican el porqué de éstas. Esperan que sus hijos los obedezcan. En las demás esferas de la vida, favorecen su autonomía, dándoles libertad para que tomen sus propias decisiones.

Los niños de estos padres son los que menos mienten. En lugar de ocultarles doce áreas, podían ocultarles tan sólo cinco.

El estudio Mod Squad confirmó la hipótesis de Linda Caldwell de que los adolescentes recurren a las drogas y al alcohol porque se aburren en su tiempo libre. Al completar el estudio, Caldwell se preguntó si habría alguna manera de proteger a los niños del aburrimiento. En lugar de limitarse a acosarlos con la admonición «no tomes drogas», ¿no sería más eficaz enseñarles a disfrutar de su tiempo libre?

De modo que se dedicó a diseñar un programa impulsado por una pregunta ambiciosa: «¿Puedes enseñarle a un niño a no aburrirse?».

Su investigación ha mostrado que el aburrimiento comienza a hacer su aparición en torno al séptimo grado, y no deja de aumentar hasta el duodécimo. La motivación intrínseca también cae en picado, de manera gradual pero coherente, a lo largo de esos mismos años. De modo que Caldwell dirigió su programa a los alumnos de séptimo en primer semestre.

Consiguió que nueve distritos escolares de la Pensilvania rural tomaran parte en su programa; más de 600 niños participaron en el estudio. Los profesores de esas escuelas fueron a la Universidad del Estado de Pensilvania y recibieron formación para enseñar métodos contra el aburrimiento.

El programa creado por Caldwell, TimeWise, lo hizo todo bien hasta en sus mínimos detalles. En lugar de hacer intervenciones de un solo día, ofreció un curso de seis semanas de duración. En lugar de escuchar conferencias, los estudiantes disfrutaron de un ambiente más participativo, en el que comentaban sus asuntos, resolvían problemas y se aconsejaban unos a otros. En lugar de limitarse a examinar a estos niños al final del curso, Caldwell continuó estudiando los beneficios a largo plazo del programa, midiendo los niveles de aburrimiento de los estudiantes y el uso que hacían del tiempo en los tres años siguientes. Cada año los alumnos fueron a una clase de refuerzo para recordar los principios aprendidos y animarles a aplicar las lecciones a las cambiantes circunstancias de sus vidas.

El curso empezó con un módulo de autoexamen. Los estudiantes descubrieron la diferencia entre estar aburridos en general, durante todo el día, y estar aburridos en una situación concreta, ya sea en clase de historia o sentados en el sofá de casa frente al televisor. Aprendieron a reconocer la diferencia en su propia motivación: «¿Estoy haciendo esto porque quiero hacerlo, porque mi madre me apuntó y tengo que hacerlo, o porque me siento presionado por mis amigos para seguirlos?». Dedicaron la primera semana a anotar en sus diarios cómo pasaban el tiempo y lo implicados que se sentían en las diversas actividades.

Los investigadores vieron que no son únicamente los niños con mucho tiempo libre los que se aburren. Los muchachos muy ocupados también pueden aburrirse, y ello por dos razones: la primera es que realizan muchas actividades por el mero hecho de que sus padres los han apuntado a ellas, y no sienten una motivación intrínseca. Y la segunda es que están tan acostumbrados a que sus progenitores rellenen su tiempo libre que no saben hacerlo por sí mismos: «Cuanto más controladores sean los padres –explica Caldwell–, más probable es que el niño experimente aburrimiento».

Los estudiantes dedicaron mucho tiempo a contrarrestar la presión de los demás. También hicieron un módulo sobre el flujo y la sensación de fluir, basado en las ideas del psicólogo Mihaly Csikszentmihalyi, y otro módulo sobre cómo un factor de riesgo hacía que una situación resultara interesante o atemorizante. Aprendieron a verse a sí mismos como arquitectos de su propia experiencia.

Cuando leí por primera vez el programa TimeWise de Caldwell, sentí celos: deseé haber podido asistir a un programa similar cuando iba a séptimo. De hecho, el programa es tan interesante que fue reproducido simultáneamente en Sudáfrica, donde los niños tienen muy poco que hacer, y ahora se está llevando a cabo en algunos distritos escolares de Oregón, Utah y la Pensilvania urbana. La California Parks & Recreation Society considera que TimeWise es el mejor modelo para los programas de educación del tiempo libre.

Sólo ha habido un problema: los niños salían del curso muy animados, pero para finales de primavera no eran drásticamente diferentes de los que no habían asistido al programa: «Los resultados se disipaban después de la intervención inicial –dijo Caldwell–. Una siempre desea resultados más claros. Obtuvimos buenos resultados, pero no han durado los cuatro años». Verdaderamente es un misterio por qué esta notable iniciativa no ha tenido un impacto mayor.

Nota que los resultados obtenidos por Caldwell tienen significación estadística; ella los publicó en una prestigiosa revista científica y ha seguido consiguiendo subvenciones para TimeWise. Pero, desde la perspectiva de una persona normal, los resultados no han sido «deslumbrantes». El aburrimiento mensurable de los chicos que asistieron al programa únicamente descendió un 3% en comparación con los alumnos que no asistieron a estos cursos. Los estudiantes TimeWise sólo son un poco mejores a la hora de evitar la presión de los demás, y no participan en más clubes escolares. Aunque practican un poco más de deporte y pasan más tiempo al aire libre, su motivación intrínseca no es mejor que la de los demás estudiantes. Estos muchachos no beben mucho alcohol –durante el noveno año sólo tomaron alcohol un par de veces, como media– pero en esta medida apenas hay diferencia entre los muchachos que han participado en el programa y los que no. En cuanto a fumar marihuana y cigarrillos, la discrepancia entre ambos grupos es prácticamente inapreciable.

Para los niños de séptimo que en principio estaban más aburridos, «no pareció hacer ninguna diferencia», dijo Caldwell. Enseñar a los niños a no aburrirse resulta muy duro, incluso para el mejor programa del país.

¿Por qué TimeWise no tuvo un efecto más notable? ¿Es posible que los adolescentes tiendan neurológicamente al aburrimiento?

De acuerdo con el trabajo de la neuróloga Adriana Galván, de la Universidad de California, en Los Ángeles, hay buenas razones para pensar que es así. Dentro de nuestros cerebros tenemos el «centro de la gratificación» que incluye el núcleo accumbens, iluminado por la dopamina cuando encontramos algo excitante, interesante o placentero. En un estudio que comparó los cerebros de los adolescentes con los de los adultos y los de los niños más pequeños, Galván descubrió que los cerebros adolescentes no obtienen placer al hacer cosas que sólo son ligera o moderadamente gratificantes.

El experimento de Galván era muy ingenioso. Hizo que algunos niños, adolescentes y adultos jugaran a un videojuego de piratas dentro de un escáner MRI, donde el movimiento de sus cabezas estaba restringido, aunque tenían los brazos libres para pulsar los botones. Cada vez que lograban un buen resultado en el juego, ganaban algo de oro: en la pantalla podía brillar una única moneda de oro, un puñado de monedas o un caldero lleno.

Como a los niños pequeños cualquier tipo de premio les parece emocionante, sus cerebros se iluminan en la misma medida con cualquier cantidad que hayan ganado. Los de los adultos se iluminan de acuerdo con la cantidad de la recompensa: una única moneda consigue una pequeña respuesta placentera, y una gran cantidad de monedas, una respuesta muy placentera. Los cerebros de los adolescentes no se iluminaban al ganar los premios pequeño y mediano; de hecho, la actividad del núcleo accumbens descendía por *debajo* de la línea básica, como si estuvieran decepcionados. Su centro de la gratificación sólo se iluminaba cuando ganaban el gran cuenco de monedas de oro, y entonces se iluminaba *notablemente*, indicando más actividad que en los niños o en los adultos.

Galván se dio cuenta de que el patrón de respuesta del cerebro adolescente dibuja esencialmente la misma curva de respuesta que la de un drogadicto veterano. Su centro de la gratificación no puede ser estimulado por pequeñas dosis; necesitan una buena sacudida para obtener placer.

Pero esto no fue todo lo que vio que ocurría en los cerebros adolescentes. Su corteza prefrontal –responsable de sopesar los riesgos y las consecuencias– parecía mostrar una respuesta menor cuando el centro de la gratificación experimentaba una intensa excitación. Galván explicó que era como si la respuesta placentera estuviera «secuestrando» la corteza prefrontal. En cuanto experimentan una excitación cargada de emoción, los cerebros adolescentes quedan limitados en su capacidad de medir los riesgos y prever las consecuencias.

En situaciones abstractas, los adolescentes pueden evaluar los riesgos igual de bien que los adultos. Cuando se les propone un escenario hipotético, son capaces de hacer una lista de los pros y los contras, y prever las consecuencias. Pero en la excitación de las circunstancias de la vida real, esta parte racional del cerebro queda anulada por el centro de la gratificación.

Todo esto encaja con lo que observamos en el mundo de cada día, donde los adolescentes se muestran perezosos en clase de literatura, beben como cosacos el sábado por la noche y no parecen darse cuenta de que es una mala idea meter a cinco amigos en un carro de golf y conducirlo por una cuesta abajo con una curva muy pronunciada al final.

No todos los adolescentes funcionan así. Galván hizo que sus sujetos experimentales rellenaran cuestionarios que evaluaban con qué frecuencia participaban en conductas de riesgo. También les preguntó si ciertos comportamientos –como emborracharse, lanzar fuegos artificiales o devastar la propiedad ajena– les parecían divertidos o si sólo les parecían peligrosos. Su forma de responder a estos cuestionarios concordaba con sus resultados neurológicos: aquellos que decían que la conducta arriesgada les parecía divertida eran los que tenían los picos más altos en el centro de gratificación cerebral cuando ganaban un puñado de monedas de oro en el videojuego de los piratas.

La neurociencia de la toma de riesgos es un campo muy avanzado, pero no ofrece muchas soluciones; el «cableado cerebral» de algunos adolescentes los lleva a arriesgarse demasiado, y eso es todo. La mecánica de este proceso cerebral incluye una reducción en la densidad de los receptores de dopamina, que hace que los adolescentes sean incapaces de disfrutar de las recompensas ligeras, y un aumento simultáneo de los receptores de oxitocina, lo que les hace estar muy sintonizados con las opiniones de sus iguales. Cuando están rodeados de amigos, corren riesgos estúpidos únicamente por la excitación que eso les provoca.

Si esta ciencia es capaz de ofrecer alguna esperanza, viene de los pocos investigadores que reconocen que los adolescentes sólo se arriesgan demasiado *algunas veces*. De hecho, hay todo tipo de riesgos que aterrorizan a los adolescentes *mucho más* que a los adultos. Por ejemplo, pedirle un baile a una muchacha y ser rechazado congela a millones de chicos cada año, impidiéndoles exponerse a ese peligro. Están tan pendientes de su propia apariencia que esperan hasta las vacaciones de Navidad para cortarse el pelo. Sienten que todos los ojos se fijan en ellos cuando levantan la mano en clase. Piensan que es arriesgado presentarse en la escuela vistiendo una camisa nueva que nadie ha visto antes. En muchos casos, el miedo al bochorno convierte a los adolescentes en unos flojos.

Una serie de experimentos llevados a cabo por la doctora Abigail Baird, en Vassar, captó perfectamente esta dicotomía. Puso a los chicos dentro de un escáner MRI y seguidamente les pidió que decidieran si ciertas propuestas eran una buena o una mala idea. La buenas ideas eran agradablemente triviales, como comer una ensalada, o sacar a pasear el perro. Pero las malas ideas eran horrorosas:

- Morder una bombilla
- Tragarse una cucaracha
- Prender fuego a tu propio pelo
- Saltar de un tejado
- Nadar con tiburones

Cuando los adultos realizaron esta prueba, dieron sus respuestas de manera casi instantánea. Los escáneres cerebrales mostraron que visualizaban el concepto de morder una bombilla y seguidamente tenían una aversión física instintiva a esa imagen mental. Las áreas del cerebro que indican inquietud y peligro se encendían automáticamente.

Cuando los adolescentes realizaban la prueba, sus respuestas no eran diferentes (no creían que tragarse una cucaracha fuera una buena idea), pero tardaban más en responder. Sus escáneres cerebrales no revelaban una respuesta automática, ni tampoco ninguna inquietud; más bien sopesaban la decisión en las partes cognitivas del cerebro, con deliberación, como si estuvieran dudando momentáneamente de a qué universidad tenían que ir. «En realidad estaban pensando en ello –se reía Baird–. Estaban sintiéndolo». No tenían experiencias dolorosas previas en las que basarse. Nadar con tiburones no les daba miedo.

Cuántas veces dicen los padres a sus hijos: «¿Por qué has tenido que probarlo? ¡¿No sabías que era una mala idea?!». En realidad, el cerebro adolescente puede pensar de manera abstracta, pero no es capaz de *sentir* abstractamente, al menos hasta que tiene más experiencia de vida en la que basarse. Y sentir que es una mala idea es lo que haría falta para impedirse a uno mismo hacer algo.

Más adelante Baird hizo otro experimento con algunos adolescentes. La pantalla de vídeo situada dentro del escáner MRI mostraba una página web que preguntaba a los adolescentes locales por sus gustos y opiniones. Los sujetos tenían un nombre de usuario y una contraseña para conectarse.

Se les decía que estaban en línea con otros adolescentes de esa zona del estado de New Hampshire. Las preguntas de la encuesta no eran muy notables: qué estilo de música les gustaba, si creían que Paris Hilton era una persona interesante, en qué tiendas compraban... Después de cada pregunta, la respuesta de un adolescente y su nombre de usuario, elegidos al azar, se mostrarían a todos.

Pero, mientras respondían a la encuesta, las respuestas de los adolescentes del laboratorio de Baird no se mostraban a los demás. De hecho, no había otros realizando la encuesta: sólo era un pretexto para atemorizarlos. Y lo consiguió. El simple hecho de exhibir sus preferencias a esa audiencia imaginaria iluminaba brillantemente las regiones del cerebro que indican inquietud y peligro.

Así, resumiendo, es el cerebro a los quince años: no tiene miedo de saltar del tejado, pero le aterroriza que se sepa que le gusta el grupo Nickelback. ¿Habría una manera de controlar lo segundo para minimizar lo primero?

Según el diccionario, el antónimo de ser sincero es mentir, y lo opuesto de discutir es estar de acuerdo. Pero, en la mente de los adolescentes, la cosa no funciona así. En realidad, para un adolescente, discutir es lo contrario de mentir.

Como esto puede parecer un mensaje encriptado, déjame que despliegue su contenido.

Cuando los investigadores de Nancy Darling entrevistaron a los adolescentes del State College Area High School, también les preguntaron cuándo y por qué les decían la verdad a sus padres sobre aquello que sabían que éstos no aprobaban. Ocasionalmente decían la verdad porque sabían que no se creerían una mentira, que los pillarían. A veces lo hacían porque se sentían obligados: «Son mis padres, se supone que se lo tengo que contar». Pero el motivo principal es que los adolescentes les contaban la verdad a sus padres con la esperanza de que éstos cedieran y dieran su aprobación a lo que habían hecho. Generalmente pensaban que se produciría una discusión, pero merecía la pena si cabía la posibilidad de que los padres cedieran.

El adolescente medio de Pensilvania sólo decía la verdad en cuatro áreas conflictivas. Esto significa que, como mentían en doce áreas, tenían tres veces más posibilidades de mentir que de protestar.

En las familias en las que había menos engaños, se daba una proporción muy superior de discusiones y peleas. Discutir era bueno, honesto, aunque los padres no siempre se daban cuenta de esto. Las discusiones los tensaban.

Darling descubrió esta misma pauta cuando comparó los resultados de Estados Unidos con los obtenidos en la réplica de su estudio en Filipinas. Esperaba ver menos discusiones en el hogar medio filipino que en el americano. En las islas se supone que los miembros de la familia han de preservar la armonía, no fomentar el conflicto; asimismo, que los jóvenes no deben cuestionar a sus padres, porque se les enseña que tienen contraída una deuda con ellos que nunca podrán saldar. «Se supone que un niño bueno de Filipinas tiene que ser obediente, y por eso pensamos que no discutirían. Creíamos que evitarían las discusiones. Sin embargo, tuvieron la tasa de conflictos más elevada. Esto iba completamente en contra de nuestras predicciones».

Hicieron falta más análisis para que Darling pudiera entender este resultado inesperado. Los adolescentes filipinos discuten con sus padres por las reglas, pero no cuestionan su autoridad para imponerlas. Si bien pueden sentir que las normas son demasiado restrictivas, tienen muchas más probabilidades de cumplirlas. En las familias americanas los adolescentes no se molestan en discutir. Simplemente fingen que se pliegan a los deseos de sus padres, pero luego hacen lo que quieren.

Cierto tipo de discusiones, a pesar de ser enconadas, son una señal de respeto, y no de falta de respeto.

La doctora Judith Smetana, de la Universidad de Rochester, líder en el estudio del comportamiento adolescente, confirma que, a largo plazo, «el conflicto moderado con los padres [durante la adolescencia] está asociado con una adaptación mejor que la falta de conflicto o el conflicto frecuente».

La mayoría de los padres no hacen esta distinción en su percepción de sus discusiones con sus hijos. La doctora Tabitha Holmes estudió a más de 50 pares de madres y sus hijas adolescentes. Tomó su muestra de las familias que participaron en un programa llamado Upward Bound, financiado por el Ministerio de Educación de Estados Unidos para dar la oportunidad de ir a la universidad a los estudiantes de familias con bajos ingresos. Las madres tenían aspiraciones para sus hijas y se mostraban muy protectoras, a menudo solicitándoles obediencia. Holmes realizó largas entrevistas pidiendo por separado tanto a las madres como a las hijas que describieran sus discusiones y cómo se sentían al respecto. Y había una gran diferencia.

Descubrió que el 46% de las madres consideraban que las discusiones eran destructivas para la relación. Sentirse cuestionadas las ponía tensas, les parecía caótico y, en su percepción, también era una falta de respeto. Cuanto más frecuentes e intensas eran las discusiones, más dañinas las consideraban las madres. Pero sólo el 23% de las hijas opinaban que eran destructivas. Muchas más pensaban que discutir fortalecía la relación con su madre. «Su percepción de la discusión era muy sofisticada, mucho más de lo que habíamos anticipado para estas adolescentes –indicó Holmes–. Consideraban las discusiones como una forma de ver a sus progenitores de otra manera, al escuchar cómo las madres articulaban sus puntos de vista».

Lo que más sorprendió a Holmes fue enterarse de que discutir con más frecuencia, o tener discusiones más intensas, no hacía que las adolescentes consideraran esas discusiones como dañinas o destructivas. Estadísticamente, eso no marcaba ninguna diferencia en absoluto. «Ciertamente, llega un punto en las familias en el que hay demasiado conflicto. Pero no teníamos a nadie en nuestro estudio con una cantidad extrema de conflicto.» Más bien, la variable que más parecía importar era cómo se resolvían las discusiones. En esencia, las hijas necesitaban sentirse escuchadas y, cuando era razonable, sus madres tenían que cambiar de opinión. Las hijas tenían que ganar algunas discusiones, y obtener pequeñas concesiones como resultado de otras.

Las hijas que consideraban las discusiones destructivas tenían madres que en lugar de colaborar ponían enfrente un muro. Las hijas oían: «¡No discutas conmigo!», antes de decir una palabra. «Incluso las menores concesiones les hacían sentir que la discusión se había resuelto bien –dijo Holmes–. Una hija dijo que quería un tatuaje. Su madre se lo prohibió, pero le permitió comprarse un par de zapatos locos que antes le había negado».

«Los padres que negocian parecen estar más informados –según el doctor Robert Laird, profesor de la Universidad de Orleans–. Los que tienen directrices estrictas e inamovibles hacen que los niños encuentren el modo de esquivarlas, por lo que todo se reduce a un asunto táctico».

Esto tiene sentido aunque es un descubrimiento muy controvertido, porque en nuestra sociedad se nos anima a no ser demasiado fáciles; se nos dice que ceder en exceso produce una nación de llorones y mendigos. El estudio de Nancy Darling mostró que los padres permisivos no tienen éxito.

Parece que la ciencia es contradictoria: por una parte, los progenitores tienen que ser estrictos a la hora de hacer cumplir las reglas, pero, por otra, han de ser flexibles porque el conflicto subsiguiente puede ser destructivo para la psique del adolescente. Por favor, que los investigadores se pongan de acuerdo. ¿O hay alguna distinción más sutil que no estamos contemplando?

Bien, según una definición angosta, los padres permisivos son los que ceden ante sus hijos porque no soportan verlos llorar o quejarse. Los aplacan sólo para callarlos. Quieren ser amigos de sus hijos, y se sienten incómodos cuando éstos los consideran autoritarios. Esto no es lo mismo que el padre que se asegura de que su hijo se sienta escuchado, y si el niño presenta un buen argumento respecto a por qué hay que cambiar una regla, permite que eso influya en su decisión.

Nancy Darling halló esta misma distinción. Los padres a los que menos mentían sus hijos tenían reglas y las imponían coherentemente, pero habían encontrado el modo de mostrarse flexibles, y eso permitía que el proceso de establecer reglas fuera respetado. «Si la hora normal de llegar a casa para un muchacho son las 11 de la noche, y les explica a sus padres que está ocurriendo algo especial, los padres le dicen: 'De acuerdo, puedes llegar a casa a la 1, pero sólo por esta vez'. Eso anima al chico a no mentir y a respetar el horario pactado.» Esta colaboración permite retener la legitimidad de los padres.

A los psicólogos les ha costado décadas llegar a entender esto. El doctor Laurence Steinberg, de la Universidad Temple, articula esta historia en sus libros y artículos. Hasta comienzos de los setenta –una era en que la psicología estaba más impulsada por teorías que por estudios empíricos–, «a los padres se les decía que podían esperar que sus hijos se opusieran y se enfrentaran a ellos. La ausencia de conflicto se consideraba un indicador de que el desarrollo del joven se había detenido», escribe Steinberg. En otras palabras, si tu hijo no estaba luchando y rebelándose, tenía algún problema. Este punto de vista fue articulado a lo largo de las décadas de los años cincuenta y sesenta por teóricos como Anna Freud, Peter Blos y Erik Erikson, que acuñaron el término «crisis de identidad».

Pero ellos estudiaron casi exclusivamente a adolescentes internados en clínicas y que acudían a terapia, y en sus muestras había un exceso de jóvenes problemáticos.

A mediados de los setenta, una variedad de estudios tomaron sus muestras de los adolescentes de las escuelas, no de las clínicas. «Estos estudios revelaron que el 75% de los adolescentes tenían una relación buena y agradable con sus padres», describió Steinberg. Después de todo, la rebelión y el conflicto no eran la norma. En 1976, un estudio realizado por sir Michael Rutter –considerado por muchos el padre de la moderna psiquiatría infantil– descubrió que el 25% de los adolescentes que estaban luchando contra sus padres lo habían venido haciendo desde mucho antes de la pubertad. El hecho de llegar a la adolescencia no era el detonador.

En este punto, las explicaciones sobre la adolescencia se bifurcaron. La psicología pop, alimentada por una nueva explosión de publicaciones de autoayuda, continuó enviando el mensaje de que los años de la adolescencia son un periodo de tormentas y tensiones, y ciertamente para muchos lo son. Ésta era la perspectiva dominante que presentaban las películas y la música, y muchos expertos trabajaban con adolescentes que sufrían depresión o desórdenes de conducta para testificar que lo normal era esta situación de angustia. Tal como señala Steinberg, según los libros de autoayuda, todos los bebés eran adorables y todos los adolescentes, respondones.

Pero, durante las dos décadas siguientes, los científicos sociales siguieron ofreciendo datos que mostraban que la adolescencia traumática era la excepción, no la regla.

A lo largo de esta última década es cuando este campo ha clarificado estos dos argumentos contradictorios y ha encontrado una explicación para ellos. En esencia, la psicología pop presta atención a los padres, que descubren que tener a un adolescente en casa genera muchas tensiones. Pero los científicos sociales entrevistaban a los propios adolescentes, a los que la pubertad no les parecía tan traumática. Esto es exactamente lo que entendió Tabitha Holmes: que los padres consideran que toda discusión es destructiva, mientras que los adolescentes piensan que en general es productiva. «La imagen popular del individuo resentido después de una discusión familiar puede ser un retrato más preciso del estado emocional de los padres que del estado del adolescente –escribe Steinberg–. A aquéllos les preocupan más que a éstos las riñas y las peleas que se producen durante este periodo, y es más probable que una interacción negativa afecte más a los primeros que a los segundos».

Las dos explicaciones diferentes sobre la adolescencia continúan desarrollándose en los medios de comunicación. Según muchas de las historias que aparecen en las noticias, los adolescentes son apáticos y no están preparados. Dichas historias mencionan que consumen mucho alcohol, que el embarazo no deseado entre las jóvenes está volviendo a aumentar y un gran número de alumnos del curso preuniversitario suspenden sus exámenes de selectividad a pesar de haber aprobado el curso. El sistema de universidades estatales de California, por ejemplo, admite al tercio superior de los estudiantes del último año de secundaria. Sin embargo, seis de cada diez alumnos necesitan clases particulares; la mitad de ellos no están preparados académicamente para entrar en la universidad.

Además, si prestamos atención a otras historias, los adolescentes de nuestros días están tan enfocados hacia el éxito que es alarmante. El porcentaje de alumnos de secundaria que realizan cursos avanzados de matemáticas y ciencias ha crecido hasta el 20%. Las universidades están inundadas de solicitudes de adolescentes muy motivados: ahora, la mayoría solicitan el ingreso como mínimo a cuatro universidades. A lo largo de los últimos treinta y cinco años, la población universitaria se ha doblado, pasando de 5,8 a 10,4 millones. Está claro que un buen porcentaje de ellos necesitan refuerzos y clases particulares, pero actualmente la proporción es menor que en la década de los ochenta. Y esta búsqueda del éxito no se limita al ámbito académico. Las entrevistas realizadas a los alumnos del primer año de universidad revelan que el 70% lleva a cabo semanalmente algún trabajo de voluntariado, y el 60% de ellos trabajan además de asistir a clase. Los jóvenes de dieciocho años o más votan más que antes en las elecciones, y la proporción de los que han participado en alguna manifestación es del 49%, la más alta de la historia. Los estudiantes que accedieron a la universidad en 2008 participaron en más diálogos políticos que cualquier otra promoción desde 1968.

Supongo que esta «personalidad dividida» es algo natural; las dos explicaciones coexisten porque necesitamos que reflejen nuestra experiencia.

Aunque parecen contradictorias, ambas persisten. Solemos emplear estas dobles argumentaciones cuando no podemos describir un fenómeno con una sola explicación. Actualmente estas explicaciones duales son aplicables no sólo a la adolescencia, sino también a la década de los veinte y al hecho de no estar casados a los cuarenta. Según algunos, esto refleja una falta de voluntad para aceptar la realidad; para otros, es un indicativo del coraje de rechazar una vida plagada de concesiones.

El peligro se produce cuando estas descripciones y explicaciones no sólo reflejan, sino que encaminan. Estas narraciones –que están equivocadas de partida y abarcan únicamente la mitad de la historia– se convierten en el sistema explicativo a través del cual los adolescentes miran su vida. Me pregunto a cuántos de ellos, tendentes de manera natural a ver el conflicto como algo productivo, se les enseña a verlo como destructivo, como el síntoma de una mala relación. ¿A cuántos de ellos les gustan sus padres y sin embargo oyen constantemente que eso «no está en la onda»? ¿Cuántos parecen aburridos y desinteresados porque temen mostrar que las personas y las cosas les importan? ¿Cuántos no pueden decirles la verdad a sus padres porque la honestidad no está de moda?

8

¿Es posible enseñar autocontrol?

Los creadores de este nuevo tipo de enseñanza preescolar están perdiendo sus becas. El desempeño de los alumnos es tan bueno que dejan de «estar en situación de riesgo», por lo que no hay ya financiación para nuevos estudios. ¿Cuál es el secreto?

Mientras crecía en la ciudad de Seattle, participé en una especie de rito de tránsito nacional: asistí a clases de conducir en el segundo año de bachillerato.

Recuerdo vívidamente a mi profesor: era un caballero alto y de edad avanzada, con gafas de cristales gruesos, jerseys de colores vivos y pantalones con pinzas, y era el único de los profesores que nos permitía dirigirnos a él por su nombre, Claude. También era el entrenador de golf de la escuela. Nunca pensé que fuera particularmente bondadoso o acogedor, pero debía de tener la paciencia de un santo para enseñar a los adolescentes a conducir un coche y a golpear una pelota de golf.

Cómo sólo he tenido un accidente, siempre he atribuido a Claude el mérito de haber hecho un buen trabajo. Y como fue así como aprendí a conducir, siempre he asumido que estas clases funcionan bien. Y no estoy solo en esta suposición: actualmente, diecisiete estados permiten que quienes han recibido clases de educación vial en el instituto se salten la parte práctica del examen de conducir.

Pero cuando estas clases se someten a un análisis científico, surge otra historia diferente. Algunos estudios han comparado los datos de accidentes antes y después de que las escuelas ofrecieran estas clases de conducir. Y estos informes revelan de manera coherente que los conductores que aprueban este curso de formación no tienen menos accidentes. Al principio me costaba creer los resultados. Después de todo, las clases de conducir parecen una parte quintaesencial de la experiencia escolar en secundaria;

tenía que haber una razón para ello. Entonces empecé a recordar a algunos de mis amigos que habían asistido a aquellas clases conmigo. Tuvieron accidentes poco después de obtener sus licencias: las cuidadosas lecciones de Claude no impidieron que se vieran envueltos en ellos. Recordé las ocasiones en que yo mismo, siendo adolescente, había estado a punto de sufrir un accidente y pensaba que cruzar una autopista de tres carriles de lado a lado era un juego muy divertido.

Los estudiantes que reciben clases de conducir aprenden las reglas de la carretera. Aprenden a conducir un coche, a frenar despacio, a señalar que van a girar y a aparcar. Pero, en general, el dominio de las normas de tráfico o de las habilidades motoras no es lo que impide los accidentes. Más bien la causa de éstos se halla en la falta de capacidad para *tomar decisiones*. Los adolescentes sufren unos pocos accidentes leves más que los adultos, pero muchos más graves: estadísticamente, sufren el doble de accidentes mortales que el resto.

Esto no es sólo una cuestión de experiencia al volante; es una cuestión de edad y de desarrollo del lóbulo frontal del cerebro. De modo que las escuelas, por sí mismas, no pueden convertir a los adolescentes en conductores seguros. Lo que están consiguiendo es que obtener la licencia de conducir sea un proceso fácil y cómodo, lo que incrementa el número de jóvenes que pueblan nuestras carreteras. En 1999, la Escuela de Salud Pública de la Johns Hopkins University informó de que nueve distritos escolares que eliminaron las clases de conducir en los institutos habían experimentado una reducción de los accidentes automovilísticos del 27% entre los chicos de dieciséis y diecisiete años.

Este tipo de investigaciones ha convencido a los gobiernos estatales de que las lecciones de conducir en el instituto no son la solución; lo que realmente reduce los accidentes son los programas para dar la licencia a los posgraduados, pues retrasan la edad a la que los adolescentes pueden conducir de noche o con amigos en el automóvil. Estos programas reducen los accidentes entre un 20 y un 30%.

En nuestras escuelas los niños se someten a un gran número de programas de formación que tienen buenas intenciones y parecen absolutamente fantásticos, pero no superan la prueba de un análisis científico. Los colegios asumen con seriedad su responsabilidad de generar buenos ciudadanos, no sólo buenos estudiantes, pero eso significa que a veces se produce una confusión entre las buenas intenciones y las buenas ideas. Cuando más miedo da un asunto, más escuelas se apresuran a adoptar programas para combatirlo. Un buen ejemplo de esto es el DARE, el programa para ayudar a resistirse al consumo de drogas.

Este programa, desarrollado originalmente en 1983 por el Departamento de Policía de Los Ángeles, envía a policías uniformados a los centros de secundaria para enseñar las verdaderas consecuencias de las drogas y de cometer delitos. Y no estamos hablando de una única conferencia: en su forma más completa, los alumnos participan en un curso de diecisiete semanas de duración que incluye conferencias, juegos de roles, lecturas, etc. Parecía una idea tan prometedora que el programa DARE se extendió universalmente. En el plazo de dos décadas, el 80% de los distritos escolares públicos de Estados Unidos instauraron algún programa de esta índole. El DARE declara tener influencia sobre 26 millones de estudiantes, y cuenta con un presupuesto anual estimado de 1.000 millones de dólares. Como sociedad, creemos en cómo el DARE explica su mensaje. Los profesores le ofrecen mucho apoyo; el 97% le han dado una nota de «bueno» o «excelente». Y los padres también lo aprueban: el 93% cree que enseña a los chicos a decir no a las drogas y a la violencia.

No obstante, cualquier programa que sea tan popular, y que tenga tanto apoyo del gobierno, atrae extensos análisis científicos. A lo largo de los noventa y los primeros años de la década siguiente, estos estudios asignaron aleatoriamente alumnos a las clases DARE, e hicieron un seguimiento de los resultados. En algunos casos, los alumnos D.A.R.E. mostraron una pequeña reducción en el consumo de cigarrillos, en la ingesta de alcohol y en el uso drogas inmediatamente después de la formación, pero todos los estudios demuestran que no se produjo una reducción significativa a largo plazo.

El programa DARE no está solo, y no debemos señalarlo de manera especial. Cientos de programas para la prevención del uso de drogas reciben subvenciones federales; el Departamento de Salud y Servicios Humanos examinó 718 de ellos, y descubrió que sólo 41 tuvieron un efecto positivo.

Los programas que tienen la intención de reducir el abandono de clases en secundaria tienen un nivel de éxito similar. De los 16 más conocidos, sólo uno tiene efectos positivos, aunque todos parecen tener los detalles correctamente: una alta tasa de profesores por estudiante, y una inclinación vocacional para crear un puente con la futura profesión.

En la investigación realizada para este libro, nos encontramos con docenas de programas escolares que parecían maravillosos en teoría, pero en la práctica dejaban mucho que desear.

Entre los investigadores y estudiosos existe el consenso de que las mejores intervenciones son aquellas que tienen un efecto del 15%, lo que significa que el 15% de los niños cambian el comportamiento al que el estudio se dirige, lo que significa que el 85% no lo hacen. Las intervenciones que sólo consiguen resultados del 4% siguen considerándose bastante buenas a nivel estadístico, aunque no tengan ningún efecto en el 96% de los estudiantes.

¿Significa esto que el nivel está muy bajo para los alumnos? En realidad no. Más bien lo que estos datos indican es que la conducta humana es increíblemente terca. Es muy difícil cambiar nuestros hábitos y tendencias. Si bien es posible inspirar a unas pocas personas para que cambien, es casi imposible conseguirlo con la mayoría de nosotros, en cualquier dirección. En el caso de los niños, las intervenciones son aún más difíciles, puesto que, por estar en pleno desarrollo, son una diana móvil.

Explico todo esto para preparar el escenario y crear la perspectiva adecuada con respecto a algo que hemos descubierto que sí funciona. El nivel de éxito de este programa es maravilloso por sí mismo, pero aún es mucho más asombroso a la luz de lo difícil que resulta producir un efecto sustancial. Se trata de un nuevo programa de estudios para guardería y preescolar llamado Herramientas de la mente. Requiere cierta formación para los maestros, pero, por lo demás, no cuesta más que el programa tradicional. Los profesores simplemente enseñan de otra manera. Y lo que es aún más interesante que sus resultados es *por qué* parece funcionar, y lo que eso nos enseña sobre cómo aprenden los niños.

Ashley visitó algunas clases de guardería y preescolar que daban este programa en dos ciudades con un alto nivel de renta cercanas a Denver;

yo visité las mismas clases en Neptune, Nueva Jersey, que es una ciudad relativamente más pobre a medio camino entre Nueva York y Atlantic City.

La mayoría de los elementos de la jornada escolar apenas difieren de los de una clase tradicional. Hay descansos, horas de comida y merienda y hora de la siesta. Pero la típica clase de preescolar Herramientas de la mente tiene un *aspecto* diferente, tanto por lo que hay como por lo que falta. El calendario de la pared no tiene forma de rejilla ni va de un mes a otro mes, sino que es una línea recta de días sobre una larga tira de papel. El alfabeto tradicional también ha desaparecido; en su lugar, los niños usan un mapa de sonidos que tiene un mono cerca de la Mm y un sol cerca de la Ss. Las letras no están ordenadas de la A a la Z, sino en grupos, con las consonantes en un mapa y las vocales en otro. La C, la K y la Q están agrupadas, porque son sonidos similares, todos hechos con la lengua en medio de la boca. Los sonidos que se hacen con los dientes o con los labios están en otros grupos.

Cuando comienza la clase, el maestro les cuenta a los alumnos que van a jugar a ser una estación de bomberos. La semana anterior lo aprendieron todo sobre los bomberos, de modo que ahora la clase ha quedado decorada y separada en cuatro áreas diferentes: en una esquina está la estación de bomberos; en la opuesta, una casa en llamas. Los niños eligen el papel que desean jugar en este escenario: el bombero que lleva la manguera, la operadora del número de los bomberos, un bombero o un miembro de la familia que tiene que ser rescatada. Antes de que los niños empiecen a jugar, cada uno tiene que decirle al maestro el papel que ha elegido.

Con la ayuda de éste, los niños hacen «planes de juego» individuales. Todos dibujan un cuadro de sí mismos en el papel elegido, y después intentan escribirlo con una frase sobre una hoja de papel en blanco. Incluso los niños de tres años escriben diariamente. Para algunos, el plan de juego es poco más que líneas que representan cada palabra de la frase. Otros usan su mapa de sonidos para averiguar las primeras consonantes de las palabras. Los más mayores han memorizado cómo escribir «yo voy a» y usan el mapa de sonidos para averiguar el resto.

Entonces se ponen a jugar, quedándose con el papel que han asumido en su plan. El juego continúa durante cuarenta y cinco minutos, y los niños representan su personaje motivándose a sí mismos. Si se distraen o empiezan a alborotar, el maestro pregunta: «¿Está esto dentro de tu plan de juego?». Otros días de la semana los niños eligen otros papeles dentro del mismo escenario. Durante esta hora crucial, el maestro facilita el juego, pero no les enseña nada directamente.

Al final, pone un CD que hace sonar la canción «de recoger». En cuanto suena la música, los niños dejan de jugar y empiezan a recoger, sin que el maestro diga nada más. Posteriormente harán lo que se denomina «leer entre amigos». Los alumnos se ponen por parejas y se sientan uno frente a otro; a uno se le da un gran dibujo con unos labios, mientras que el otro sostiene un dibujo con unas orejas. El que sostiene los labios va pasando las hojas de un libro, contando la historia que ve en las imágenes. El otro escucha y al final plantea una pregunta sobre la historia. Después cambian de papel.

Habitualmente también se divierten con juegos, como *Simón*, que exigen autocontrol. Una de las variantes recibe el nombre de práctica gráfica; el maestro pone música y los niños dibujan espirales y formas. De manera intermitente, se hacen pausas en la música y los niños aprenden a detener sus lápices cuando esto ocurre.

Los programas se amplían en la estructura de preescolar, incorporando aspectos académicos a una premisa ficticia basada en el libro que estén leyendo en clase. En general, las clases tienen un aspecto un poco diferente, pero no extraño en ningún sentido. Al observar el programa en acción, no pensarías que sus resultados serían superiores. En este sentido, es el tipo de programa opuesto al DARE, que parece genial pero consigue resultados pobres. Herramientas para la mente tiene unos resultados estupendos, a pesar de que no hay nada relacionado con él que tenga un atractivo intuitivo o visceral.

Estas técnicas fueron desarrolladas en los años noventa por dos estudiosas del Metropolitan College de Denver, las doctoras Elena Bodrova y Deborah Leong. Después de realizar experiencias piloto en unas pocas aulas y centros, lo pusieron verdaderamente a prueba en 1997, en cooperación con las escuelas públicas de Denver. Se tomó a diez maestros de preescolar y fueron designados al azar para que enseñaran el programa habitual del distrito o Herramientas para la mente. En estas aulas, entre un tercio y la mitad de los alumnos eran de origen hispano, tenían malos resultados escolares y sus habilidades verbales en inglés eran limitadas; de hecho, estaban empezando el curso con un nivel muy bajo.

En la primavera siguiente, todos los niños realizaron unas pruebas estatales estandarizadas. Los resultados fueron asombrosos: los niños procedentes de las clases Herramientas iban casi un curso *por delante* de los estándares nacionales. En el distrito, sólo la mitad de los niños de preescolar hablaban inglés con destreza, mientras que el 97% de los alumnos del programa Herramientas obtuvieron ese objetivo.

Los informes sobre estos programas empezaron a extenderse entre los especialistas. En 2001, dos investigadoras del Instituto Nacional para la Investigación de la Primera Educación, las doctoras Ellen Frede y Amy Hornbeck, visitaron las aulas del programa. Nueva Jersey ofrecía clases de preescolar públicas y gratuitas en las zonas más necesitadas del estado. Impresionadas por lo que vieron, Frede y Hornbeck decidieron poner a prueba el programa Herramientas en primero de preescolar, de modo que Hornbeck pudiera comparar su eficacia con respecto a la del programa tradicional.

Las investigadoras eligieron una escuela en Passaic, Nueva Jersey, a la que acudían niños procedentes de familias con bajo nivel adquisitivo; el 70% de los alumnos venían de familias en las que el inglés no era la primera lengua. La nueva escuela, creada en el edificio de un antiguo banco en el centro de Passaic, tenía dieciocho aulas. Siete de ellas fueron asignadas al programa Herramientas; como control, las otras once enseñarían el programa normal del distrito. Tanto los maestros como los alumnos fueron asignados a las aulas de manera aleatoria, y a los primeros se los instruyó para que no intercambiaran ideas sobre los contenidos de ambos programas de estudios. Al final del primer año, las puntuaciones de los alumnos del programa Herramientas eran notablemente superiores en siete de ocho parámetros, incluyendo vocabulario y coeficiente de inteligencia.

Pero lo que realmente vendió el programa a la directora de la escuela fue la evolución del comportamiento de los niños. Casi a diario recibía informes de los maestros sobre conductas extremadamente destructivas: niños de preescolar que daban patadas a sus maestros, que mordían a otros alumnos, que maldecían o lanzaban sillas. Pero de las clases Herramientas nunca le llegaron ese tipo de informes.

El experimento controlado iba a durar dos años, pero al final del primero la directora insistió en que todas las clases cambiaran al nuevo programa. Decidió que no era ético privar a la mitad de la escuela de un programa de estudios que evidentemente era tan superior.

Ésta no fue la única vez que Herramientas fue víctima de su propio éxito. La puesta a prueba del programa también acabó pronto en otros dos lugares: Elgin, en Illinois, y Midland, en Texas. El dinero que financiaba la investigación había sido concedido para estudiar a alumnos en situación de riesgo; después de un año, los niños ya no puntuaban lo suficientemente bajo como para que se los considerara en situación de riesgo, de modo que el dinero de la beca fue retirado. Bodrova valoró rápidamente el trabajo de los maestros, pero añadió: «Cuando empieza a ocurrir las veces suficientes, comienzas a pensar que lo que marca la diferencia podría ser nuestro programa. Es la paradoja de hacer intervenciones en el mundo real: tienes demasiado éxito para estudiar si el programa está teniendo éxito».

Los rumores sobre el programa Herramientas continuaron extendiéndose, y cuando los maestros lo vieron en acción, empezaron a creer. Finalmente Rutger Hornbeck estaba tan convencida de su propia investigación que firmó para ser parte del equipo de formadoras y entrenar regularmente a los maestros en el contenido del programa. Dos maestras de Neptune, Nueva Jersey, visitaron la escuela de Passaic, y se quedaron tan contentas que decidieron aplicar estas técnicas en un nuevo centro de preescolar que estaban creando en su ciudad.

La directora del centro de preescolar en Neptune era Sally Millaway. Después del éxito del programa en esta etapa, convenció al superintendente para que lo probara en el primer curso de primaria. Cuando corrió el rumor de que la escuela de Millaway iba a crear un centro Herramientas, el distrito escolar empezó a recibir cartas de padres que querían que a sus hijos se les permitiera cambiarse a este programa.

Millaway tuvo la sensación de que Herramientas estaba funcionando bien, pero la verdadera prueba vino en los exámenes estandarizados de rendimiento que todos los alumnos de preescolar de Nueva Jersey tenían que pasar en abril. Un mes después, a Millaway le llegaron los primeros resultados por fax: «Era increíble –dijo–. Cuando vi los números, me eché a reír. Era ridículo, más allá de lo imaginable».

Las puntuaciones medias en lectura de ese distrito escolar entraban en el percentil 65 del espectro nacional. Los niños del programa Herramientas habían dado un salto de más de veinte puntos, hasta el percentil 86. Casi todos los niños que tenían puntuaciones de genios venían de clases donde se había impartido el programa.

¿Por qué este programa de estudios funciona tan bien? Existen muchos factores interrelacionados, pero comencemos con el elemento más diferenciador de Herramientas: los planes por escrito y el largo periodo de juego que los sigue.

Los niños han jugado a ser bomberos en todos los centros de preescolar del país, pero, generalmente, a los veinte minutos el escenario se agota. Sostener una supuesta manguera sobre un supuesto fuego es una única actividad, y los niños pierden interés; necesitados de estímulos, se dejan distraer por lo que hacen otros niños y se desvían hacia nuevos juegos. El juego es alegre y aleatorio, pero estas características no se *mantienen* en el tiempo. En las aulas del programa Herramientas, al preparar las distintas áreas del aula como una variedad de escenarios de juego, y al pedirles a los niños que se comprometan con el papel que van a representar durante una hora, el juego es mucho más complicado e interactivo. Los niños de la casa en llamas llaman al número de emergencias; la operadora hacer sonar la campana; los bomberos saltan de sus literas; los camiones llegan para rescatar a la familia. A esto se lo considera un juego maduro, multidimensional, sostenido.

Esta idea de ser capaces de mantener el propio interés es valorado como un elemento constitutivo esencial de Herramientas. Los padres suelen pensar que tienen que apremiar a su hijo para que preste atención, para que obedezca al profesor. Reconocen que el niño no puede aprender a menos que sea capaz de evitar las distracciones. El programa Herramientas pone el énfasis en el aspecto opuesto: los niños no se distraen porque están completamente metidos en las actividades que han elegido. Al representar los papeles que han diseñado en sus planes de juego, están totalmente inmersos en la situación.

En un famoso estudio ruso de los años cincuenta, a los niños se les dijo que se quedaran quietos todo el tiempo que pudieran; duraron dos minutos. Seguidamente, a un segundo grupo se les pidió que *fingieran* que eran soldados de guardia que tenían que estar inmóviles en sus puestos; duraron once minutos.

«La ventaja de los niños pequeños –explicó Bodrova– es que aún no saben que no son buenos en algo. Cuando le pides a un niño que copie algo que el profesor ha escrito en la pizarra, él puede pensar: 'No sé escribir tan bien como el profesor', y entonces no querrá hacerlo. Pero pásale una libreta a un niño que está jugando a ser camarero en una pizzería:

Johnny ha pedido pizza de queso, tú has pedido cuatro estaciones. Ellos no saben si pueden escribir o no, sólo saben que tienen que hacer algo para recordar lo que quieren los clientes. Acaban escribiendo más que si les pides que escriban una historia.»

Es un hecho reconocido de manera general que actualmente los niños juegan menos que antes. Conforme aumenta la presión para conseguir mayores logros académicos, las escuelas del país recortan el rato del recreo para dedicar más tiempo al aula. Esto, a su vez, tiene sus consecuencias; los expertos y comentaristas sociales opinan que el tiempo de juego es demasiado valioso como para recortarlo. Sus argumentos son directos: el cerebro precisa descanso, los niños necesitan airear sus energías, cortar los recreos incrementa la obesidad y es precisamente en los recreos donde los niños aprenden habilidades sociales. Herramientas sugiere un beneficio totalmente diferente: durante el tiempo de juego, los niños aprenden los elementos evolutivos básicos que necesitan para su éxito académico posterior, y, de hecho, desarrollan estos elementos básicos *mejor* mientras juegan que dentro de un aula tradicional.

Tomemos, por ejemplo, el pensamiento simbólico. Prácticamente todo lo que el niño tiene que aprender en clase le exige entender la conexión entre la realidad y el símbolo, la representación abstracta: las letras del alfabeto son símbolos de sonidos y del discurso; el mapa sobre la pared representa al mundo; el calendario es un símbolo para medir el paso del tiempo. Las palabras sobre papel, como por ejemplo el término «ÁRBOL», no se parecen en nada al árbol real.

Los niños pequeños aprenden a emplear el pensamiento abstracto a través del juego, en el que un pupitre y algunas sillas se convierten en un camión de bomberos. Y lo que es más importante, cuando el juego tiene componentes interactivos, como en el caso del programa Herramientas, su cerebro aprende a combinar un símbolo con muchos otros, lo que es similar a un pensamiento abstracto de orden elevado. El niño domina el proceso intelectual de mantener múltiples pensamientos en su mente y ordenarlos.

Consideremos un pensamiento de orden elevado, como la autorreflexión: un diálogo interno dentro de la propia mente donde se sopesan y consideran cuidadosamente alternativas opuestas.

Esta conversación-pensamiento es lo opuesto de la reacción impulsiva, donde las acciones se ejecutan sin reflexión previa. Todos los adultos pueden tener ideas en su mente que les dan distintas habilidades. Pero

¿poseen los niños la misma voz interna que les permite contemplar y comentar? Y si es así, ¿cuándo la desarrollan? Herramientas está diseñado para favorecer el desarrollo temprano de esta conciencia socrática, de modo que los alumnos no se limiten a reaccionar impulsivamente en clase, y puedan evitar las distracciones voluntariamente.

El programa Herramientas anima esa voz en la cabeza, el discurso privado, enseñándoles a los niños a hablarse a sí mismos en voz alta durante sus actividades. Cuando están aprendiendo la C mayúscula y empiezan a dibujarla, todos dicen al unísono: «Empieza en lo alto y ve alrededor». Nadie les impide hablar en voz alta, pero, a los pocos minutos, el coro griego acaba. En su lugar queda un murmullo. Un par de minutos después, unos pocos niños aún lo repiten en voz alta, pero la mayoría de ellos lo están repitiendo en su mente. Unos cuantos ni siquiera se dan cuenta de ello, pero se han mantenido en silencio dándose las instrucciones a sí mismos.

Los niños que hacen bien las tareas escolares lo saben; cuando anotan su respuesta, saben si es correcta o no. Tienen un sentido sutil que les permite reconocer si lo han hecho bien. Los que tienen que esforzarse se sienten inseguros; podrían tener la respuesta correcta, pero no ser conscientes de ello. De modo que, para desarrollar esta conciencia, cuando un maestro Herramientas escribe una letra D en la pizarra, escribe cuatro versiones de ella y pide a los niños que deciden cuál es la mejor.

Leong explica: «Esto está pensado para activar un autoanálisis del aspecto que tiene una buena D y para saber qué aspecto les gustaría que tuviera su propia D. Los niños piensan en su propio trabajo cuando piensan en el de la profesora». Los alumnos del programa Herramientas suelen ser responsables de revisarse mutuamente sus tareas escolares. En una clase que observó Ashley, un par de niños practicaban caligrafía, y después tenían que hacer turnos para poner un círculo alrededor de las mejores letras dibujadas por su compañero. Cuando uno hizo este trabajo de supervisión apresuradamente, el otro protestó. Este niño de cinco años quería que su supervisor fuera más crítico con su trabajo.

Muchos de los ejercicios se eligen porque enseñan a prestar atención a señales del entorno y a controlar los impulsos. El simple juego llamado «Simón», por ejemplo, anima al niño a copiar lo que hace el líder, exigiéndole intermitentemente que preste mucha atención y que se contenga. Asimismo, cuando el profesor pone la canción de recoger, los niños tienen que saber en qué punto de la música están para asegurarse de que todo esté en su lugar cuando acabe la canción. En el ejercicio de lectura con un amigo, el impulso natural es que cada niño quiera leer primero; el que sostiene la oreja y escucha pacientemente está aprendiendo a mitigar este impulso y esperar.

El resultado del programa Herramientas es que los niños no sólo se portan bien, sino que se autoorganizan y autodirigen. Después de un proyecto piloto de sólo tres meses, los maestros de Herramientas de Nuevo México pasaron de una media de cuarenta incidentes al mes en clase que merecían un informe a ninguno. Y los alumnos del programa no se distraen fácilmente. En el comedor de una escuela de Nueva Jersey, durante la hora del almuerzo, los niños de preescolar de este programa observaron a todos los demás estudiantes enredarse en una pelea en la que se tiraban comida. Ninguno de los niños de Herramientas lanzó ni un pequeño trozo de comida, y cuando volvieron a clase le dijeron al maestro que no podían creer lo descontrolados que estaban los demás niños.

Si bien las técnicas del programa Herramientas pueden parecer teóricas y difusas, el programa tiene mucho apoyo de la neurociencia. En otros capítulos de este libro hemos hablado del desarrollo de la corteza prefrontal del niño, la parte del cerebro que gobierna las funciones ejecutivas: planear, predecir, controlar los impulsos, persistir cuando hay problemas y articular los propios pensamientos para conseguir un objetivo. Aunque éstos son atributos propios de los adultos, las funciones ejecutivas comienzan en preescolar, y la capacidad de los niños de este nivel para realizarlas pueden medirse con simples tests computarizados.

En la parte más fácil del test, el niño ve aparecer un corazón rojo en la parte derecha de la pantalla o en la izquierda, y tiene que pulsar el botón correspondiente, el derecho o el izquierdo. Incluso los de tres años pueden hacer esto perfectamente. Después el niño ve una flor roja y se le instruye para que pulse el botón que está en el lado *contrario* al de la flor. Esta nueva tarea le exige abandonar la antigua regla y adoptar una nueva; a esto se lo llama «trasladar la atención». También exige que el niño inhiba el impulso natural de responder en el mismo lado del estímulo. Para los de tres años, este cambio de reglas resulta muy difícil, mientras que para los de cuatro es difícil pero factible. Ahora comienza la verdadera prueba. El ordenador empieza a mostrar aleatoriamente un corazón rojo o una flor roja, y el niño tiene que mantener en su memoria ambas reglas: corazón = presionar el mismo lado; flor = presionar el lado contrario. Los corazones y las flores se muestran durante sólo 2,5 segundos, de modo que el niño tiene que pensar rápido y sin confundirse. Esto exige enfocar la atención y reorientar constantemente el marco de referencia. Para el cerebro infantil, resulta muy difícil. Incluso un niño de trece años pulsa el botón equivocado un 20% de las veces.

La experta más destacada en el estudio de las funciones ejecutivas en los niños es la doctora Adele Diamond, de la Universidad de British Columbia. Hace unos pocos años Bodrova se aproximó a ella después de una conferencia y le contó el experimento que estaba desarrollando en la escuela de Passaic. Diamond se preguntó si el éxito de la clase Herramientas podía deberse a que ejercitaba la función ejecutiva en los niños. De modo que fue a visitar Passaic para conocer el proyecto in situ.

Diamond recuerda: «En las aulas normales, los niños se subían por las paredes. En las del programa Herramientas era como estar en otro planeta. Nunca he visto nada parecido». Decidió volver al año siguiente y examinar el funcionamiento ejecutivo de los niños. «Podía ver la diferencia con mis propios ojos, pero quería tener datos confirmados», dijo.

Para ello, les propuso a los niños de Passaic una serie de tareas computarizadas. Y descubrió una gran diferencia entre las funciones ejecutivas de los alumnos de las clases normales y las de los alumnos del programa Herramientas. En una de las tareas, los primeros no lograron una puntuación muy superior a la atribuible al azar, sin embargo, los segundos obtuvieron un 84%. Cuando se propuso una tarea muy difícil, sólo una cuarta parte de los niños de aulas normales pudieron terminar el test, mientras que más de la mitad de los niños del programa Herramientas la finalizaron.

«Cuanto más alta era la función ejecutiva que exigía el test –indicó Diamond–, mayor era la diferencia entre unos niños y otros.»

Todos los padres han observado a su hijo pequeño y se han preguntado con cierta frustración cuándo podrá quedarse quieto (aparte de frente al televisor). ¿Cuándo podrá realizar una actividad durante media hora seguida? ¿Cuándo será capaz de mantenerse en una tarea, en lugar de dejarse distraer por otros niños? ¿Cuándo será capaz de aplicarse verdaderamente? A veces, parece que la capacidad cognitiva del niño, que puede ser muy alta, está en guerra con su tendencia a la distracción.

Generalmente sólo nos preocupa el extremo de este espectro que implica detrimento: el niño que no puede aprender porque se distrae fácilmente. Y solemos pasar por alto que estar en el polo beneficioso de este espectro –ser capaz de concentrarse– es una habilidad que puede ser tan valiosa como la capacidad para las matemáticas, la lectura e incluso la inteligencia misma.

Entonces, ¿por qué algunos niños son capaces de dirigir mejor su atención? ¿Cuáles son los sistemas neurales que regulan la concentración, y podría ser ésta la causa del éxito del programa Herramientas?

La doctora Silvia Bunge es una neurocientífica de la Universidad de California, en Berkeley. Su investigación más reciente se centra en una región del cerebro llamada corteza prefrontal rostral lateral. Ésta es la parte del cerebro humano más diferente de los cerebros de los simios. Es responsable de mantener la concentración y de establecer objetivos. «Esto sólo es especulativo, pero hacer que los niños planifiquen su tiempo y se marquen objetivos semanales, como hacen en el programa Herramientas –me dijo Bunge–, ayuda a construir y fortalecer la corteza prefrontal rostral lateral.»

El término general que usa Bunge para la regulación de la atención por parte del niño es «control cognitivo». El control cognitivo es necesario en muchos contextos. En el más simple, el niño intenta evitar distracciones: y no sólo distracciones externas, como cualquier otro niño que ponga caras raras en clase, sino también las distracciones internas: «Como el pensamiento 'No puedo hacer esto'», explicó Bunge.

El control cognitivo es necesario cuando el cerebro tiene que manipular información en la mente; podría tratarse de mantener en la memoria un número de teléfono el tiempo suficiente para poder marcarlo, o de planear movimientos de ajedrez con anterioridad, o de sopesar los pros y los contras de dos elecciones. Pero no se trata sólo de manejar información: controlar la frustración y el enfado, y sofocar una respuesta impulsiva inapropiada también son parte del proceso.

Una respuesta *social* impulsiva podría ser reírse en clase, pero también hay respuestas *académicas* impulsivas. En los tests del coeficiente de inteligencia y en los de múltiples opciones siempre hay un «distractor», una respuesta que está casi bien. Muchos niños con un control cognitivo débil suelen seleccionarla. Su puntuación final en el test mostrará limitaciones en su inteligencia o en su nivel de comprensión, pero son completamente inteligentes y comprenden a la perfección; simplemente no saben contener su impulsividad.

Según Bunge, el control cognitivo no está «activado» en todo momento. El cerebro puede asignar más o menos control cognitivo según le parezca adecuado. Este mecanismo opera como un circuito de retroalimentación entre dos subregiones del cerebro. Supuestamente, una subregión mide lo bien que te va en aquello que estés haciendo. Cuando siente que no lo estás haciendo lo suficientemente bien, emite señales a otro subsistema, que asigna más control cognitivo: mejora tu concentración. Cuando parece que a un niño le falta control, no es sólo que su cerebro no pueda concentrarse; ni siquiera es consciente de que tiene que concentrarse. La primera parte del circuito de retroalimentación no está haciendo su trabajo. Literalmente, no está prestando atención a si está haciendo bien la tarea.

Volvamos a pensar en el programa de estudios Herramientas, en el que a los niños se les pide habitualmente que evalúen y puntúen su propio trabajo con las hojas de respuestas, y siempre comparten esta tarea con un compañero, comprobándose sus trabajos mutuamente (incluso en preescolar). Bodrova y Leong no dejan de insistir en lo importante que es que los niños desarrollen una conciencia de lo bien que están haciendo algo, y de cuándo exactamente han completado su trabajo. Esta sensibilidad es necesaria para que funcione el sistema de retroalimentación, y para que aumente la concentración.

La especialidad de Bunge es introducir a niños en edad escolar en los escáneres MRI y hacer un seguimiento de su actividad cerebral mientras realizan pruebas similares a la del corazón y la flor que hemos descrito antes. Ha descubierto que el cerebro adulto tiene un área especializada del lóbulo frontal que se dedica a procesar las reglas: todo tipo de reglas, desde las relacionadas con la flor y el corazón, hasta las gramaticales o las concernientes a la conducción. (Cuando esa región está dañada, los individuos hablan y escriben sin obedecer las reglas gramaticales). Esta región de las reglas permite a las personas ser proactivas: son capaces de reconocer en qué circunstancias se deben aplicar las reglas, como si vieran con antelación, preparando el cerebro para futuras tareas. Esta respuesta proactiva se parece mucho al discurso privado: decirte a ti mismo lo que tienes que hacer un paso antes de hacerlo. Las decisiones se toman instantánea y correctamente. Los escolares que hacen estos tests aún no disponen de la región de las reglas; en lugar de ser proactivos, empiezan a reaccionar. Van tropezando, intentando entender las reglas, y su tasa de errores es alta.

«También es significativo que los niños de Herramientas elijan su propio trabajo –dijo Bunge–. Cuando un niño elige, presumiblemente escoge las actividades que le motivan. La motivación es esencial y se experimenta en el cerebro como una liberación de dopamina. La dopamina no se libera como los otros neurotransmisores en las sinapsis, sino que se extiende por grandes áreas del cerebro, potenciando las señales neuronales.» Literalmente, el cerebro motivado opera mejor porque señala más rápido. Cuando los niños están motivados, aprenden más.

Este capítulo comenzó con las estadísticas de las clases para aprender a conducir, y progresó hacia la neurociencia en preescolar. Ambos temas tienen en común el estudio de los sistemas neurales que regulan la atención y el control cognitivo. Los conductores adolescentes pueden conseguir puntuaciones del 100% en un test sobre la normativa, pero cuando conducen, sus tiempos de reacción se amplían porque aún no han interiorizado la *gramática* de la conducción: tienen que pensar en lo que hacen. Esto incrementa la carga cognitiva, y su capacidad de mantener la atención se tensa hasta el máximo de su capacidad. Están en el límite de tomar malas decisiones. Si además pones a un amigo en el coche, los sistemas de atención se sobrecargan rápidamente: el cerebro del conductor ya no anticipa de una manera proactiva lo que podría ocurrir, mirando con unos segundos de antelación y cargando previamente las reglas. Más bien lo que hace es reaccionar, y no siempre puede hacerlo con precisión, por muy rápidos que sean sus reflejos.

Obtener buenos resultados en medio de tantas distracciones es un reto diario para los estudiantes. En un capítulo anterior escribimos sobre el poder de predicción de los tests de inteligencia. Una de las razones por las que estos tests no predicen mejor es que, en la vida escolar de un niño, el estudio académico no ocurre en un entorno sereno y controlado, en una situación de uno a uno con el profesor, tal como se administran los tests de inteligencia. En muchos casos, el estudio académico tiene lugar en medio de un torbellino de presiones y distracciones. Los psicólogos llaman a esto la diferencia entre la cognición caliente y fría. Muchas personas realizan mucho peor las tareas cuando están bajo presión, pero hay algunas que las hacen mucho mejor.

En la investigación esta noción se presenta con muchos nombres: control por medio del esfuerzo, nivel de impulsividad, autodisciplina... Dependiendo de cómo se mida, en muchos casos la capacidad predictora de la autodisciplina es mejor que la de las puntuaciones en el test de inteligencia. En palabras simples: ser disciplinado es más importante que ser listo. Y ser ambas cosas no es sólo un poco mejor: es exponencialmente mejor. En un estudio, la doctora Clancy Blair, de la universidad estatal de Pensilvania, descubrió que los niños que estaban por encima de la media en las puntuaciones del test de inteligencia y en el funcionamiento ejecutivo tenían un 300% más de posibilidades de ir bien en la clase de matemáticas que aquéllos que sólo tenían una buena puntuación en el test de inteligencia.

Como la ciencia de la inteligencia, la ciencia del autocontrol ha cambiado sus hipótesis a lo largo de la última década, pasando de la suposición de que se trata de un rasgo fijo –algo que unos tienen y otros no– a la suposición de que es maleable. El autocontrol se ve afectado por todo tipo de circunstancias, desde el estilo de educación que nos han dado nuestros padres hasta cuándo has comido por última vez (el cerebro quema mucha glucosa cuando ejerce el autocontrol). Los sistemas neurales que gobiernan el control pueden fatigarse y, según un estudio, quienes tienen un coeficiente de inteligencia más elevado sufren más este tipo de fatiga.

«Gracias a la multitud de pruebas empíricas, actualmente hay un consenso sobre la eficacia del aprendizaje autorregulado para conseguir un buen rendimiento académico, así como sobre la motivación para aprender», escribió la doctora Charlotte Dignath, en un reciente metaanálisis de las intervenciones de autocontrol.

Tanto Ashley como yo hemos tomado prestadas algunas de las estrategias del programa Herramientas de la mente. En la consulta de Ashley cada noche se presentan niños de todas las edades. Ahora les hace anotar un plan que describa cómo quieren pasar esas dos horas para enseñarles a pensar proactivamente. Cuando se distraen, ella los remite a su plan. Y ya no se limita a corregir los errores gramaticales en sus tareas escolares; apunta a la línea que contiene el error y le pide al niño que lo encuentre. Esto hace que piense de manera crítica sobre lo que está haciendo, en lugar de hacer los deberes mecánicamente. Cuando los alumnos de preescolar que están aprendiendo a escribir dibujan una letra, Ashley les hace usar el discurso privado, repitiendo en voz alta: «Empieza arriba y ve alrededor...».

Yo uso técnicas similares con mi hija. Todas las noches llega a casa con una página de caligrafía llena de las letras que ha aprendido ese día. Le pido que dibuje un círculo alrededor del mejor ejemplo de cada línea para que pueda reconocer la diferencia entre una letra buena y otra mejor. A la hora de ir a dormir practicamos una versión de «leer con un compañero»: después de leer el libro, se lo paso a ella. Y entonces ella me cuenta la historia describiendo creativamente las ilustraciones y repitiendo al pie de la letra las líneas que recuerda. En ocasiones, cuando pasamos todo el día juntos, escribimos un plan de lo que vamos a hacer. (Ojalá lo hiciéramos más a menudo, porque a ella le encanta.) También le doy puntos de apoyo que amplían los escenarios de sus juegos. Por ejemplo, le encantan las muñecas bebé: las sitúa a todas en fila y las pone a dormir; esto puede llevarle de cinco a diez minutos. A partir de entonces, ya no sabe qué hacer. Así que la animo a despertar a los bebés, llevarlos a la escuela e ir de excursión con ellos. Generalmente eso basta para activar su imaginación durante más de una hora.

En Neptune, Nueva Jersey, uno de los niños de aquella primera clase en la que se introdujo el programa Herramientas era George, el hijo de Sally Millaway, de tres años de edad. «Él tenía necesidades especiales», dijo su madre. Sally estaba convencida de que el programa funcionaría para los niños normales, pero ¿funcionaría también para George?

—Mi hijo iba muy retrasado con el lenguaje; no hablaba en absoluto. Aún no le habían diagnosticado autismo, pero tenía todos los alarmantes síntomas de padecerlo.

Más adelante, a George le diagnosticaron un problema de audición: podía oír tonos, pero era como si estuviera debajo del agua: los sonidos eran borrosos.

—En noviembre le quitaron las vegetaciones, y tres días después de la operación empezó a hablar. De repente pasé de pensar que iba a ser un discapacitado de por vida a darme cuenta de que tenía mucho que recuperar –dijo Millaway–. ¿Llegaría a ponerse alguna vez al nivel de los demás niños?

Sus preocupaciones no duraron mucho. No podía creer lo rápidos que eran los progresos de su hijo, que atribuyó completamente al programa Herramientas. Después de estar tres años en el programa, superó completamente sus deficiencias auditivas. Ahora George está en un programa de segundo curso para niños dotados, y Herramientas de la mente se enseña en todos los centros de preescolar de Neptune.

9

Juega bien con otros

Por qué la paternidad implicada de los padres modernos no ha conseguido producir una generación de ángeles.

Hace un par de años, un experto en la agresividad de los niños de preescolar, el doctor Jamie Ostrov, hizo equipo con el doctor Douglas Gentile, especialista en los efectos de la exposición a los medios de comunicación. Juntos dedicaron dos años a hacer un seguimiento de los alumnos en centros de preescolar de Minnesota, analizando el comportamiento de los niños con relación a los informes de sus padres sobre los contenidos que veían en televisión y en DVD. Se trataba de niños en buena situación económica, de familias adineradas y de edades comprendidas entre los dos años y medio y los cinco.

Ostrov y Gentile esperaban que los niños que ven programas violentos, como los *Power Rangers* y *La guerra de las galaxias*, se mostraran más agresivos durante el recreo escolar. También pensaban que los que contemplaban programas educativos, como *Arthur* y *Clifford the Big Red Dog*, no serían únicamente menos agresivos, sino también más prosociales: más incluyentes, más dispuestos a compartir, a ayudar, etc. Estas hipótesis no eran originales, pero la importancia del estudio residía en su metodología a largo plazo: Ostrov y Gentile iban a hacer un seguimiento preciso del aumento de la agresividad durante los años de preescolar.

Ostrov había descubierto anteriormente que las cámaras eran una intrusión demasiado evidente y no podían captar los sonidos lejanos, de modo que sus investigadores estaban cerca de los niños con portapapeles en la mano. Los niños se aburrieron rápidamente de ver tomar notas y se olvidaron de ellos.

Los observadores habían sido entrenados para distinguir entre la agresión física, la agresión relacional y la agresión verbal. La primera incluía quitarles juguetes a otros niños, empujar, tirar y pegar de la manera que fuera. La segunda, en la edad de preescolar, implicaba decir cosas como: «Tú no puedes jugar con nosotros», o simplemente ignorar a un niño que quería jugar, retirar la amistad o contar mentiras sobre otro niño –todo lo cual ataca el núcleo de una relación–. La tercera incluía llamar a alguien por un mote malintencionado o decir cosas como: «¡Cállate!» o «¡Eres estúpido!», y a menudo acompañaba a la agresión física.

Ostrov comparó los datos de sus observadores con las evaluaciones de los profesores sobre la conducta de los alumnos, las evaluaciones de los padres y sus informes sobre cuánta televisión veían. A lo largo del estudio, los niños vieron la televisión una media de once horas semanales, según sus padres; una mezcla normal de programas de televisión y DVD.

A primera vista, las hipótesis de los investigadores se confirmaron, pero los datos también revelaron algo inesperado. Cuantos más programas educativos veían los niños, más agresivos eran en sus relaciones. Se mostraban cada vez más mandones, controladores y manipuladores. Y no se trataba de un efecto menor: esta conexión era más fuerte que la existente entre los medios violentos y la agresión física.

Preguntándose cuál sería la razón de esto, el equipo de Ostrov se sentó ante el televisor y vio diversos programas infantiles de los canales PBS, Nickleodeon y Disney Channel. Ostrov comprobó que en algunos de ellos había una alta proporción de agresiones relacionales, y que muchos programas educativos dedicaban más de media hora a establecer un conflicto entre los personajes y sólo unos minutos a resolverlo. «A los alumnos de preescolar les cuesta conectar la información del final del programa con lo que ocurrió anteriormente –escribió en su informe–. Es probable que los más pequeños no atiendan a la 'lección' general tal como lo haría otro niño mayor o un adulto, sino que aprendan de todos los comportamientos que contemplan.»

Estos resultados fueron una sorpresa para todo el equipo. Ostrov todavía no tenía niños, pero sus colegas que sí los tenían empezaron a cambiar inmediatamente el tipo de programas que veían sus hijos.

Ostrov decidió replicar el estudio en otras cuatro escuelas de preescolar de Búfalo, Nueva York (ahora es profesor de la Universidad de Búfalo, integrada en la Universidad Estatal de Nueva York). «Teniendo en cuenta que el resultado era tan novedoso y sorprendente, queríamos estar seguros de que se podía generalizar, de que no habíamos encontrado algo que sólo era relevante para este grupo concreto de niños», comentó.

Después de ese primer año en Búfalo se analizaron los datos obtenidos. Aproximadamente, los niños de esta ciudad veían dos tercios de programas educativos y un tercio de programas violentos. Una mayor exposición a los violentos incrementaba la tasa de agresión física detectada en la escuela, aunque sólo en pequeña medida. De hecho, ver programas educativos también incrementaba la tasa de agresiones físicas, casi tanto como ver los violentos. Y tal como había ocurrido en el estudio de Minnesota, la televisión educativa tenía un efecto drástico en la agresión relacional. Esta correlación era 2,5 veces superior a la existente entre los programas violentos y la agresión física.

En esencia, Ostrov acababa de descubrir que la serie *Arthur* es más peligrosa para los niños que *Power Rangers*.

Los datos procedentes de un equipo de investigación del Ithaca College confirmaron las conclusiones del investigador: hay una cantidad asombrosa de agresión relacional y verbal en los programas de televisión infantiles.

Bajo la supervisión de la profesora y doctora Cynthia Scheibe, los investigadores de Ithaca estudiaron pacientemente 470 programas de televisión de media hora de duración que los niños ven habitualmente, y en todos los casos detectaron que algún personaje había sido insultado, que se le había llamado por un mote malintencionado o que había sufrido un desprecio.

Más adelante el análisis de Schiebe reveló que el 96% de los programas infantiles incluyen insultos verbales y desprecios, con una media de 7,7 menosprecios por cada episodio de media hora. Los considerados específicamente prosociales no eran mucho mejores: el 66,7% de ellos también contenían insultos. Si dichos insultos se hubieran dicho en la vida real, habrían sido de una crueldad pasmosa –por ejemplo: «¿Cómo duermes por la noche sabiendo que eres un fracaso total?», de *Bob Esponja*–. Cabe imaginar que la televisión educativa puede emplear un insulto inicial para enseñar que los insultos hacen daño, pero, tal como descubrió Schiebe, nunca sucede así. De los 2.628 menosprecios que el equipo identificó, en sólo 50 ocasiones se reprendió o se corrigió a quien insultaba, y esto no ocurrió ni una sola vez en los programas educativos. En el 84% de los casos sólo había risas o ninguna respuesta en absoluto.

Los trabajos de Ostrov y Schiebe sólo son dos de los múltiples estudios recientes que cuestionan las antiguas suposiciones sobre las causas y la naturaleza de la agresión infantil.

El salvaje reino de la infancia a veces resulta enigmático. Parece que el estilo de paternidad participativa e implicada de los padres modernos debería dar como resultado un colectivo de niños educados y no agresivos. En cuanto el niño da alguna muestra de comprensión cognitiva, sus progenitores empiezan a enseñarle a compartir, a ser bondadoso y compasivo. En teoría, las luchas, las agresiones y la crueldad deberían ser, como jugar con bolsas de plástico y morder pintura que contiene plomo, recuerdos de un pasado menos lúcido. Sin embargo, constantemente leemos informes de que unos niños abusan de otros de manera incontrolada, y todos los padres escuchan historias sobre las agonías que pasan sus hijos en el patio de recreo. *El señor de las moscas* suena tan cierto en nuestros días como en los tiempos de William Golding.

¿Por qué los padres modernos están fracasando en su misión de crear una progenie más civilizada? Anteriormente hemos comentado que el niño que ha recibido elogios está dispuesto a engañar, que los experimentos de los niños con las mentiras suelen pasarse por alto y que los prejuicios raciales afloran incluso en escuelas integradas de mentalidad progresista. Ahora dirigimos el foco hacia la agresividad infantil: un término usado por los científicos sociales para incluir múltiples comportamientos, desde empujar en el cajón de arena hasta la intimidación física en la escuela intermedia o la marginación social en secundaria.

La explicación más fácil siempre ha consistido en culpar de la agresión a un entorno familiar difícil. Este paradigma produce una extraña y peculiar comodidad: mientras tu hogar sea un «buen» hogar, la agresión no será un problema. Sin embargo, se da demasiada agresividad como para que esta explicación sea suficiente. Implicaría un giro singular del efecto Lake Wobegon: casi todos los padres están *por debajo* de la media.

Tradicionalmente, la conducta agresiva ha sido juzgada como un indicador de mala adaptación psicológica. Se la consideraba intrínsecamente aberrante, desviada y, en los niños, un signo anunciador de futuros problemas. Entre las causas de la agresión que se citan habitualmente están los conflictos en el hogar, los castigos corporales, la televisión violenta y el rechazo de los compañeros en la escuela. Si bien ningún investigador está dispuesto a retirar estas afirmaciones, las investigaciones de vanguardia sugieren que el asunto no es tan simple como pensábamos, y que muchas de nuestras «soluciones» en realidad se están volviendo contra nosotros.

Todos hemos oído que observar las peleas de los padres daña a los niños, especialmente esas discusiones con gritos enconados en las que se produce una escalada de violencia. Pero ¿qué ocurre con los viejos conflictos cotidianos de cada día? A lo largo de la última década esta cuestión ha sido la especialidad del doctor E. Mark Cummings, de la Universidad de Notre Dame.

Cummings se dio cuenta de que todos los niños ven a sus padres y cuidadores criticándose mutuamente por banalidades, como quién se olvidó de recoger la ropa de la tintorería o de pagar las cuentas, o a quién le toca conducir cuando se acuerda compartir viajes. En algunos estudios Cummings hace que los padres tomen nota de todas las discusiones, grandes y pequeñas, y sus datos dicen que la típica pareja casada tiene unas ocho disputas diarias, según las mamás –según los papás eran algunas menos–. Los esposos se expresan mutuamente enfado el doble o el triple de veces del que se muestran afecto mutuo. Y aunque aspiren a proteger a sus hijos de sus discusiones, la verdad es que los niños son testigos de ellas el 45% de las veces.

Los niños parecen estar muy sintonizados con la calidad de la relación de sus padres. Cummings los describe como «contadores Geiger emocionales». En uno de los estudios, este investigador descubrió que el bienestar emocional y la seguridad de los niños dependen más de la relación entre los padres que de la relación directa entre ellos y sus padres.

Entonces, ¿inquietan los progenitores a sus hijos con cada discusión? No necesariamente.

En sus elaborados experimentos, Cummings escenifica discusiones en el escenario para que los niños las contemplen y hace un seguimiento de sus reacciones; a veces toma muestras de saliva para medir su cantidad de cortisol, la hormona del estrés. En unas ocasiones encarga las representaciones a dos actores; en otras, también participa la madre. Mientras espera con su niño, la madre recibe una llamada, aparentemente del «padre», y ambos empiezan a discutir por teléfono –Las frases de la madre forman parte de un guión–. En otras variantes de este experimento, el niño simplemente contempla un vídeo de dos adultos discutiendo, y se le pide que imagine que las figuras de la pantalla son sus padres.

En uno de los estudios, un tercio de los niños reaccionaron agresivamente después de contemplar el conflicto representado en el escenario: gritaron, se enfadaron o golpearon una almohada. Pero, en el mismo estudio, ocurrió algo que eliminó la reacción agresiva en todos los niños, excepto en el 4% de ellos. ¿Cuál era esta cosa mágica? Dejar que el niño viera no sólo la discusión, sino también su resolución. Cuando el vídeo se detenía a mitad de la discusión, tenía un efecto muy negativo. Pero si al niño se le permitía contemplar la resolución, eso le calmaba: «Variábamos la intensidad de las discusiones, pero eso no importaba –recuerda Cummings–. Las discusiones pueden ser muy intensas, y sin embargo, si se resuelven, los niños se sienten bien». La mayoría de los niños se sentían igual de felices al final de la discusión que cuando contemplaban una interacción amistosa entre los padres.

Esto significa que cuando los padres se detienen en mitad de la discusión para seguir en su habitación –a fin de evitársela a los niños–, podrían estar empeorando la situación, especialmente si se olvidan de decirles: «Oye, que ya lo hemos resuelto». Cummings también ha descubierto que cuando las parejas discuten lejos de los niños, es posible que éstos no hayan visto nada, pero son conscientes de la disputa sin conocer los detalles específicos.

El investigador ha mostrado recientemente que estar expuestos a un conflicto marital constructivo puede ser bueno para los niños, siempre que no haya una escalada de la discusión, que se eviten los insultos y que la disputa se resuelva con afecto. A la larga, esto mejora su sensación de seguridad e incrementa su conducta prosocial en la escuela tal como la evalúan los profesores. Cummings indicó: «La resolución tiene que ser sincera, y no estar manipulada en nombre de los niños, porque entonces lo sabrán». Nuestros hijos aprenden una lección en resolución de conflictos: la discusión les da un ejemplo de cómo ceder y reconciliarse, una lección que el niño se pierde cuando no ve la discusión.

Evidentemente, ésta es una línea muy fina para caminar por ella, pero no tan fina como aquella por la que caminó el doctor Kenneth Dodge, profesor de la Universidad Duke. A Dodge, que es otro gigante de este campo, siempre le ha interesado investigar si el castigo físico incita a los niños a volverse agresivos.

El 90% de los padres americanos aplican un castigo físico a sus hijos al menos una vez en la vida. Durante años, el trabajo de Dodge y otros ha mostrado una correlación entre la frecuencia del castigo corporal y la agresividad de los niños. Sin duda, los que están descontrolados reciben más castigos, pero los estudios controlan los comportamientos básicos. Cuanto más se le zurra a un niño, más agresivo se vuelve.

No obstante, estos descubrimientos se basaron en estudios realizados principalmente con familias caucásicas. Para condenar el castigo físico con tanta contundencia como deseaba la comunidad investigadora, alguien tenía que replicar estos estudios en poblaciones de otras etnias, especialmente de afroamericanos. De modo que Dodge hizo un estudio a largo plazo del efecto del castigo físico sobre 453 niños, tanto negros como blancos, haciendo un seguimiento de ellos desde preescolar hasta el último curso de enseñanza.

Cuando su equipo presentó sus hallazgos en una conferencia, los datos no contentaron a los asistentes. Esto no era porque los negros usaran el castigo corporal más que los blancos –lo hacían, pero no mucho más–. Más bien se encontró una correlación inversa en las familias negras: cuanto más se pegaba a un niño, menos agresivo se volvía a largo plazo. El niño negro que recibía castigos corporales tenía menos probabilidades de meterse en problemas.

Los especialistas castigaron públicamente al equipo de Dodge, afirmando que sus descubrimientos eran racistas y que informar de ellos resultaba peligroso. Los periodistas corrieron a investigar a Dodge y a la principal autora del estudio, la doctora Jennifer Lansford. Un informador de una cadena de televisión nacional preguntó al primero si su investigación significaba que la clave para que un castigo fuera eficaz era pegar a los niños con más frecuencia. Es posible que el reportero tratara de ser chistoso con su pregunta, pero tanto Dodge como Lansford –que estaban muy en contra de los castigos físicos– se sintieron tan horrorizados por tales preguntas que configuraron una lista de catorce investigadores para estudiar el uso del castigo corporal en todo el mundo.

¿Por qué los golpes causaban tantos problemas a los niños blancos pero no a los niños negros, aunque se usaban con ellos un poco más frecuentemente? Con la ayuda de estos estudios internacionales, Dodge ha articulado una explicación para los resultados obtenidos por su equipo.

Para entenderlos, uno tiene que tener en cuenta cómo actúa el padre cuando golpea a su hijo, y cómo etiquetan estas acciones al niño. En una cultura en la que el castigo físico es una práctica aceptada, se convierte en «la cosa normal que ocurre cuando un niño hace algo que no debe». Aunque el padre sólo golpee a su hijo dos o tres veces en su vida, las consecuencias se consideran normales. En la comunidad negra que Dodge estudió, se pensaba que era normal que todos los niños recibieran una zurra en algún momento.

Por el contrario, en la comunidad blanca que fue objeto del estudio, esta disciplina física era un tabú del que no se debía hablar. *Se reservaba para las peores ofensas*. El padre, que se sentía muy enfadado con su hijo, había perdido el tino. El mensaje implícito era: «Lo que has hecho es tan malo que mereces un castigo *especial*, que son los golpes». Esto indicaba que el niño había perdido su lugar en la sociedad tradicional.

Y no puede trazarse una distinción precisa entre blancos y negros. Un estudio de la Universidad de Texas realizado a un grupo de familias protestantes conservadoras descubrió que en un tercio de ellas se pegaba a los hijos tres o más veces por *semana*, en gran medida siguiendo los consejos del programa Enfócate en la familia, del doctor James Dobson. El estudio no halló efectos negativos en estos castigos corporales precisamente porque se consideraban normales.

Cada uno a su manera, los trabajos de Cummings y Dodge demuestran la misma dinámica: una visión excesivamente simplificada de la agresión hace que a veces los padres empeoren la situación cuando tratan de hacer lo correcto. Los niños atribuyen más importancia a la reacción de sus progenitores que a la discusión o al castigo físico en sí mismo.

Si aceptamos que los niños estarán expuestos a algún conflicto paterno, que incluso podría ser productivo, ¿podemos decir lo mismo de sus interacciones con sus compañeros? ¿Hay algún nivel de conflicto con los compañeros que los niños deberían aprender a gestionar por sí mismos, sin ayuda de los padres?

El doctor Joseph Allen, profesor y médico de la Universidad de Virginia, dice que muchos padres modernos se sienten atrapados en lo que él llama «la paradoja del cuidado de los hijos»: «Proteger a los niños es parte del instinto paternal natural –explica–, pero acabamos no enseñándoles a lidiar con los altibajos de la vida. Es un instinto sano, y hace cincuenta años los padres poseían el mismo instinto, aunque no tenían tiempo ni energía para intervenir. Actualmente, por diversas razones, esas limitaciones no nos detienen, y nos descontrolamos».

En la Red de Padres de Berkeley, una red social de Internet, esta lucha está muy presente. La padres se preguntan angustiados si es apropiado saltar al cajón de arena para defender a su hijo de otro niño que le ha quitado un juguete. Otros reconocen que su hijo, antes amable, se ha convertido en un agresor social, y eso les parece aborrecible, pero no saben cómo detenerlo. La bandeja de mensajes está llena de historias de niños a los que se acosa y aísla. Las respuestas van desde aconsejar y dar apoyo a los niños para que no sean víctimas hasta defender que estudien artes marciales o recordarles que no serán invitados a todas las fiestas de cumpleaños. Nadie tiene la respuesta perfecta, y está claro que los padres están confusos.

La paradoja del cuidado de los hijos ha llevado a muchos padres a pedir políticas de «tolerancia cero» en las escuelas, no sólo para los matones, sino para cualquier tipo de agresión o acoso. No existen pruebas de que el abuso esté aumentando, pero la preocupación por sus efectos se ha disparado.

En marzo de 2007, el Comité de Educación de la Cámara de los Comunes británica convocó una investigación especial sobre los abusones en los colegios. Durante tres días sus miembros llamaron a declarar a diversos testigos, desde directores de escuelas hasta académicos y organizaciones de apoyo. Cuando se imprimió, el testimonio tenía 288 páginas. No se propusieron leyes ni se impusieron políticas a todas las escuelas, porque en realidad éste no era el objetivo de la investigación. Más bien el ejercicio se había llevado a cabo para realizar una importante declaración categórica, pensada para dirigir la cultura nacional: «La idea de que abusar de otros ayuda de algún modo a construir el carácter y simplemente forma parte de la infancia está equivocada, y debe ser cuestionada». Cualquier tipo de nombre despectivo, de burla, chismorreo o exclusión tiene que ser condenado.

La mayoría de los expertos están de acuerdo en que los abusos pueden tener efectos serios y han de ser detenidos por completo. No obstante, se han plantado ante la propuesta de «tolerancia cero».

Un equipo de la Asociación de Psicología Americana (APA) ha advertido que muchos de estos incidentes implican juicios pobres y superficiales, y las carencias en el juicio son algo normal durante el proceso de desarrollo, el resultado de la inmadurez neurológica. Todo esto equivale a considerar que los niños cometen errores porque aún son jóvenes. Estos expertos indicaron que infligir castigos automáticos y severos causaba una erosión de la confianza en las figuras de autoridad. Como explicó posteriormente el presidente de la comisión: «Los niños empiezan a temer no a los otros niños, sino a las reglas, porque creen que se las saltarán accidentalmente». Durante la nueva era de tolerancia cero, los niveles de ansiedad en los estudiantes han aumentado en lugar de disminuir. En Indiana, el 95% de las suspensiones no eran por intimidaciones propiamente dichas, sino por «alteraciones escolares y otras razones». Los investigadores de la APA advirtieron especialmente en contra de una aplicación excesiva de la política de tolerancia cero ante cualquier tipo de acoso.

Sin embargo, la tolerancia cero se está haciendo cada vez más común: según una encuesta de Public Agenda, el 68% de los padres americanos la apoyan. Desde Florida hasta Nueva York, las escuelas están ampliando sus listas de las conductas que se deben incluir en sus políticas de tolerancia cero, incluyendo la provocación, la crueldad, asignar apodos despectivos, la exclusión social y cualquier cosa que produzca tensión psicológica. Una pequeña ciudad canadiense ha llegado a aprobar una nueva ley que hace que estas conductas sean expresamente ilegales, y puedan ser castigadas con una multa.

Según la ciencia de la relación con los iguales, cuando intentamos incluir todas las agresiones infantiles bajo el nombre de abuso e intimidación, se nos presenta un gran problema. Y es que la mayoría de los actos malintencionados, crueles y atormentadores que se producen en las escuelas no están causados por aquellos que normalmente consideramos matones, ni por los niños «malos». En general, los realizan niños populares, bien aceptados e incluso admirados.

La conexión entre la popularidad, la dominancia social, la malicia y la crueldad no sorprende a ningún profesor: estas dinámicas son muy visibles en la mayoría de las escuelas. Este arquetipo ha estado vigente durante mucho tiempo en la literatura y en las películas, como *Emma, Heathers* o *Mean Girls*. En algunas lenguas existe un término específico para nombrar al adolescente popular que desprecia a otros; por ejemplo, en holandés, el término *popie-jopie* hace referencia a los jóvenes maliciosos, gallitos, arrogantes y chillones.

Sin embargo, los científicos sociales no han estudiado la conexión entre la popularidad y la agresión hasta esta década. En gran medida, esto se debe a que centrarse en los resultados arquetípicamente negativos de la agresión ayudó a publicar trabajos y a que fluyera el dinero hacia estas investigaciones: había becas disponibles para estudiar la situación de los niños agresivos con la esperanza de que sus descubrimientos ayudaran a la sociedad a impedir que se convirtieran en la futura población carcelaria. La masacre del Columbine High School en 1999 abrió líneas de subvenciones para investigar porque el gobierno convirtió en una prioridad que los estudiantes nunca volvieran a abrir fuego contra sus compañeros.

Según el doctor Allen, los científicos sociales también tendían a asociar la mala conducta con los bajos resultados escolares; la agresión se consideraba un mal comportamiento, de modo que los científicas solo buscaban consecuencias negativas de ella.

Había pocas investigaciones dedicadas a estudiar sistemáticamente a los chicos populares, fundamentalmente porque se suponía que estaban haciendo las cosas bien. Entonces, una serie de investigadores que habían estado realizando estudios a adolescentes a largo plazo informaron de una conexión entre la popularidad y el uso de alcohol. Y he aquí que (en realidad no era ninguna sorpresa) los estudiantes más populares beben más y consumen más drogas.

Por primera vez, los investigadores empezaron a preocuparse por los chicos más adaptados socialmente: ¡también corrían el riesgo de hacerse adictos! De repente, los dólares de las becas federales empezaron a fluir hacia la ciencia de la popularidad. Y pronto las fuerzas sociales de la popularidad se vincularon con la agresión (especialmente la agresión relacional), y, finalmente, los científicos sociales coincidieron con los profesores y los guionistas.

Actualmente, el campo de las relaciones está a punto de realizar un doble mortal extraordinario a medida que los estudiosos se adaptan al nuevo paradigma.

La mentora de Ostrov, la doctora Nikki Crick, de la Universidad de Minnesota, ha contradicho décadas de investigaciones anteriores que afirmaban que las chicas no son agresivas. Probó que las chicas pueden ser tan agresivas como los chicos, aunque son más proclives a la agresión relacional.

Asimismo, la doctora Debra Pepler ha demostrado que en primaria, los niños «no agresivos» están lejos de ser santos: siguen amenazando con retirar su amistad y presionando, aunque no con tanta frecuencia como los niños más agresivos. De modo que, en lugar de que los no agresivos sean «buenos» chicos, podría ocurrir que les falta la confianza y el ingenio necesarios para mostrarse asertivos con más frecuencia.

Como explica el profesor Antonius Cillessen, de la Universidad de Connecticut, ahora se reconoce que la agresividad suele usarse como un medio de afirmar el dominio para conseguir control o proteger el estatus. La agresión no es simplemente un fallo o lapso en las relaciones sociales. Más bien la realización de muchos actos violentos exige habilidades sociales altamente sintonizadas, e incluso la agresión física suele ser la marca de un niño «socialmente inteligente», no de un desviado social. Los niños belicosos no son insensibles. Al contrario, dice Cillessen, el niño socialmente agresivo tiene que ser extremadamente sensible. Ha de atacar de manera sutil y estratégica. Debe ser socialmente inteligente y dominar su red social para poder saber qué botones pulsar a fin de volver loco a su oponente. La agresión se produce «en la primera adolescencia, cuando los adolescentes se están descubriendo a sí mismos. Están aprendiendo lo que es estar 'en onda', cómo ser atractivos para otros».

Esto cambia completamente el juego de los padres. Cuando éstos tratan de explicarle a su hija de siete años que está mal excluir, extender rumores o pegar, están literalmente intentando arrebatarle a la niña varias herramientas de dominación social que pueden ser muy útiles. «Esta conducta se premia en los grupos de compañeros –observó Cillessen–, y los padres pueden decir: 'No hagas eso', pero los premios inmediatos son muy atrayentes.» Mientras el niño quiera tener cierto estatus en su clase, el atractivo de estas herramientas socavará el mensaje de los padres. Los niños ya saben que los padres piensan que esas conductas están mal, lo han escuchado desde que iban a gatas. Pero vuelven a repetirlas por la reacción de sus compañeros, que premian al agresor con admiración, respeto e influencia.

El misterio es el porqué. ¿Por qué los niños no evitan a sus compañeros agresivos? ¿Por qué tantos niños agresivos ocupan un puesto central a nivel social y son tenidos en alta estima?

Por dos razones. En primer lugar, la conducta agresiva, como otras maneras de saltarse las reglas, es interpretada por los demás muchachos como un desafío a los mayores, lo que hace que el niño agresivo parezca independiente y más mayor, rasgos altamente valorados. El que siempre se acopla a las expectativas de los adultos y obedece sus reglas corre el riesgo de ser considerado un enclenque.

La otra razón por la que los agresivos pueden seguir siendo socialmente poderosos es que –tal como los niños menos agresivos no son ángeles– no todos ellos son diablos: «Una gran mayoría de los científicos sociales piensan que la conducta prosocial y la antisocial están en extremos opuestos de una única dimensión –explica la profesora Patricia Hawley, de la Universidad de Kansas–. Para mí, esto simplifica excesivamente la complejidad del comportamiento humano».

En el canon del desarrollo infantil, desde hace mucho tiempo se cree firmemente que un niño con auténticas competencias sociales no es agresivo. Hawley cuestiona esta orientación.

Nuestra investigadora estudia niños desde preescolar hasta secundaria, observando específicamente cómo un niño hace que otro cumpla sus órdenes: bien mediante un comportamiento bondadoso y prosocial, o mediante actos antisociales como amenazas, violencia y provocación. En contra de los que esperaban que los niños con un alto comportamiento prosocial tuvieran pocos actos antisociales, y viceversa, ella ha descubierto que los mismos niños son responsables de ambos tipos de conducta, la buena y la mala. Simplemente están en medio de todo o, en palabras de otro investigador: «Están socialmente ocupados».

Hawley ha encontrado un nombre para los niños que logran combinar las tácticas prosociales y las antisociales: los llama «controladores biestratégicos». Estos niños ven que, cuando se usan correctamente, la bondad y la crueldad son herramientas de poder igual de eficaces: la clave consiste en conseguir el equilibrio justo y en actuar en el momento oportuno. Los que son maestros en alternar entre estas dos estrategias se vuelven atractivos para los demás niños, porque aportan mucho a la fiesta. No sólo son populares, sino que gustan a sus compañeros, y también a los profesores (que los consideran agradables y bien adaptados).

Los datos de Hawley sugieren que al menos uno de cada diez niños encaja con esta descripción biestratégica. Pero, inspirados por sus planteamientos, otros investigadores han realizado análisis similares. Los descubrimientos subsiguientes sugieren que la proporción de biestratégicos es todavía mayor: en torno a uno de cada seis.

Jamie Ostrov ha encontrado niños con la misma combinación de comportamiento prosocial y agresivo en su investigación de preescolar. En su estudio sobre el uso de la televisión, los que veían muchos programas educativos eran mucho más agresivos relacionalmente, pero también mucho más prosociales con sus compañeros.

«La lección de estos niños es que podría no tener sentido analizar la agresión por separado –dijo Hawley–. Los biestratégicos pueden usar niveles de agresión inquietantes sin sufrir las mismas consecuencias que los que sólo emplean la agresión.» Se trata de una exhibición de su ambición incipiente.

El único problema de Hawley es que sus biestratégicos tienen tanto éxito en la escuela y en la vida que no puede conseguir una beca para hacerles un seguimiento a largo plazo.

Empezamos este capítulo preguntándonos por qué los padres modernos no han producido una generación de niños más bondadosos y amables. Lo que ocurre es que muchas de nuestras innovaciones más inspiradas han tenido consecuencias inesperadas. Cuando cambiamos de canal para pasar de la televisión violenta a otros programas más serenos, los niños acabaron aprendiendo a formar grupos cerrados, a retirar su amistad y el arte del insulto.

Al llevar nuestras discusiones maritales a la intimidad de la alcoba para evitar exponer a nuestros hijos a esa tensión, accidentalmente les evitamos la oportunidad de ser testigos de cómo dos personas que se quieren pueden resolver sus diferencias de manera tranquila y razonada.

Pensamos que la agresividad era la reacción al rechazo de los compañeros, de modo que nos esforzamos por eliminar el rechazo entre compañeros de la experiencia infantil. Y en su lugar, la interacción entre iguales está elaboradamente orquestada. Hemos creado el fenómeno de las «citas para jugar», mientras sobrecargamos los horarios de los chicos mayores de actividades extraescolares. Hemos segregado a los niños por edades, construyendo patios de recreo separados para los más pequeños, y estratificando las clases y los equipos. Sin darnos cuenta, hemos puesto a nuestros hijos en una cámara de resonancia. Actualmente, el alumno medio de la escuela tiene 299 interacciones diarias, una cantidad altísima. El adolescente medio pasa 60 horas a la semana rodeado de sus amigos (y sólo 16 rodeado de adultos). Esto ha creado la atmósfera perfecta para que crezca otra cepa del virus de la agresión, una cepa que no está alimentada por el rechazo de los compañeros, sino por la necesidad de conseguir estatus y rango social. Cuanto más tiempo pasan juntos los chicos, tanto más intensa es su necesidad de tener un rango elevado, y esto genera hostilidad para lograr el dominio sobre los demás. Todas esas lecciones que les enseñamos sobre compartir y ser considerados apenas pueden competir. Nos preguntamos por qué hacen falta veinte años para enseñarle a un niño cómo conducirse educadamente en sociedad pasando por alto el hecho de que hemos dejado que nuestros hijos se socialicen a sí mismos.

Tenemos que mencionar otro factor más que contribuye a la agresión infantil.

La doctora Sarah Schoppe-Sullivan realizó un estudio sobre estilos de paternidad, y cómo se relacionan con la agresividad y con comportamientos que llaman la atención en la escuela. Los padres del estudio entraban en tres categorías: los progresistas, los tradicionales y los distantes.

Podríamos esperar que los primeros aplastarían a sus competidores. Como ya no están inhibidos por roles de género, y como se implican mucho en la educación infantil desde el nacimiento, las investigaciones muestran de manera regular que los papás progresistas son casi universalmente un buen fenómeno. Los hijos de estos padres cooperadores tienen mejores relaciones con sus hermanos, se sienten bien consigo mismos y les va mejor académicamente.

Y, al principio, en el estudio de Schoppe-Sullivan los padres progresistas brillaban mucho más que los otros dos grupos. En el laboratorio se involucraban más con la esposa y con los niños, y en el hogar compartían las responsabilidades del cuidado infantil. Los padres tradicionales también se implicaban, pero generalmente su participación estaba dirigida por la esposa. Los progresistas, por su parte, sabían muy bien qué hacer: sabían la ropa que los niños tenían que llevar a la escuela y el resto de la rutina matinal, y también sabían acostarlos por la noche. Jugaban más con los pequeños, y les daban más apoyo cuando lo hacían. Y tenían tantas probabilidades de quedarse en casa como las madres si los niños estaban enfermos.

No obstante, Schoppe-Sullivan se sorprendió al descubrir que la calidad de la vida marital de los papás progresistas era peor, y que puntuaban su funcionamiento familiar por debajo de los padres que asumían los roles tradicionales. Su mayor participación podía haber producido más conflicto con las prácticas de paternidad, lo que a su vez afectaría a los niños.

Al mismo tiempo, el padre progresista era incoherente con respecto al tipo de disciplina que utilizaba: no tenía tanta fuerza a la hora de establecer las reglas o de hacer que se cumplieran. La extrapolación de investigaciones anteriores mostró que los padres suelen dudar de su capacidad de disciplinar eficazmente a sus hijos, y Schoppe-Sullivan plantea la hipótesis de que el papá progresista posiblemente sabe cómo no disciplinar a un hijo (por ejemplo, no pegarle o gritarle), pero no tiene una alternativa clara. La idea misma de tener que disciplinar al niño –de que éste no ha tomado como modelo el estilo cálido y compasivo del padre– puede dejarle desconcertado. Además, castigar a los niños le da mucha vergüenza. Por lo tanto, un día podría dejarle sin postre, al día siguiente hacerle un tratamiento de silencio, el tercero amenazarle con retirarle la paga si repite la infracción y el cuarto criticar a su hijo para inducirle culpabilidad. Siempre está probando algo nuevo, y haciendo las cosas cuando no toca.

En el estudio de Schoppe-Sullivan esta incoherencia y permisividad condujeron a un resultado sorprendente: los hijos de los padres progresistas eran agresivos y tenían casi tantos comportamientos disfuncionales como los hijos de los distantes y desvinculados.

En el diccionario Oxford de la lengua inglesa existe una palabra que significa «persona hábil en la crianza de niños». A veces asumimos que los padres progresistas de nuestros días, que pueden abrir la cuna portátil en sesenta segundos y cambiar los pañales con una mano, son «hábiles en la crianza de niños». Pero, al menos en una dimensión, el padre progresista parece venir con una debilidad natural.

10

Por qué Hannah habla y Alyssa no

A pesar de las advertencias de los científicos, los padres siguen gastando millones cada año en videos y artilugios con la esperanza de que sus hijos empiecen a hablar cuanto antes. ¿Cuál es la mejor manera de conseguir este objetivo?

En noviembre de 2007 estalló una tormenta en los medios de comunicación. La famosa revista *Pediatrics* publicó un informe de la Universidad de Washington: los niños que veían los denominados «videos infantiles» tenían un vocabulario menor que los que no los veían. Como las ventas de estos videos alcanzaban un importe estimado de 4,8 miles de millones de dólares, en esta industria se encendió una alerta roja.

Robert A. Iger, director gerente de Disney –que es dueña de la marca Baby Einstein– dio el paso inesperado de desprestigiar públicamente el trabajo de los investigadores, describiendo sus descubrimientos como «dudosos» y la metodología del estudio como «pobre». Se quejó de que la declaración de la Universidad en apoyo del estudio fue «imprudente» y «totalmente irresponsable».

Los padres, muchos de los cuales tenían estos videos en sus estanterías, se mostraron igualmente incrédulos. Una de las grandes razones de este escepticismo era que un apartado del estudio había dado un resultado inexplicablemente disparatado. Según los datos, casi todos los demás tipos de televisión y películas a las que se veían expuestos los niños –desde *La sirenita* hasta *American Idol*– estaban bien para ellos. Lo único que había que vigilar eran los DVD para bebés. Iger describió estos resultados como nada menos que «absurdos».

¿Cómo podían estos DVD, atesorados por niños de todo el mundo, ser perjudiciales para ellos?

En realidad el informe tenía su origen en un estudio anterior que los investigadores habían realizado para examinar si los padres usaban la televisión como una niñera electrónica. La mayoría de los académicos habían asumido que era así –los padres «aparcaban» al bebé delante de la tele mientras iban a hablar por teléfono o a hacer la cena–, pero nadie intentó averiguar si esta hipótesis tenía una base.

En ese estudio, los padres confirmaron que en parte la televisión hacía de niñera, pero la principal razón por la que los niños la veían –especialmente vídeos como los de las series *Baby Einstein* y *Brainy Baby*– era porque sus padres creían que les darían una ventaja cognitiva.

«Tuvimos a los padres con sus hijos delante del televisor hasta veinte horas por semana 'para desarrollar su cerebro' –recuerda el doctor Andrew Meltzoff, uno de los autores de ambos estudios–. Los padres nos dijeron que no podían proveer de muchas cosas a sus hijos, y eso los inquietaba, de modo que habían ahorrado y habían comprado los videos con la esperanza de compensar todo lo demás. Después sujetaban a los niños a sus asientos para que los vieran entre cuatro y seis horas por semana. Dijeron que pensaban que eso era lo mejor que podían hacer por sus pequeños.»

Conmovidos por los espectaculares esfuerzos de los padres para potenciar el desarrollo intelectual de sus hijos, los investigadores realizaron un segundo estudio para cuantificar el verdadero impacto de la exposición a la televisión.

La investigación llamó a cientos de familias en las áreas de Washington y Minnesota, pidiendo a los padres que los informaran sobre cuánta televisión veían sus hijos y qué tipo de programas. Después, hicieron que los padres realizaran el Inventario de desarrollo comunicativo MacArthur (IDC). De manera muy simple, el IDC es una lista de 89 palabras comunes que los niños pequeños pueden saber y, si tienen la edad suficiente, pronunciar por sí mismos. Las palabras representan su nivel de sofisticación en el vocabulario, y van desde «taza» y «empujar» hasta «rápido» y «radio». El IDC es un medidor internacionalmente aceptado del dominio que tienen los bebés de su lengua natal: sus versiones traducidas se han usado en todo el mundo.

Analizando los datos, los investigadores descubrieron una relación dosis-respuesta, lo que significa que cuanto más material veían los niños, peor era su vocabulario. Si veían los programas una hora al día, sabían entre 6 y 8 palabras menos de las 89 del IDC que los niños que no veían DVD para bebés. Es posible que esto no parezca un gran déficit, pero consideremos que el bebé medio de once meses sólo reconoce 16 de las palabras IDC. Entender 6 palabras menos le haría caer del percentil 50 al 35.

Estos resultados no podrían estar más lejos de las declaraciones realizadas en la primera publicación de *Baby Einstein*, en marzo de 1997: «Los estudios muestran que si esas neuronas no son usadas, podrían morir. Mediante la exposición a fonemas de siete lenguas, *Baby Einstein* contribuye a incrementar la capacidad cerebral».

La creadora de *Baby Einstein*, Julie Aigner-Clark, valoraba de manera especial el trabajo de la doctora Patricia Kuhl, considerándola la inspiradora de buena parte de los contenidos de sus videos. En una entrevista, Aigner-Clark explicó: «Después de leer algunas de las investigaciones de Patricia Kuhl, de la Universidad de Washington, decidí hacer que la porción auditiva del vídeo fuera multilingüe, con madres de varios países recitando canciones infantiles y contando en sus lenguas natales».

Kuhl y otros especialistas habían determinado que, al nacer, los bebés son sensibles a los fonemas de cualquier lengua: las combinaciones únicas de sonidos que constituyen palabras. Cuando los bebés tienen entre seis y nueve meses, van perdiendo gradualmente esa sensibilidad general. Sus cerebros se especializan, entrenándose para reconocer los fonemas de la lengua (o lenguas) que más oyen. Kuhl describe este proceso como «comprometerse neuralmente» con un idioma. Las rutas neuronales más utilizadas se fortalecen, mientras que las menos usadas se debilitan.

La esperanza de Aigner-Clark era que sus cintas de audio entrenaran a los niños a reconocer fonemas de una amplia variedad de lenguas, en esencia impidiendo la especialización neural. Oír esas lenguas en una época temprana de la vida les ayudaría a aprender muchos idiomas extranjeros más adelante.

En 1997, el producto de Aigner-Clark parecía estar basado en la investigación de Kuhl. Pero esto es muy paradójico, porque en los años que han transcurrido desde entonces, los sucesivos descubrimientos de Patricia Kuhl han ayudado a explicar por qué los DVD para bebés *no* funcionan.

En primer lugar, en un estudio longitudinal, Kuhl mostró que el compromiso neural con una lengua primaria no es algo perjudicial. Cuanto más «comprometido» esté el cerebro de un bebé a los nueve meses de edad, mejor hablará a los tres años. Cuando tienen una conexión más débil, los niños no progresan tan rápido, y esto parece tener un impacto duradero.

En segundo lugar, Kuhl continuó descubriendo que los cerebros de los bebés no aprenden a reconocer en absoluto los fonemas de una lengua extranjera cuando los escuchan de una cinta de vídeo o de audio. Pero aprenden con absoluta eficacia de un profesor de carne y hueso. De hecho, sus cerebros son tan sensibles al discurso humano en vivo que Kuhl fue capaz de entrenar a bebés norteamericanos para que reconociesen fonemas del mandarín (que nunca habían oído antes) en sólo doce sesiones con sus estudiantes chinos graduados, que se sentaban delante de los niños durante veinte minutos, jugando con ellos mientras les hablaban en mandarín. Después de hacer tres sesiones semanales, al final del mes los cerebros de esos bebés podían reconocer los fonemas del mandarín tan bien como los cerebros de los niños chinos que los habían oído durante toda su corta vida.

Pero cuando Kuhl puso a bebés americanos delante de una cinta de vídeo o de audio que hablaba en mandarín, sus cerebros no absorbieron nada. Habrían obtenido el mismo resultado escuchando ruidos sin sentido. Esto ocurrió a pesar de que los niños parecían estar muy absortos en los videos. Kuhl concluyó: «Los aspectos más complejos del lenguaje, como la fonética y la gramática, no se adquieren mediante la exposición a la televisión».

Consecuentemente, podemos concluir que los DVD para bebés *no* retrasan el compromiso neural; más bien, no tienen prácticamente ningún efecto sobre el procesamiento auditivo.

Aquí la paradoja no hace sino profundizarse. Es posible que hayas notado que todos estos investigadores son de la Universidad de Washington. Kuhl y Meltzoff son codirectores del mismo laboratorio. Entonces, cuando Iger, el director general de Disney, atacó a los investigadores de la revista *Pediatrics*, estaba atacando a los mismos laboratorios e instituciones que la serie de videos *Baby Einstein* había aclamado cuando publicó originalmente su DVD «Lenguaje de parvulario».

La cuestión es: ¿por qué necesita el niño a un orador humano vivo del que aprender el lenguaje? ¿Por qué los bebés no aprenden nada de las cintas de audio de un DVD específico para ellos, mientras que su lenguaje no se ve dificultado por la exposición a la televisión normal?

Las evidencias sugieren que uno de los factores que operan en este caso es que los DVD para bebés confían en voces desencarnadas, que no guardan relación con las imágenes abstractas de la pista de vídeo. Entre tanto, la televisión para adultos muestra a actores vivos, generalmente en primeros planos, y los bebés pueden ver sus rostros cuando hablan. Los estudios han demostrado repetidamente que ver la cara de la persona marca una gran diferencia.

Los bebés aprenden a descifrar el discurso en parte leyendo los labios: observan cómo la gente mueve los labios y la boca para producir sonidos. Una de las primeras cosas que tienen que aprender –antes de poder entender los significados de las palabras– es cuándo acaba una palabra y comienza otra. Sin segmentación, las expresiones de los adultos les suenan a los bebés aproximadamente igual que sus propios balbuceos. A los siete meses y medio, pueden segmentar las palabras de las personas a las que ven hablar. No obstante, si escuchan hablar mientras miran una forma abstracta en lugar de un rostro, no pueden segmentar los sonidos: una vez más, el discurso es un galimatías interminable. (Incluso para los adultos, ver los labios de alguien mientras habla equivale a un incremento de 20 decibelios en el volumen.)

Cuando el niño ve a alguien hablar y escucha su voz, hay dos «atractores» sensoriales –dos sucesos simultáneos que le indican que preste atención a éste único objeto de interés, a este momento de interacción humana–. El resultado es que el niño se concentra más, recuerda el suceso y aprende mejor. Compara esto con las voces desencarnadas y las imágenes de los videos infantiles. Los impactos sensoriales no se acumulan uno sobre otro, sino que compiten entre sí.

¿Funcionarían mejor los DVD para bebés si mostraran rostros humanos hablando? Posiblemente. Pero hay otra razón –una razón más poderosa– por la que el aprendizaje de la lengua no se puede dejar en manos de los DVD. Los programas de vídeo no pueden interactuar con el bebé, respondiendo a los sonidos que él hace. La razón por la que esto es tan importante exige una explicación cuidadosa.

Al plantearnos cuáles serían las suposiciones básicas de los padres con respecto a la adquisición del lenguaje, decidimos entrevistar a algunos y preguntarles por qué creían que unos niños aprendían a hablar mucho más rápido que otros. Preguntamos específicamente por dos niños que tuvieran el desarrollo típico, sin problemas de discurso ni de audición.

La mayoría de los padres admitieron que no lo sabían, pero habían absorbido algunos datos aquí y allá para tener opiniones más informadas. Uno de estos padres era Anne Frazier, madre de Jon, de diez meses, y abogada de una prestigiosa firma legal de Chicago; estaba trabajando a tiempo parcial hasta que Jon cumpliera un año. Frazier tenía muchos clientes chinos, y antes de tener a Jon viajaba ocasionalmente a Asia. Había intentado aprender mandarín, pero sus esfuerzos fueron en vano. Entonces decidió que ya era demasiado mayor –su cerebro había perdido la plasticidad necesaria–, y por eso estaba determinada a que su hijo empezara joven. Cuando vestía o alimentaba a su bebé, ponía las noticias de televisión en chino como trasfondo. Nunca se sentaban exclusivamente a ver televisión –pensaba que eso no sería bueno para Jon–, pero intentó asegurarse de que su hijo oyera veinte minutos diarios de mandarín. Pensó que eso no le podía hacer ningún daño.

Frazier también asumió que Jon demostraría tener cierta habilidad verbal innata, y que eso se vería afectado por la cantidad de palabras habladas que oyera. Como tenía la sensación general de que debía hablarle a su hijo constantemente, lo sometía a un auténtico aluvión de palabras: «No dejaba de hablar en todo el día –afirmó–. Cuando íbamos a hacer recados, o a dar un paseo, le describía lo que veía por la calle, los colores y todo lo demás. Para una madre es muy fácil perder la voz».

Cuando describía estas prácticas, Frazier parecía exhausta: «Me resultaba difícil continuar hablándome a mí misma constantemente –confesó–. Los niños pequeños no contribuyen nada a la conversación».

Esta historia es similar a muchas que hemos oído. Los padres no recuerdan bien los detalles, pero se ha corrido la voz de que la habilidad innata no es el único factor que cuenta: los niños criados en los hogares donde se habla mucho desarrollan sus habilidades verbales con más rapidez. Ésta también es la premisa general de los libros de consejos para nuevos padres, que generalmente dedican una página a recordarles que le hablen mucho a su bebé, y también que lo hagan cuando están cerca de él. Un nuevo producto cuyas ventas se han disparado es el «pedómetro verbal», un aparato sofisticado, del tamaño de un teléfono móvil, que puede ponerse en un bolsillo del bebé o en el asiento del cochecito. Cuenta la cantidad de palabras que el bebé escucha a la hora o al día.

Muchos investigadores que estudian la exposición de los bebés al lenguaje usan el pedómetro verbal. Esta herramienta está inspirada en un famoso estudio longitudinal realizado por los doctores Betty Hart y Todd Risley, de la Universidad de Kansas, publicado en 1994.

Hart y Risley fueron a casa de muchas familias que tenían un bebé de entre siete y nueve meses de edad. Grabaron en vídeo una hora de interacciones mientras uno de los padres lo alimentaba o hacía sus tarea cerca de él, y repitieron esto una vez al mes hasta que los niños tuvieron tres años. Transformando esforzadamente esas cintas en datos, Hart y Risley descubrieron que los niños de familias que recibían subsidios sociales oían una media de 600 palabras al día; los de familias trabajadoras, unas 900, y los de las clases profesionales, 1.500. Estas diferencias no hacían sino aumentar cuando los niños empezaban a gatear, no porque los padres les hablaran a sus hijos más frecuentemente, sino porque se comunicaban con frases más complejas, lo que incrementaba el recuento de palabras.

Estar expuestos a un lenguaje rico guardaba una intensa correlación con el vocabulario resultante de los niños. En su tercer cumpleaños, los hijos de padres profesionales tenían como media un vocabulario hablado de 1.100 palabras, mientras que la expresividad de los hijos de familias subsidiadas se veía reducida a la mitad, pues usaban una media de 525 palabras.

La complejidad, variedad y cantidad de vocablos que el niño escucha ciertamente es un factor importante en la adquisición del lenguaje. Pero no ha quedado científicamente demostrado que el mero hecho de escuchar muchas palabras sea el factor dominante y crucial. Por su parte, Hart y Risley enumeraron muchas otras variables que también intervienen, y todas ellas guardaban relación con la velocidad a la que los niños aprendían a hablar.

Además, a los términos que los niños suelen oír más frecuentemente en el idioma inglés, como «era», «de, «que», «en» y «algunos», se los llama palabras «de clase cerrada». Sin embargo, éstas son las que aprenden con más lentitud, y generalmente no las pronuncian hasta su segundo cumpleaños. Lo primero que aprenden los niños son los nombres, aunque son las palabras menos recurrentes en el habla natural de los padres hacia sus hijos.

El paradigma básico –que el lenguaje del niño es una función directa de la cantidad de estímulos orales que recibe– tampoco explica por qué dos niños con similares experiencias hogareñas (ambos podrían tener madres con un alto grado de educación, por ejemplo) pueden necesitar periodos de tiempo muy diferentes para adquirir el lenguaje.

Hace una década el trabajo de Hart y Risley estaba en la vanguardia de la investigación sobre el proceso de aprender a hablar, y sigue siendo uno de los estudios más citados de todas las ciencias sociales. Pero a lo largo de los últimos diez años otros investigadores han estado volando por debajo del radar, desentrañando qué le ocurre exactamente al niño durante los dos primeros años para pasar del balbuceo al discurso fluido.

Si existe una gran lección en esta novísima ciencia, es la siguiente: el paradigma básico ha cambiado. El flujo de información que más importa va en la dirección opuesta a lo que habíamos asumido previamente. El papel central de los padres no consiste en dirigir grandes cantidades de palabras a los oídos del bebé, sino más bien en notar lo que está surgiendo de él y responder consecuentemente: lo que sale de su boca, de sus ojos y de sus dedos. Si, como Anne Frazier, piensas que el bebé no contribuye a la conversación, te estás perdiendo algo verdaderamente importante.

De hecho, uno de los mecanismos que ayuda al bebé a hablar no tiene que ver con el discurso paterno: no se trata de lo que el niño *oye* de los padres, sino de lo que éstos consiguen con una caricia amorosa y oportuna.

La doctora Catherine Tamis-LeMonda, de la Universidad de Nueva York, ha dedicado la última década a buscar específicamente la capacidad de respuesta de los padres a sus hijos, y el impacto que esto tiene en el desarrollo del lenguaje. En asociación con el doctor Marc Bornstein, de los Institutos Nacionales de Salud, la doctora LeMonda envío equipos de investigadores a hogares de familias con bebés de nueve meses. En su mayor parte, se trataba de familias de buena posición económica y con padres con un alto nivel de educación que vivían en el área de la ciudad de Nueva York. Los investigadores pusieron en el suelo algunos juguetes apropiados para la edad de los niños y le pidieron a la madre que jugara con su hijo durante diez minutos.

Estas interacciones fueron grabadas en vídeo, y posteriormente las cintas de diez minutos fueron examinadas segundo a segundo. Se anotaba cada vez que el bebé miraba a la madre, o balbuceaba, o trataba de alcanzar un juguete. Los niños hicieron esto, como media, unas 65 veces durante los diez minutos, pero con la diferencia de que algunos estaban muy tranquilos ese día y otros muy activos. También se anotaba cada vez que la madre respondía de manera inmediata. Las mamás podían decir: «Bien hecho», o «Esto es una cuchara», o «Mira aquí», y respondían aproximadamente el 60% de las veces. Las respuestas tardías, o fuera de tiempo (más de cinco segundos), se categorizaban por separado.

Seguidamente, los investigadores telefonearon a las madres todas las semanas a lo largo del año siguiente para hacer un seguimiento de las nuevas palabras que el niño estaba aprendiendo, guiados por una lista de 680 vocablos y frases que un pequeño de esa edad podría conocer. Esto creó un registro muy preciso del progreso de cada niño. Además, se repetía la sesión de grabación de vídeo cuando el niño tenía trece meses para obtener un segundo registro de la capacidad de respuesta de la madre.

Como media, los niños del estudio Tamis-LeMonda dijeron su primera palabra justo antes de cumplir los trece meses. A los dieciocho meses, el niño medio tenía un vocabulario de 50 palabras, y era capaz de combinarlas, e incluso usaba el lenguaje para hablar del pasado reciente. Pero dentro de esta muestra había una gran variabilidad, ya que algunos alcanzaban ese nivel mucho antes y otros mucho después.

La variable que mejor explicaba estas diferencias era la frecuencia con que la madre respondía rápidamente a las vocalizaciones y exploraciones del niño. Los bebés de las madres que más respondían tenían una gran ventaja: iban seis meses por delante de aquellos cuyas madres menos lo hacían. Decían su primera palabra a los diez meses, y alcanzaban otros indicadores significativos a los catorce.

Recuerda, todas las familias de esta muestra eran acomodadas, de modo que los niños estaban expuestos a un extenso vocabulario parental. Todos ellos oían hablar mucho. La frecuencia con la que una madre empezaba una conversación con su hijo no predecía los resultados del pequeño con el lenguaje; lo importante era que si el niño comenzaba la conversación, la madre respondiera.

«No podía creer que los tiempos de desarrollo de los niños pudieran ser tan cambiantes –recuerda Tamis-LeMonda–. Estos cambios eran muy drásticos». Y apuntó a dos posibles mecanismos para explicarlo. En primer lugar, a través de esta pauta pregunta-respuesta, el cerebro del bebé aprende que los sonidos que salen de su boca afectan a sus padres y captan su atención: que pronunciar es importante, y no algo carente de significado. En segundo lugar, el niño tiene que asociar un objeto con la palabra correspondiente, de modo que ha de oír la palabra cuando mira o agarra dicho objeto.

En uno de sus informes, Tamis-LeMonda compara a dos niñas pequeñas de su estudio, Hannah y Alyssa. A los nueve meses de edad, ambas podían entender unas siete palabras, pero aún no decían ninguna. Hannah vocalizaba y exploraba sólo la mitad de las veces que Alyssa, que lo hizo en 100 ocasiones durante los diez minutos de grabación. Pero la mamá de Hannah estaba significativamente más dispuesta a responder: perdía muy pocas oportunidades de contestar a su hija, y describía aquello que la niña estaba mirando el doble de veces que la madre de Alyssa. A los trece meses, esta diferencia se confirmó: la mamá de Hannah respondía el 85% de las veces, mientras que la de Alyssa lo hacía aproximadamente el 55% de las ocasiones.

Entre tanto, Hannah se estaba convirtiendo en una charlatana, mientras Alyssa progresaba con lentitud. Y la brecha no dejó de aumentar a medida que transcurría el tiempo. Durante su mes dieciocho, Alyssa añadió 8 nuevas palabras a su vocabulario productivo, mientras que en el mismo periodo Hannah añadió la fenomenal cantidad de 150 palabras, 50 de las cuales eran verbos y adjetivos.

A los veintiún meses, las frases más complicadas que decía Alyssa eran: «Me hago pis» y «Adiós, mamá», mientras que Hannah usaba regularmente preposiciones y gerundios, y decía frases como: «Yoni estaba comiendo un bollo de cebolla». Cuando cumplió los dos años ya era imposible hacer un seguimiento del lenguaje de Hannah porque podía decir prácticamente cualquier cosa.

Esta variable –cómo responden los padres a las vocalizaciones de su hijo en el momento preciso– parece ser el mecanismo más poderoso para llevar al niño del balbuceo al discurso fluido.

Ahora bien, si revisamos el estudio de Hart y Risley a la luz de los descubrimientos de Tamis-LeMonda, este mismo mecanismo se hace aparente. Según los datos de los primeros, los padres de clase baja empiezan tantas conversaciones con sus hijos como los de clase alta (aproximadamente una cada dos minutos). Estos inicios de conversaciones de los primeros eran incluso un poco más ricos en palabras que los de los segundos. Pero la verdadera diferencia consistía en cómo *respondían* los padres a las acciones y al discurso de sus hijos.

Los padres acomodados respondían a lo que sus hijos balbuceaban, decían o hacían unas 200 veces por hora: cualquier respuesta oral o contacto con la mano ya contaban. Cada vez que el niño hablaba o hacía algo, sus progenitores le respondía rápidamente. Sin embargo, los padres que vivían de subsidios respondían a las palabras y a la conducta de sus hijos con una frecuencia de menos de la mitad, pues estaban ocupados en sus tareas y tenían familias más grandes. (El análisis posterior del doctor Gary Evans mostró que la capacidad de respuesta de los padres también quedaba reducida al vivir en hogares multitudinarios; el apiñamiento hace que las personas se retiren psicológicamente, haciendo que se respondan menos unas a otras.)

Los conocimientos obtenidos por Tamis-LeMonda se basan en correlaciones; en sí mismos, no prueban que la capacidad de respuesta de los padres sea la *causa* de que los niños aceleren su producción lingüística. Para estar realmente convencidos de que un factor produce el otro, tenemos que hacer experimentos controlados en los que los padres aumenten su capacidad de respuesta, y comprobar si esto produce incrementos en tiempo real en la vocalización de los niños.

Por fortuna, estos experimentos ya han sido realizados por el doctor Michael Goldstein, de la Universidad Cornell, quien consigue que los bebés cambien su manera de balbucear en sólo diez minutos.

La primera vez que una madre y su hijo llegan a una cita en el laboratorio de Michael Goldstein, en el edificio de psicología del campus de la Universidad Cornell, no sienten mucho interés. Simplemente se los introduce durante media hora en una habitación tranquila con algunos juguetes para que se acostumbren al entorno. Las paredes son blancas y están decoradas con pegatinas de Winnie the Pooh. La alfombra, de color marrón claro, resulta cómoda cuando uno se sienta en ella. En el suelo se ven muchos de los juguetes que el niño podría tener en su casa: un gusano de medir de vivos colores, anillos apilados, una colchoneta-juguete con formas desmontables y un armario con juguetes por explorar. En tres puntos de la sala hay cámaras de vídeo sujetas a las paredes, cubiertas con telas blancas para pasar desapercibidas. Mamá sabe muy bien que la están observando, tanto a través de la cámara como mediante una gran pantalla de cristal que sólo permite ver en una dirección. Pero, por lo demás, éste es un momento agradable para interactuar con su bebé porque no pueden distraerlo el teléfono móvil ni las tareas del hogar. El bebé se sube al regazo de mamá, se lleva los juguetes a la boca y, si puede gatear, tal vez se alce para mirar dentro del armario de los juguetes.

Al día siguiente, ambos vuelven. En el experimento inicial de Goldstein al bebé de nueve meses se le ponen unos pantalones vaqueros con peto que incorporan un micrófono inalámbrico muy sensible en el bolsillo del pecho. A la madre se le dan un par de auriculares inalámbricos que le permiten oír a su bebé. Se los devuelve a la habitación de los juegos y se les pide que jueguen uno con otro de manera natural. A los diez minutos suenan las instrucciones del investigador por los altavoces. Cuando mamá oye la instrucción «adelante», tiene que acercarse a su bebé, acariciarlo y tal vez darle un beso.

La mujer no sabe por qué le dan esta instrucción. Ella sólo sabe que, a lo largo de los próximos diez minutos, oirá «adelante» muchas veces, casi seis por minuto. Tal vez note que su bebé está vocalizando más –o que está moviendo los brazos y los pies con más frecuencia–, pero desconoce qué produce todo esto. Durante los últimos diez minutos, se le pide que simplemente vuelva a jugar e interactuar con su hijo de manera natural.

Cuando la madre y el niño se van, ella casi no tiene ni idea de lo que han estado haciendo los investigadores. Se ha limitado a hablar y jugar con su hijo durante dos periodos de media hora.

Y esto es lo que ha estado ocurriendo al otro lado del panel de cristal: durante ese periodo intermedio de diez minutos, cada vez que el niño emitía un sonido con la voz (a diferencia de una tos, un gruñido o una pedorreta), podía ser oído con claridad en la sala de observación a través de los micrófonos. Inmediatamente, el investigador le decía a la madre «adelante», y en el plazo de un segundo ésta había tocado afectuosamente al niño. Más adelante, esa misma noche, un alumno graduado se sentaba a observar la cinta detenidamente y a tomar notas, haciendo un seguimiento de la frecuencia con que el niño balbuceaba y de la calidad del sonido emitido.

Si bien todos los balbuceos de los bebés pueden sonar como un galimatías, en realidad se da un progreso de etapas superpuestas, y cada tipo de balbuceo es más maduro y avanzado que el anterior: «El tracto vocal está controlado por no menos de ochenta músculos, y hace falta un año o más para conseguir controlarlo», explicó Goldstein. Desde el nacimiento, los niños emiten sonidos vocales «cuasi resonantes». Usan la parte posterior del tracto vocal con la garganta cerrada y un poco de ayuda de la respiración. Como la laringe aún no ha descendido, el aliento pasa por la boca y por la nariz. El resultado es nasal y chirriante, y a menudo suena como si el bebé se mostrara quejoso (lo cual no es el caso).

Si bien el niño tardará varios meses en ser capaz de realizar el sonido correspondiente a la etapa siguiente, sigue produciéndose una interacción muy importante con los padres. Ellos básicamente se turnan para «hablar», como si estuvieran teniendo una falsa conversación. El bebé balbucea, y papá responde: «¿Es eso cierto?». El bebé vuelve a balbucear, y papá, en broma, responde: «Bueno, bueno, se lo preguntaremos a mamá».

La mayoría de los progenitores parecen intuir espontáneamente cuál es su papel en esta supuesta conversación sin que ningún manual se lo diga, pero no todos lo hacen igual de bien. Un notable estudio sobre este proceso de conversar por turnos descubrió que cuando los niños de cuatro meses y sus padres exhibían un mejor acoplamiento rítmico, posteriormente esos niños tenían más capacidad cognitiva.

Según Goldstein: «Estas conversaciones por turnos dirigen el desarrollo vocal, empujan a los bebés a hacer sonidos más sofisticados».

Los padres se dan cuenta de que les hablan a sus bebés con una cadencia de canción sin saber por qué se sienten extrañamente impulsados a hacerlo. Siguen usando su idioma natal, pero la nota emocional aumenta vertiginosamente y las vocales quedan estiradas, con unos contornos tonales muy exagerados. Esto no es algo cultural, es casi universal, y las cualidades fonéticas ayudan a los cerebros infantiles a discernir los sonidos concretos.

En torno los cinco meses de edad, el bebé ha conseguido el suficiente control de los músculos del tracto vocal como para abrir la garganta y expulsar el aliento produciendo ocasionalmente vocales «plenamente resonantes». «Para la madre de un niño de cinco meses –dijo Goldstein –oír un sonido plenamente resonante de su bebé es un asunto importante. Es muy emocionante.» Si la respuesta materna está bien acompasada, el cerebro del niño nota la atención extra que le procuran estos nuevos sonidos. Esta respuesta selectiva lo impulsa a hacer sonidos más plenamente resonantes. Llegados a este punto, los padres empiezan a desacompasarse, respondiendo a todos los viejos sonidos, puesto que los han oído muy frecuentemente.

El bebé pronto añade «sílabas marginales», transiciones consonante-vocal –en lugar de «goo» y «coo», algo más como «ba» y «da»–, usando los articuladores de la parte anterior de la boca. No obstante, la transición de la consonante a la vocal requiere un tiempo, puesto que la lengua, los dientes y la hendidura superior no pueden apartarse a la velocidad suficiente, haciendo que el sonido vocal quede distorsionado. (Ésta es la razón por la que muchos de los primeros sonidos del bebé empiezan por B o D, ya que son las primeras consonantes que los músculos pueden hacer.)

Ya a los seis meses, aunque es más común hacia los nueve, los niños empiezan a producir algunas «sílabas canónicas», las componentes básicas del discurso adulto. La transición consonante-vocal es rápida, y la respiración también. El niño casi está preparado para combinar sílabas y formar palabras. «En nuestro estudio hemos usado bebés de nueve meses porque habitualmente a esa edad aún expresan los cuatro tipos de balbuceo», dijo Goldstein. La mayoría sigue con el balbuceo vocal cuasi resonante, y las sílabas canónicas aún son una rareza.

Teniendo en cuenta esta escala de desarrollo, resulta sorprendente oír la diferencia en la vocalización del bebé en el curso del experimento de Goldstein. Durante los primeros diez minutos (ese periodo básico en el que mamá responde como podría hacerlo en casa), el niño medio vocaliza en unas 25 ocasiones. Esta cantidad aumenta a 55 veces durante el lapso intermedio de diez minutos, cuando a mamá le dan la instrucción «adelante». La complejidad y la madurez de los balbuceos también se disparan drásticamente; ahora, casi todas las vocales se pronuncian completamente, y mejora la formación de sílabas. Las sílabas canónicas, antes infrecuentes, ahora se pronuncian como media la mitad de las veces.

En mi opinión, estos resultados son asombrosos: los niños suenan literalmente como si tuvieran cinco meses más durante el segundo periodo de diez minutos que en el primero.

«Aquí es importante indicar que el niño no está imitando los sonidos de los padres», afirma Goldstein.

Durante esos diez minutos intermedios, la madre sólo estaba acariciando al bebé para premiar sus balbuceos. El niño no oía gran cosa de la boca de su madre. Pero el contacto, por sí mismo, tenía un notable efecto en la frecuencia y madurez de sus balbuceos.

Goldstein repitió el experimento pidiéndoles a los padres que les hablaran a sus hijos además de tocarlos. Les dijo específicamente a la mitad de ellos el sonido vocal que tenían que hacer, y a la otra mitad les dio una sílaba vocal-consonante parecida a una palabra, como «dat». Los bebés que oyeron más vocales pronunciaron más vocales, y los que oyeron sílabas pronunciaron más sílabas. Una vez más, los bebés no repetían la vocal o consonante-vocal. Más bien adoptaban el patrón fonético. Los padres que decían «ahh» podían escuchar «ee» o bien «oo» de su bebé, y los que decían «dat» podían escuchar «bem». A esta tierna edad, los niños aún no intentan repetir el sonido que hacen los padres; están aprendiendo las transiciones vocal-consonante, que pronto generalizarán a *todas* las palabras.

Hasta cierto punto, la investigación de Goldstein parece haber desentrañado el secreto de aprender a hablar: les ha dado a los padres anhelantes un mapa para acelerar el aprendizaje de sus hijos. Pero tiene mucho cuidado y les advierte que no deben hacerlo demasiado: «Los niños necesitan descansar para que sus cerebros consoliden lo aprendido –señala–. A veces simplemente necesitan jugar solos y balbucear para sí mismos». También cita una larga lista de conocimientos, que se remontan a B. F. Skinner, sobre el hecho de que los premios intermitentes acaban teniendo más efecto que los que se ofrecen constantemente.

Y para que los padres no saquen a sus hijos de la guardería para asegurarse de que obtienen un número suficiente de respuestas, Goldstein añade: «La mezcla de respuestas que recibe el bebé en una guardería de calidad es probablemente la ideal».

Tamis-LeMonda también advierte contra la sobreestimulación. Sus mamás no respondían con tanta constancia a sus hijos *durante todo el día*: «En mi estudio, a las madres se les dijo que se sentaran y jugaran con sus hijos y los juguetes. Pero la misma madre, cuando alimenta al bebé, podría responder únicamente el 30% de las veces. Y cuando el niño está jugando en el suelo mientras mamá cocina, podría responder sólo un 10% de las ocasiones. Cuando leen libros juntos, el niño vuelve a tener una alta tasa de respuestas».

Goldstein hace otras dos advertencias para los padres que responden con entusiasmo a la idea de usar esta investigación para ayudar a sus bebés. Su principal preocupación es que un padre muy dispuesto a aumentar su cantidad de respuestas podría cometer el error de reforzar excesivamente los sonidos menos resonantes cuando el bebé ya está preparado para progresar, ralentizando así su desarrollo. De esta manera premiaría a su hijo por sonidos inmaduros, haciendo que fuera demasiado fácil conseguir la atención del progenitor. Aún desconocemos en qué medida los padres deberían dejar de responder a los sonidos inmaduros y hacerse más selectivos en sus respuestas en un entorno natural.

La segunda clarificación de Goldstein viene de un estudio del que fue coautor con su compañera de Cornell, la doctora Jennifer Schwade. Tal como Goldstein está especializado en el primer año de vida del niño, Schwade se especializó en el segundo año, cuando los pequeños aprenden sus primeras 300 palabras. Una manera que tienen los padres de ayudar a sus hijos es jugar a «etiquetar objetos», diciéndoles: «Esto es tu andador», «¿Ves esa flor?» o «Mira a la luna». Los bebés aprender mejor a etiquetar objetos cuando los padres esperan a que sus ojos se posen sobre ellos de manera natural. La técnica es especialmente poderosa cuando el bebé mira *y* vocaliza, o cuando mira *y* apunta. En el caso ideal, los padres no se inmiscuyen ni dirigen la atención del niño; más bien, pronuncian el nombre de lo que él indica. Cuando etiquetan en el momento oportuno, el cerebro del niño asocia el sonido con el objeto.

Los padres pueden arruinar este proceso de dos maneras. La primera es tomando la iniciativa en lugar de dejar que sea el niño el que muestre su interés y curiosidad. La segunda es cuando ignoran lo que el niño está mirando y *se fijan en lo que creen que está tratando de decir*.

El bebé, sosteniendo una cuchara, podría decir: «Buh, buh», y el padre excesivamente atento piensa: «Acaba de decir 'biberón', quiere su biberón», y repite al bebé: «Biberón, ¿quieres tu biberón? Te lo voy a dar». Inadvertidamente, le ha dado una información errónea al bebé, enseñándole que una cuchara se llama «biberón». Según las investigaciones de Goldstein y Schwade, algunos padres realizan este tipo de equivocaciones el 30% del tiempo. De hecho, a los nueve meses, es muy posible que el bebé no se refiera a nada y sólo esté pronunciando una sílaba canónica. Pretender que está pronunciando palabras cuando aún no es capaz de hacerlo puede causar problemas.

Cuando los niños tienen nueve meses, una buena etiquetación de objetos tiene una fuerte correlación positiva (81%) con su vocabulario seis meses después. Las etiquetas erróneas –como decir «biberón» cuando el bebé está sosteniendo una cuchara– tuvieron una correlación extremadamente negativa con el vocabulario resultante (68%). ¿Qué significa esto en términos de la vida real? En el estudio de Schwade, la madre que mejor etiquetaba los objetos tenía una hija de quince meses que entendía 246 palabras y pronunciaba 64. En cambio, la madre que daba más mensajes cruzados tenía una hija de quince meses que sólo entendía 61 palabras y pronunciaba 5.

Según la investigación de Schwade, etiquetar objetos sólo es una de las maneras que tienen los adultos de ayudar a construir el lenguaje de los bebés. Una vez más, se trata de cosas que los padres tienden a hacer de manera natural, pero con distinto grado de pericia. En esta sección analizaremos cinco de esas técnicas.

Por ejemplo, cuando los adultos hablan con sus hijos sobre pequeños objetos, a menudo los giran, los sacuden o los mueven de alguna manera, generalmente sincronizando los movimientos con el tono de sus palabras. Este tipo de movimientos contribuyen mucho a enseñar cómo se mueve ese objeto. Mover objetos ayuda a atraer la atención del niño, convirtiendo ese momento en una experiencia multisensorial. Pero la ventana temporal para usar estos movimientos se cierra a los quince meses; a esa edad, los niños ya no necesitan el movimiento extra ni obtienen beneficio de él.

Tal como los datos multisensoriales ayudan, también es útil escuchar el habla de muchos oradores.

Los investigadores de la Universidad de Iowa han descubierto recientemente que los niños de catorce meses no aprenden una palabra nueva si sólo la oyen pronunciar a una persona, aunque la palabra se repita muchas veces. No parecen registrar el hecho de que se trata de un término que tienen que aprender. Seguidamente, en lugar de hacer que los niños escuchen a la misma persona muchas veces, se les hace escuchar la palabra pronunciada por distintos individuos. De esa manera la aprenden inmediatamente. Oír a muchos hablantes les da la oportunidad de entender que la fonética es la misma, aunque las voces cambien de tono y velocidad. Al oír las diferencias aprenden lo que es igual.

El niño promedio de dos años oye aproximadamente 7.000 expresiones al día. Pero no se trata de 7.000 expresiones únicas, y decodificar cada una de ellas no es un problema diferente. El niño ya está familiarizado con buena parte del discurso. De hecho, el 45% de las expresiones de las madres comienzan con una de estas 17 palabras (en países de habla inglesa): Que, eso, ello, tú, estás/no estás, yo, hago, es, un, querría, puedo/no puedo, donde, allí, quién, venir, mirar y vamos a. Los investigadores han localizado una lista de 156 combinaciones de dos o tres palabras con las que las madres comienzan dos tercios de las frases que les dicen a sus hijos.

Estas combinaciones de palabras que previsiblemente se repiten –y que se conocen como «marcos»– se convierten en el equivalente hablado de subrayar un texto o ponerlo en negrita. El niño ya conoce la cadencia y los fonemas de la mayor parte de la frase; sólo una pequeña parte de lo que se dice es completamente nuevo.

De modo que se podría pensar que los niños necesitan adquirir cierto número de palabras en su vocabulario para aprender algún tipo de gramática, pero ocurre lo contrario: la gramática enseña vocabulario.

Un ejemplo: durante años, los estudiosos han creído que los niños aprendían los nombres antes que los verbos; se asumía que han de aprender los nombres de los objetos antes de poder comprender las descripciones de las acciones. Entonces los investigadores fueron a Corea. A diferencia de los idiomas europeos, las frases en coreano suelen acabar con un verbo y no con un nombre. Allí, los niños de veinte meses con un vocabulario de menos de 50 palabras saben más verbos que nombres. Los primeros términos que aprenden son los últimos que se pronuncian, porque los oyen con más claridad.

Hasta que cumplen los dieciocho meses no pueden distinguir los nombres situados en medio de una frase. Por ejemplo, un niño podría conocer todas las palabras de la frase siguiente: «La princesa puso el juguete debajo de la silla». Sin embargo, al oír esta frase, aún no será capaz de entender qué le ocurre al juguete, porque esa palabra estaba en medio de la frase.

Los marcos verbales se convierten en marcos de referencia vitales. Cuando un niño oye: «Mira al ___», aprende rápidamente que ___ es algo nuevo que ver. Cualquier cosa que venga después de «no hagas» es algo que debería dejar de hacer, aunque aún no conozca las palabras «tocar» o «enchufe».

Sin marcos verbales, el niño trata de usar las pocas palabras que conoce en un contexto que puede ser adecuado o no. Este concepto clave –usar la repetición para destacar la variación– también es aplicable a la variación gramatical.

Los primos de los marcos son los «conjuntos de variación». En un conjunto de variación, el contexto y el significado de la frase permanecen constantes a lo largo de una *serie* de oraciones, pero el vocabulario y la estructura gramatical cambian. Por ejemplo, un conjunto de variación sería: «Raquel, llévale el libro a papá. Llévale el libro. Dáselo a papá. Gracias, Raquel, le has dado el libro a papá».

De esta manera, Raquel aprende que un «libro» también es «lo», y que otra palabra para «papá» es «le». Que «lleva» y «da» implican mover un objeto. Gramaticalmente, la niña ha oído un tiempo pasado del verbo «dar», que es posible que los nombres pasen de ser sujetos a ser complementos directos (y viceversa), y que los verbos pueden ofrecer instrucciones para actuar («dáselo») o bien ser la descripción de una acción realizada («has dado»).

Los conjuntos de variación son la especialidad de una colega de Schwade en la Universidad de Cornell, la doctora Heidi Waterfall. Dicho de manera simple, los conjuntos de variación son muy útiles para enseñar tanto sintaxis como palabras, y cuanto mayor sea la variación (en nombres, verbos, conjugación y ubicación), tanto mejor.

Desde los movimientos de los pequeños objetos hasta los conjuntos de variación, cada uno de estos elementos le enseña al niño qué es señal y qué es ruido. Pero la mejor manera de entender los beneficios de saber en qué enfocarse y qué ignorar es la investigación del «sesgo de la forma» (la tendencia a asumir que las categorías designadas por las palabras que describen objetos sólidos están organizadas en función de la forma, es decir, que la forma importa).

El mundo ofrece ejemplos muy confusos para muchos de los nombres de objetos que los bebés tratan de aprender. Objetos comunes, como camiones, perros, teléfonos y chaquetas vienen en todos los colores, tamaños y texturas imaginables. Ya a los quince meses de edad aprenden a darle sentido al mundo distinguiendo las formas que los objetos tienen en común, y evitando distraerse con otros detalles. Pero algunos niños se siente confusos con respecto a en qué enfocarse, y su falta de «sesgo de la forma» limita su flujo lingüístico.

En cualquier caso, el «sesgo de la forma» se puede enseñar. Las doctoras Linda Smith y Larissa Samuelson diseñaron un experimento en el que hacían que niños de diecisiete meses de edad fueran a su laboratorio durante siete semanas para «entrenarlos a reconocer las formas». Las sesiones eran increíblemente cortas: cada una de ellas sólo duraba cinco minutos y los niños aprendían a identificar tan sólo cuatro formas novedosas –«Esto es un *wug*. ¿Puedes encontrar el *wug*?»–. Eso era todo, pero el efecto era asombroso. Para esos niños, el vocabulario relacionado con los nombres de objetos creció un 256%.

Un bebé de nueve meses tiene un desarrollo normal si puede decir una sola palabra. Con la progresión adecuada sabrá entre 50 y 100 palabras en unos pocos meses. A los dos años, hablará unas 320, y un par de meses después más de 570. Entonces se abren las compuertas. A los tres, es probable que ya esté diciendo frases completas. Y cuando salga de preescolar es fácil que tenga un vocabulario de más de 10.000 vocablos.

Una cosa era aprender las técnicas progresivas (crear un andamiaje, buscar apoyo estructural) de Goldstein y Schwade, y otra diferente ver su poder en acción.

Ashley tuvo ocasión de hacerlo poco después de que volviéramos de la Universidad de Cornell, cuando se encontró con sus buenos amigos Glenn y Bonnie Summer, y su hija de doce meses, Jenna, para tomar una cena informal en Westwood, un área comercial de Los Ángeles. Ashley trata a Jenna como su sobrina, y le había comprado una pequeña camiseta de Cornell. Durante la cena, no pudo evitar probar alguna de las técnicas de etiquetar con la niña.

Cada vez que Jenna miraba algo, Ashley lo etiquetaba instantáneamente. Cuando la vista de la pequeña se paraba en el ventilador del techo, Ashley pronunciaba: «Ventilador». Y cuando sus oídos le llevaban a mirar el teléfono de pared del restaurante que alguien estaba descolgando, le decía: «Teléfono». Cuando Jenna balbuceaba, Ashley respondía inmediatamente con una palabra o una caricia física. Notó claramente las distintas etapas del balbuceo en el parloteo de Jenna.

Jenna se giró hacia su madre e hizo el gesto que suelen hacer los bebés para indicar «más», juntando las puntas de los dedos. Quería otro trozo de la nectarina que Bonnie había llevado para ella.

Después de darle la fruta a la niña, su madre se quejó: «Ha aprendido ese signo –una amiga mía se lo enseñó– y ahora no consigo que pronuncie la palabra 'más'. Antes la intentaba decir en voz alta, pero ahora se limita a hacer el signo. Lo detesto».

Ashley se sintió un poco culpable; ella también estaba jugando con las habilidades verbales de Jenna. Pero su culpa desapareció cuando notó que la pequeña balbuceaba notablemente más que antes. Estaba mirando directamente a Ashley cuando habló, usando más combinaciones vocal-consonante justo en el lugar adecuado. Ashley se sentía extasiada. Ella y su sobrina habían replicado los descubrimientos de Goldstein, incluso en el mismo marco temporal de quince minutos.

Envalentonada, Ashley les preguntó a los padres de Jenna si podía probar algo más. La niña tenía unos diez vocablos en su vocabulario hablado: «leche», «libro», «mama» y «adiós», entre otras. Pero sus padres aún no habían podido enseñarle una nueva palabra directamente. Como el experimento de Goldstein había funcionado tan bien, Ashley decidió probar con la lección de Schwade sobre los movimientos de los objetos. Tomó un trozo de nectarina y lo hizo danzar por el aire, diciendo:

—Fru-u-uta, Jenna, fru-u-ta. –Jenna miró con los ojos de par en par.

—Ahora hacedlo vosotros –instruyó Ashley a Glenn y Bonnie.

—Fruu-uuu-uuta –dijo Glenn, moviendo el siguiente trozo de nectarina arriba y abajo.

Su intento sonó parecido a un fantasma de Halloween. Ashley le aconsejó: con una entonación un poco más cantada, con un poco más de ritmo en el movimiento de la mano. Glenn lo intentó una segunda vez:

—Fruu-uuu-ta.

Puso el pedazo de nectarina frente a Jenna.

—Uuuta –dijo ella, tomando la pieza de la mesa.

Glenn se echó a reír, se giró hacia Ashley y dijo:

—No pensaba que fuera a funcionar tan rápido.

Ashley tampoco lo esperaba. Jenna continuó repitiendo su nueva palabra hasta que se vació la bolsa. No hace falta añadir que antes de que acabaran la cena los padres de la pequeña estaban etiquetando objetos y haciendo movimientos manuales el doble de veces que antes. Al día siguiente, usaron los movimientos manuales para enseñarle las palabras «calcetín» y «zapato». Desde entonces, sus respuestas a los balbuceos de Jenna han aumentado, y han notado la diferencia.

En las décadas de los cincuenta y los sesenta, el lingüista del Instituto Tecnológico de Massachusetts Noam Chomsky alteró la dirección de las ciencias sociales con su teoría de una gramática universal innata. Chomsky argumentó que lo que los niños oyen, ven y se les enseña, en combinación, es demasiado fragmentado y desestructurado para explicar la rapidez con la que adquieren el lenguaje. La corriente de datos entrantes no puede explicar el discurso que sale de la boca del bebé. Chomsky destacó el hecho de que los niños pequeños pueden hacer mucho más que repetir las frases que han oído: son capaces de generar frases nuevas y únicas con una gramática casi perfecta sin haberla estudiado nunca. Por lo tanto, dedujo que los niños deben de nacer con una «estructura profunda», con cierto conocimiento subyacente de la sintaxis y de la gramática.

En la década de los ochenta, el lingüista era el estudioso vivo más citado en todos los trabajos académicos, y siguió en lo más alto hasta el fin del milenio.

No obstante, en las décadas siguientes se logró decodificar parcialmente los procesos de adquisición del lenguaje, y eso los desmitificó drásticamente. En lugar de que el lenguaje surja de algún esquema interno, cada paso de su aprendizaje parece ser función de los datos visuales y auditivos, de las respuestas producidas y del andamiaje intuitivo, todo lo cual dirige la atención del niño hacia la pauta relevante. El propio Chomsky ha considerado la importancia de los nuevos mecanismos descubiertos con relación al aprendizaje del lenguaje. En 2005, él y sus colegas escribieron en tono críptico: «Una vez que [la facultad del lenguaje] se fracciona en sus mecanismos componentes (un proceso difícil pero crucial), entramos en un reino donde es posible investigar empíricamente los mecanismos específicos a todos los niveles... Esperamos diversas respuestas a medida que se progrese en estos programas de investigación».

Esto no descarta la posibilidad de que alguna porción del conocimiento del lenguaje siga siendo innata, pero la parte que aún es inexplicable –y por tanto atribuida a la gramática innata– se reduce rápidamente.

Es posible aplicar un argumento similar a la idea que prevalece en nuestra sociedad de que tener mejores o peores habilidades verbales y de lectura es función de la habilidad verbal innata. Para un padre, estas habilidades *parecen* innatas porque, desde el momento en que su hija pudo hablar, fue precoz: repetía frases completas a los dos años, leía palabras a los tres y libros a los cuatro. Pero los padres no son conscientes de su propia influencia en esos primeros dos años: «Cuando los progenitores contemplan el desarrollo de sus hijos, sólo están viendo el resultado, no los mecanismos subyacentes –dijo Goldstein–. Nosotros sólo vemos los cambios significativos, de modo que los padres tienden a decir: 'Debe de ser algo innato'. Creo que la gente no es consciente de lo que aporta a los bebés».

Según un extenso estudio dirigido por el doctor Philip Dale, de la Universidad de Nuevo México, en el que se comparaba a gemelos idénticos con gemelos fraternos, sólo el 25% de la adquisición del lenguaje es atribuible a factores genéticos.

Por consiguiente, cabe preguntarse: los niños que empiezan pronto de pequeños, ¿conservan posteriormente su ventaja? ¿Significa el hecho de aprender a hablar pronto que el niño leerá mejor en primaria? ¿O los demás recuperan el retraso rápidamente cuando comienzan a hablar?

Los investigadores tienden a decir que *ambas* cosas son verdad. La ventaja es real, y sin embargo muchos niños recuperan y se ponen al día, y no muestran consecuencias a largo plazo. El doctor Bruce Tomblin, director del Centro de Investigación del Lenguaje Infantil de la Universidad de Iowa, indicó que las mediciones del lenguaje se vuelven muy estables cuando los niños están en primaria, pero antes de esa edad no lo son. «Las trayectorias de sus resultados futuros parecen espaguetis –dijo–. Lo único típico con respecto al desarrollo típico del lenguaje es la variabilidad».

Según Tamis-LeMonda, esto es particularmente cierto para los niños que empiezan a hablar tarde, aunque entienden muchas palabras con anterioridad: «A veces, un niño que parece ponerse al día en realidad no estaba retrasado originalmente; su acumulación de vocabulario se iba produciendo paso a paso, pero no hablaba mucho porque es tímido o porque aún no disponía de control motor».

El doctor Jesse Snedeker, de la Universidad de Harvard, ha estudiado cómo les va a los niños procedentes de otros países y adoptados por familias estadounidenses. Estos pequeños a menudo pasan su primer año, o años, en orfanatos y con familias de acogida en sus países de origen, y después pasan a estar con familias americanas con situaciones económicas desahogadas. Algunos de estos niños tienen dificultades de aprendizaje, pero «los adoptados que se desarrollan de la manera típica... se pusieron a la altura de sus iguales americanos en el plazo de tres años», concluye Snedeker. Esto es igualmente cierto tanto si eran a adoptados a la edad de un año como a la edad de cinco, e incluso a los diez.

No obstante, la tendencia general es clara: una primera ventaja en el lenguaje hablado puede ser muy significativa, al menos durante los primeros años de primaria. Volviendo al famoso estudio de Hart y Risley, de la Universidad de Kansas, el doctor Dale Walker analizó cómo les iba académicamente a esos niños seis años con posterioridad, en tercero, a los nueve años. Las mediciones de la longitud de las frases y la cantidad de vocabulario empleado realizadas a los tres años predijeron claramente sus habilidades verbales en tercero. La correlación era más evidente para la habilidad con la lengua hablada, y seguía siendo fuerte para la lectura, la escritura y otras mediciones de la habilidad verbal. No influía en las matemáticas, lo cual no fue una sorpresa; presumiblemente, una ventaja inicial en el uso del lenguaje no impulsaría todas las funciones cognitivas.

Es importante evaluar adecuadamente esta precocidad inicial con el lenguaje: se trata de una ventaja de partida, pero está lejos de ser una garantía: «El periodo de la primera infancia no es el único periodo crítico –dijo Tamis LeMonda–. En cada etapa surgen nuevas habilidades, y el desarrollo del vocabulario tiene que expandirse continuamente».

Conclusión

El mito de los superrasgos

Cuando Ashley y yo comenzamos este libro, elegimos intencionalmente no enfocarnos sólo en la capacidad intelectual de los niños. Los niños prodigio no eran nuestro objetivo; más bien nos interesaba una perspectiva más completa sobre las criaturas, incluyendo el desarrollo de sus brújulas morales, su comportamiento con sus compañeros, su autocontrol y su honestidad.

Elegimos este tema en lo que pareció ser un momento fortuito. A lo largo de los últimos diez años ha emergido una nueva rama de la psicología. En lugar de estudiar a los pacientes clínicos con patologías, los investigadores están aplicando sus habilidades en estudiar a las personas sanas y felices que prosperan, a fin de discernir cuáles son sus hábitos, sus valores y las características de su sistema nervioso. Este nuevo punto de partida nos ha llevado a comprender cosas sobre el fortalecimiento de las emociones positivas, como la tolerancia, la felicidad y la gratitud.

En un celebrado ejemplo, el doctor Robert Emmons, de la Universidad de California, en Davis, les pidió a sus estudiantes universitarios que hicieran un «diario de gratitud»: durante diez semanas los alumnos hacían listas de cinco hechos que habían ocurrido a lo largo de la última semana por las que se sentían agradecidos. Los resultados fueron sorprendentemente intensos: los estudiantes que participaban en este estudio eran un 25% más felices, se mostraban más optimistas con respecto al futuro y se ponían enfermos menos veces durante la prueba de control. Incluso hacían más ejercicio.

Emmons repitió su estudio, pero en esta ocasión los alumnos tenían que escribir algo por lo que se sentían agradecidos cada día durante dos semanas, y también envió cuestionarios sobre los participantes a sus amigos íntimos, pidiéndoles que los evaluaran en una variedad de mediciones. Quería saber si la sensación de mayor bienestar que tenían estos sujetos era algo más que un estado mental interno: ¿llegaba a influir en sus interacciones con los demás? La respuesta fue un sí rotundo. Sus amigos habían notado que estaban más dispuestos a ayudar y que les daban más apoyo emocional.

Los filósofos han hablado desde hace mucho tiempo de la importancia de la gratitud. Cicerón la llamó la madre de todas las demás virtudes. Shakespeare describió la ingratitud como un enemigo con el corazón de mármol, y dijo que esta característica en los niños era más horrible que un monstruo marino. Sin embargo, hasta la investigación de Emmons, no sabíamos realmente si la gratitud producía bienestar, o si simplemente era un derivado del bienestar. Es cierto que ambos factores surgen y desaparecen conjuntamente, pero Emmons mostró que era posible potenciar la gratitud de manera independiente, y que eso produciría más bienestar.

En sí mismo, esto no era exactamente extraordinario, pero en el contexto de las teorías sobre la felicidad, resultaba significativo. En 1971, dos estudiosos, Philip Brickman y Donald Campbell, describieron la condición humana como una «rueda de molino hedonista». En esencia, tenemos que trabajar duro para mantenernos en nuestro lugar en la sociedad. Incluso cuando nuestra situación mejora, la sensación de haber logrado algo sólo es temporal, porque nuestras expectativas y deseos hedonistas avanzan al mismo ritmo que nuestras circunstancias. Brickman y Campbell indicaron que los ganadores de la lotería no son más felices a largo plazo que los que no la ganan, y que los parapléjicos no son menos felices que los que tenemos las cuatro extremidades operativas. Argumentaron que esta situación era inevitable, debido a la estructura de nuestro sistema nervioso. Nuestros cerebros están diseñados para registrar nuevos estímulos y para no sintonizarse con los estímulos previsibles y cotidianos. Lo que verdaderamente notamos, y lo que nos afecta, son los cambios relativos y recientes. En cuanto éstos se vuelven estáticos, volvemos a nuestro nivel de bienestar básico.

El hecho de que nos adaptemos tan fácilmente puede ser positivo. Cuando la vida se derrumba, pronto nos acostumbramos a ello: esos cambios de circunstancias no tienen por qué incapacitarnos. Pero cuando sentimos que nuestra vida está bendecida y que las cosas están yendo bien, parece haber algo moralmente decrépito en nuestra manera de pasar por alto con tanta facilidad lo bien que nos va.

A lo largo de los últimos cuarenta años se han abierto muchas grietas en las teoría de Brickman y Campbell. En primer lugar, si bien la mayoría de la gente tiene un punto determinante de la felicidad, éste no es neutral y en realidad se trata de un estado bastante positivo. En todo el mundo, el 80% de las personas dicen ser bastante o muy felices. Asimismo, aunque los parapléjicos y los ganadores de lotería vuelvan a su punto de partida, otro tipo de personas (como media) nunca se recuperan del todo, como las viudas, los divorciados y los parados a largo plazo.

El trabajo de Emmons supone una grieta más en la teoría de la rueda de molino hedonista porque demuestra que es posible engañar conscientemente a la estructura neurológica que traemos de serie; al obligar a los estudiantes universitarios a prestar atención a la abundancia de sus vidas cotidianas, les hizo escapar de la percepción de estar atrapados en la rueda de molino.

Uno de los muchos individuos que se han sentido inspirados por los trabajos de Emmons ha sido el doctor Jeffrey Froh, profesor de psicología en la Universidad Hofstra, en Long Island. También era psicólogo del distrito escolar Half Hollow Hills, y pasaba buena parte de su tiempo en las escuelas e institutos locales. A Froh le sorprendieron el materialismo rampante y la sensación de «tener derecho a todo» que caracterizaba a la acaudalada juventud de Long Island: «Había BMW y Mercedes clase E en el aparcamiento del instituto –dijo Froh–. Y los jóvenes querían mantener cierto aspecto. Se vestían de manera inmaculada. Llevaban pantalones vaqueros de 200 dólares la pieza, y camisetas de cien dólares. Querían que sus compañeros supieran que no se los habían comprado en las rebajas, y que no eran imitaciones de las grandes marcas. También se centraban mucho en la universidad en la que habían sido admitidos, no por su valor educativo, sino por el estatus y el prestigio, por el renombre de ciertas universidades».

Froh vio en el trabajo de Emmons un posible antídoto para todo esto. Y ciertamente no estaba solo en esta visión. Las instituciones educativas, los columnistas de los periódicos y los consejeros de los padres empezaron a defender la idea de que los niños llevaran diarios de gratitud. Muchas escuelas comenzaron a incorporar ejercicios de gratitud a sus programas de estudios.

En cualquier caso, Froh pensó que estos esfuerzos se merecían tests científicos y un verdadero análisis. De modo que, con la ayuda de Emmons, empezó a dar forma a la primera prueba de gratitud para escolares.

Con la esperanza de ayudar a estos niños antes de que se convirtieran en alumnos de secundaria materialistas, fue a la escuela intermedia de Candlewood, en Dix Hills, Nueva York, y obtuvo la cooperación de los tres profesores que impartían «Familia y ciencia del consumidor» a los niños de los últimos cursos. En el experimento participaron 11 aulas con un total de 221 alumnos; estaban incluidos grupos de estudiantes de toda la escuela, incluyendo algunos niños avanzados y también de educación especial. A cuatro de las clases se les pidió que llevaran diarios de gratitud; se les dijo que una vez al día durante dos semanas «pensaran en lo ocurrido a lo largo de la última jornada y anotaran hasta cinco cosas de su vida por las que se sentían agradecidos».

Esto sólo exigía unos minutos al comienzo de cada clase. Algunas respuestas eran muy específicas: «Me siento agradecido de que mi madre no se volviera loca ayer, cuando rompí accidentalmente la mesa del patio»; otros apuntaban un suceso específico sin describirlo con detalle: «Mi entrenador me ayudó en el entrenamiento de béisbol»; muchos más hablaban en general: «Mi abuela tiene salud, mi familia sigue junta, mis familiares se quieren, y nos divertimos todos los días». Froh se alegró al comprobar que muy pocos de los elementos por los que los niños se sentían agradecidos tenían que ver con sus posesiones. Hubo muy poco materialismo, pero, incluso cuando surgía, se trataba de excentricidades, como el niño que se sentía agradecido por los libros de la serie *La guerra de las galaxias*. Parecía que los inventarios de gratitud estaban reorientando el enfoque de los niños.

Antes, durante y después del periodo de dos semanas, los profesores también distribuyeron cuestionarios para medir el nivel de satisfacción con la vida de los alumnos, así como su gratitud y sus emociones. Esto se repitió tres semanas después para comprobar si los beneficios eran duraderos. A los profesores nunca se les reveló el propósito del estudio para que no sesgaran los resultados; en su mayor parte, usaron los guiones escritos por Froh.

Al mismo tiempo, tres aulas actuaban como grupo de control; sus alumnos sólo rellenaron los cuestionarios y no hicieron nada más. A las cuatro últimas clases se les pidió que hicieran los cuestionarios y también un informe diario por escrito: tenían que hacer una lista de cinco discusiones o problemas que habían tenido ese día. Froh consideró esas cuatro clases como una especie de grupo de control alternativo para comprobar los efectos de abundar en lo negativo.

¿Cuál fue el impacto de contar las bendiciones de las que uno disfruta? No hubo ninguno.

Las cuatro clases que contaron sus bendiciones no experimentaron más gratitud que el grupo de control ni durante las dos semanas que duró el ejercicio, ni inmediatamente después, ni transcurridas tres semanas. La escritura del diario simplemente no tuvo el efecto esperado. En todas las etapas, las tres clases del grupo de control –que sólo hicieron los cuestionarios sobre el estado de ánimo– fueron las que más gratitud experimentaron de los tres grupos. Consecuentemente, los niños que hicieron el ejercicio no se mostraron más amistosos ni más dispuestos a ayudar a sus amigos. En general, no tenían un mayor nivel de satisfacción en la vida.

Sin embargo, curiosamente, estos resultados mediocres no anularon la expectación generada en torno al estudio de Froh. Parecía que el diario de gratitud era exactamente lo que los niños *deberían* hacer. Todos los implicados querían y esperaban que funcionase. Con tantas expectativas puestas en él, todo el mundo estaba dispuesto a considerar que la intervención había sido un éxito, independientemente de lo que mostraran los datos.

Los resultados del estudio se publicaron en un periódico notable. La escuela intermedia de Candlewood se sentía tan feliz con el ejercicio que sus administradores hicieron que lo repitieran sus más de 1.000 alumnos.

Los periódicos escribieron algunos artículos sobre el estudio de Froh, creando claramente la impresión de que había reproducido las conclusiones obtenidas por Emmons con los estudiantes universitarios. En ninguno de los artículos se habló de lo flojos que habían sido los resultados. Un año después, en el Día de Acción de Gracias, se produjo una nueva oleada de atención hacia el estudio, y se repitieron las mismas afirmaciones.

Una explicación de los artículos de la prensa podría venir de la distracción generada por los datos del grupo de control alternativo, las cuatro clases que abundaron cada día en los aspectos negativos. No es ninguna sorpresa que esos niños tuvieran unos datos estadísticos peores que los otros dos grupos. Pero había pocas pruebas de que llevar un diario de gratitud mejorara el nivel de felicidad de las personas. Lo único que el estudio probó es que abundar en lo negativo puede ser decepcionante.

¿Por qué habían sido estos resultados tan diferentes de los obtenidos por Emmons con los alumnos universitarios?

Froh no estaba seguro, y se sentía molesto. Dejó de lado el análisis cuantitativo para releer los textos escritos por los niños y se dio cuenta rápidamente de que un notable número de alumnos se sentían cansados de dar las gracias: «Escribían lo mismo día tras día: mi perro, mi casa, mi familia –recuerda Froh–. Volviendo la vista atrás, lo ideal habría sido que los profesores animaran a los niños a cambiar sus respuestas, a pensar más y a procesar realmente, en lugar de dejar que terminaran el escrito a toda prisa para poder volver a sus tareas». Se dio cuenta de que su nuevo experimento tendría que tener en cuenta esto.

A primera vista, el estudio de Froh parece ser el típico caso en el que se confundieron las buenas intenciones con una buena idea. Pero su historia no acabó aquí.

Para que pudiera averiguar lo que había ocurrido, tenía que abandonar sus suposiciones básicas. Tenía que abandonar su expectativa de que los niños de secundaria reaccionaran ante este estudio igual que los universitarios. Mientras tuviera esa expectativa, pensaría que algo había ido mal en el estudio, y que si pudiera encontrar el error, podría obtener el resultado esperado.

Pero era posible que nada hubiera ido mal. Tal vez no había cometido errores, sus resultados eran precisos, y como su pensamiento no era lo suficientemente abierto, no era capaz de entender lo que los resultados demostraban.

Hay ocho años de desarrollo entre el instituto y la universidad. ¿Había algo en esos años intermedios que pudiera explicar por qué los alumnos de secundaria no se beneficiaban del ejercicio? Tal como aprendimos de la investigación de Nancy Darling con adolescentes, la necesidad de autonomía alcanza su máximo hacia los catorce años, y es más intensa en un niño de doce que en un estudiante universitario (en gran medida porque este último ya ha conseguido la autonomía que desea). ¿Reaccionaban estos alumnos de manera diferente por su necesidad de independencia? ¿O podría haber una diferencia en las capacidades cognitivas?

Ahondando en los efectos de la gratitud, Froh aprendió que los niños no la experimentan a menos que reconozcan tres cosas con respecto a los aspectos más positivos de su vida: que son *intencionales, costosos* y *beneficiosos*. Los niños tienen que entender que esas vidas tan agradables que viven no son por accidente, sino el regalo de unos padres que trabajan duro y de unos profesores que se sacrifican por su bien.

¿Eran los niños más pequeños capaces de entender esto?

Froh empezó a diseñar un nuevo estudio que iba a realizar en una escuela religiosa, donde podría aplicar su test de gratitud a niños de diferentes grados escolares, buscando los efectos de la edad.

El hecho de que Froh hubiera elegido una escuela religiosa resultaba interesante. Las enseñanzas religiosas sobre el sacrificio podrían haber hecho que sus alumnos fueran más conscientes de la gratitud. El investigador sabía que a estos chicos ya se les enseñaba regularmente a dar gracias en el contexto de la oración.

Para ofrecerles algo nuevo, no les pidió a los niños que hicieran una lista de cinco cosas cada día. Les dijo que tenían que elegir a una persona de su vida –alguien por quien no habían expresado plenamente su aprecio– y escribirle una carta de agradecimiento. Trabajaron en esta carta en clase, tres veces por semana durante dos semanas, elaborando sus sentimientos y puliendo su prosa. El viernes final tenían que establecer una cita con esa persona y leerle la carta cara a cara y en voz alta.

Sus cartas eran sinceras y desgarradoras, y demostraban una profundidad de reflexión que no se había visto en el estudio anterior. «Para ellos fue un ejercicio hiperemocional –dijo Froh–. Verdaderamente fue una experiencia intensa. Cada vez que leía esas cartas, me emocionaba».

Pero cuando analizó los datos, volvió a encontrarse con el mismo problema: en general, los niños no se habían beneficiado de la intervención. ¿Qué estaba ocurriendo?

Para resolverlo, tuvo que tomar distancia de otra suposición. Había asumido que las emociones positivas, como la gratitud, son intrínsecamente protectoras: alejan las conductas problemáticas e impiden los estados de ánimo turbulentos. Y no estaba solo en esta suposición; de hecho, ésta es la premisa esencial de todos los investigadores que trabajan en el campo de la psicología positiva.

Debido a ello, Froh esperaba encontrar una relación inversa entre la gratitud y las emociones negativas, como la inquietud, la vergüenza, el nerviosismo, la hostilidad y el miedo. Aunque no pudiera cambiar la cantidad de agradecimiento que sentían los chicos tal como había hecho Emmons, seguía esperando que algunos niños sintieran mucha gratitud, y otros menos o ninguna en absoluto. Y pensó que los que se sentían muy agradecidos y apreciaban mucho lo que se hacía por ellos se verían libres del embate de los estados negativos. Pero los datos de sus múltiples estudios no confirmaban esto. Los niños con un alto nivel de gratitud sufrían tormentas emocionales con tanta frecuencia como los que tenían un nivel de gratitud bajo.

Llegados a este punto, algunos investigadores que estaban repensando la rueda de molino hedonista iluminaron el pensamiento de Froh. «Argumentaban que la felicidad no es un constructo unitario –explicó éste–. Puedes sentirte bien y tener bienestar, pero aun así estar nervioso y estresado. Puedes sentirte mejor en general, pero las tensiones diarias no necesariamente desaparecen. Para un investigador, esto significa que cuando mides el efecto positivo, el negativo y el nivel de satisfacción en la vida, no todos ellos irán en la misma dirección».

En su segundo estudio, Froh analizó muy cuidadosamente cada banda de datos que medía las emociones de los niños. En general, el hecho de escribir la carta de agradecimiento había dado pocos beneficios, tal como en el estudio anterior. Pero la práctica de agregar los datos estadísticos enmascaraba lo que realmente estaba ocurriendo. Lo que sucedía era que algunos niños se estaban beneficiando del ejercicio, mientras que otros no. En conjunto, sus puntuaciones se anulaban unas a otras.

Los que se beneficiaban del ejercicio era aquellos con un nivel bajo de emociones positivas: niños que raras veces experimentaban emociones como entusiasmo, esperanza, fuerza, interés e inspiración. Escribir la carta de agradecimiento y presentarla a un padre, entrenador o amigo los llenaba de gratitud y hacía que se sintieran mejor con su vida. «Ésos eran los niños que más se beneficiaban de los ejercicios de gratitud –dijo Froh–. Los niños que generalmente no parecen involucrados, o que no están muy alerta. Raras veces se los ve animados o contentos».

No obstante –y éste es un giro importante– en los niños que normalmente experimentaban mucho entusiasmo y esperanza, tuvo el resultado contrario. Les hizo sentirse menos felices, esperanzados y agradecidos.

¿Por qué el ejercicio de la gratitud estaba haciendo que se sintieran *peor*? ¿Qué podría ser *malo* con respecto a la gratitud?

Para los niños con una fuerte necesidad de autonomía e independencia, puede ser desmoralizador reconocer cuánto dependen de los adultos. Es posible que sientan que los mayores ya manejan todos los hilos de su vida, controlando lo que comen, lo que estudian, lo que se les permite llevar puesto y con quién salen. Y por eso prefieren tener la impresión de que dependen de sí mismos que sentirse agradecidos. Es posible que su sensación de independencia sea una ilusión, pero es una ilusión necesaria para su equilibrio psicológico y para su futuro crecimiento hacia una independencia genuina. Su falta de gratitud podría ser el modo en que mantienen la ilusión de que controlan sus propias vidas.

Froh está considerando que su intervención condujo a estos niños a tomar conciencia de hasta qué punto sus vidas dependen de los caprichos o sacrificios de otros. No les gustaba que otras personas siempre estuvieran allí haciendo cosas para ellos. Esto les hacía sentirse impotentes.

La lección contenida en el trabajo de Jeffrey Froh *no* es que la sociedad deba renunciar a enseñar a los niños a ser agradecidos. Está claro que algunos niños se benefician de los ejercicios. (De hecho, Froh sigue estando tan comprometido con la idea que uno de sus alumnos graduados ha empezado a elaborar las primeras pruebas de un curso sobre el agradecimiento de cinco semanas de duración.) No obstante, no es fácil generar gratitud en la mayoría de los niños, y no podemos dar por descontado que la gratitud debería suplantar a otras necesidades psicológicas simplemente porque nosotros lo queremos.

El valor del trabajo de Froh no se limita a su intuición sobre la gratitud. Lo hemos incluido aquí porque creemos que su proceso ilustra un punto mucho más amplio.

Cuando examinamos la enormidad de las investigaciones en las que se basa este libro, quedó patente una pauta interesante. La mayoría de los descubrimientos más notables sobre el desarrollo infantil se revelaron cuando los investigadores abandonaron las mismas dos suposiciones que tenía Froh.

Diciéndolo de manera más enfática: cuando se abandonan esas dos suposiciones tan extendidas, es posible acceder a todo un tesoro de sabiduría sobre los niños.

La primera suposición es que las cosas funcionan de la misma manera para los niños que para los adultos. Si queremos darle un nombre a este sesgo de referencia, llamémoslo la falacia del efecto similar.

En muchos de los capítulos de este libro se ha visto cómo se realizaron grandes descubrimientos cuando los estudiosos dejaron a un lado esa suposición. Consideremos la investigación sobre el sueño. Durante mucho tiempo resultó conveniente asumir que a los niños no les afecta la pérdida de sueño como a los adultos: pueden sobrellevar el cansancio. Pero cuando los estudiosos decidieron corroborarlo, hallaron que el efecto de la falta de sueño sobre los niños es de una magnitud exponencialmente más dañina.

Asimismo, habíamos asumido que como la medición de la inteligencia es estable en los adultos, también debía de serlo en los niños. Pero no lo es: presenta picos y valles. Y como los adultos pueden captar el mensaje implícito de los entornos culturalmente diversos, supusimos que los niños también serían capaces de hacerlo. Pero no pueden, y necesitan oír declaraciones explícitas sobre lo equivocado que es juzgar a otras personas por el color de su piel.

Veamos otro ejemplo de cómo opera esta falacia. En nuestro capítulo sobre el programa Herramientas de la mente, describimos que los niños llegan a dominar la representación simbólica, que pronto se hace necesaria para todo el trabajo académico, mediante los juegos de imitación. Pero este punto esencial nunca surge cuando la sociedad debate el propósito del tiempo libre de los niños, o la necesidad de los recreos escolares. Las discusiones siempre tratan sobre el ejercicio y las habilidades sociales. Esto se debe a que, para los adultos, los descansos son una ocasión de soltar tensión y relajarse con los amigos. Y si bien esto también es relevante para los niños, nuestro marco de referencia adulto nos ha hecho pasar por alto uno de los principales propósitos del juego.

La falacia del efecto similar también ayuda a explicar por qué la sociedad ha entendido mal el efecto de elogiar a los niños. En gran variedad de estudios se ha demostrado que el elogio es eficaz en los puestos de trabajo de los adultos. A los adultos nos gustan los elogios, pero pueden socavar la motivación intrínseca del niño. Ser elogiado por sus jefes incrementa la motivación intrínseca del adulto, especialmente en el marco profesional de los oficinistas. (El elogio entre adultos sólo se considera indigno de confianza y manipulador en unas pocas circunstancias y en entornos de trabajo específicos, generalmente asociados con el trabajo manual.) Como nos gusta tanto que nos ensalcen, hemos creído que derramar abundantes elogios sobre los niños sería beneficioso.

La segunda suposición que hemos de abandonar, como se ilustra en la historia de Froh, es que los rasgos positivos se oponen necesariamente a la conducta negativa de los niños y los protegen de ella. Para nombrar este sesgo, llamémoslo la falacia de la dicotomía bueno/malo.

Nuestra sociedad está impregnada de la tendencia a categorizarlo todo como bueno o malo. Solemos pensar que la buena conducta, las emociones positivas y los buenos resultados van en paquete: juntas, las cosas buenas protegerán al niño de todos los malos comportamientos y de las emociones negativas, como robar, sentirse aburrido o inquieto, excluir a otros, la actividad sexual precoz o sucumbir a la presión de sus compañeros.

Cuando Ashley y yo comenzamos este libro, anotamos una lista de super-rasgos que queríamos para los niños: gratitud, honestidad, empatía, equidad... Teníamos la esperanza de que si podíamos armar a los niños con estos super-rasgos en la medida suficiente, los problemas les rebotarían con tanta facilidad como las balas a Superman.

Entonces Victoria Talwar nos enseñó que la deshonestidad del niño es un signo de inteligencia y de saber conducirse socialmente. Nancy Darling explicó que las mentiras de los adolescentes son casi una parte necesaria del desarrollo de su identidad. La investigación de Laurie Kramer nos mostró que la devoción ciega a la equidad puede descarrilar las relaciones entre hermanos. Patricia Hawley y Antonius Cillessen revelaron que la empatía puede ser la mejor arma del diablo: los niños populares son los que mejor saben leer a sus amigos y usan esa percepción para su beneficio. Y, por supuesto, también estaba ese estudio sobre los presidiarios que tienen más inteligencia emocional que la media de la población en general.

No es que hayamos abandonado el deseo de que nuestros hijos adquieran honestidad y otras virtudes –y seguimos diciéndoles a los niños que «jueguen limpio» y digan gracias–. Pero ya no pensamos en ellos como poseedores de super-rasgos, de una moral ultra-resistente e intachable.

Los investigadores están concluyendo que las cosas buenas y las malas no son los extremos opuestos de un único espectro. Más bien, cada una de ellas es su propio espectro. Son ámbitos ortogonales, mutuamente independientes.

Debido a ello, los niños pueden parecer contradicciones andantes. El mismo niño puede tener una alta puntuación en las emociones positivas y en las negativas, de modo que el hecho de que una adolescente se sienta feliz porque tiene un nuevo novio no impide que la escuela le cause tensión. Puede haber una gran desconexión entre las opiniones declaradas por los niños y sus acciones. Éstos pueden saber que la fruta sabe bien y que es buena para ellos, pero eso no significa que vayan a comer más manzanas.

Y muchos factores presentes en su vida –como las interacciones entre hermanos, la presión de sus compañeros, el conflicto marital o incluso la gratitud– pueden ser una buena *y* una mala influencia.

A pesar de estas contradicciones, el objetivo de entender más profundamente a los niños no es fútil. De hecho, estudiando estas aparentes contradicciones muy de cerca es como surge una comprensión más profunda.

Cuando los niños son más misteriosos es cuando nosotros, sus cuidadores, podemos aprender algo nuevo.

Agradecimientos

Queremos dar las gracias a Adam Moss y Hugo Lindaren, del *New York Magazine*, por animarnos a contar nuestras historias, confiando en que los lectores se interesarían por el rigor de los datos científicos que exponemos. Muchas otras personas de la revista también merecen crédito, especialmente Lauren Starke, Serena Torrey y nuestro anterior corrector, Adam Fisher.

De nuestro editor, Twelve, queremos dar las gracias de manera especial a Jon Knap, Jamie Raab y Cary Goldstein. Peter Ginsberg, de Curtis Brown Ltd., fue determinante a la hora de guiarnos. También nos sentimos en deuda con Nathan Bransford, Shirley Stewart y Dave Barbor.

Por supuesto, sentimos un enorme agradecimiento a muchos investigadores que han formado parte de nuestra investigación y nos han ayudado. Nuestro primer capítulo –basado en nuestro primer artículo sobre la ciencia infantil para la revista *New York*– no habría sido posible sin Carol S. Dweck, de la Universidad de Stanford. Nuestro capítulo «Por qué mienten los niños» no habría sido el mismo sin la colaboración de Victoria Talwar, de la Universidad McGill, y toda la gente de su laboratorio, especialmente Cindy M. Arruda, Simone Muir y Sarah-Jane Renaud. Asimismo, nuestro capítulo sobre el lenguaje tiene contraída una deuda especial con Michael H. Goldstein y Jennifer A. Schwade, de la Universidad Cornell, y el resto de B.A.B.Y. Deborah J. Leong, Elena Bodrova y Amy Hornbeck nos mostraron el programa Herramientas de la mente en acción. Laurie Kramer y Mary Lynn Fletcher, de la Universidad de Illinois, en Champaign, pasaron días nevados llevándonos de un lugar a otro, mientras nos explicaban su trabajo sobre las relaciones entre hermanos. También sentimos una deuda de gratitud con las familias que hablaron con nosotros y nos permitieron observar la participación de sus hijos en los experimentos de laboratorio.

Docenas de investigadores accedieron amablemente a que los entrevistáramos. Muchos otros nos enviaron borradores avanzados de sus informes y presentaciones. Perseguimos a los especialistas en las conferencias. Nos hicimos insoportables con las rondas de correos electrónicos y con nuestros «lo siento por volver a llamar, pero si pudiera usted aclararnos esa cifra una vez más...». A pesar de todo, siempre fueron muy amables.

Gracias a Mary A. Carskadon, Judith Owens y Monique K. LeBourgeois, de la Universidad Brown; a Douglas K. Detterman, de Case Western Reserve University; y también, de la Universidad Cornell, a B. J. Casey, Marianella Casasola, Gary W. Evans, Jeffrey T. Hancock y Heidi R. Waterfall; a Jeanne Brollks-Gunn y Geraldine Downey, de la Universidad de Columbia; a Kenneth A. Dodge, Jennifer E. Lansford y James Moody, de la Universidad Duke; a Roy F. Baumeister y Stephen I. Pfeiffer, de la Universidad Estatal de Florida; a David S. Crystal, de la Universidad de Georgetown; a Mahzarin R. Banaji, Kurt W. Fischer y Jesse Snedeker, de la Universidad de Harvard; a Linda B. Smith, de la Universidad de Indiana; a Douglas A. Gentile, de la Universidad Estatal de Iowa; a Cynthia L. Schiebe, del Ithaca College; a A. Margaret Pevec y Rhonda A. Richardson, de la Universidad Kent State; a Robert D. Laird, de la Universidad Estatal de Indiana; a Kay Bussey, de la Universidad Macquarie; a Dan Ariely, del Instituto Tecnológico de Massachusetts; a Judith S. Brook y Catherine S. Tamis-LeMonda, de la Universidad de Nueva York; a Frederick W. Turek, de la Universidad Northwestern; a Nancy Darling, del Oberlin College; a Christopher Daddis y Sarah J. Schoppe-Sullivan, de la Universidad Estatal de Ohio; a Jeane Coperhaven-Johnson, de la Universidad Estatal de Ohio, en Mansfield; a Marjorie Taylor, de la Universidad de Oregón; a Duane F. Alwin, Clancy Blair, Linda L. Caldwell, Pamela M. Cole y Douglas M. Teti, de la Universidad Estatal de Pensilvania; a Shawn Whiteman, de la Universidad Purdue; a Steven Barnett, de la Universidad Rutgers; a Jean M. Twenge, de la Universidad Estatal de San Diego; a Jamie M. Ostov, de la Universidad Estatal de Nueva York, Universidad de Búfalo; a Tabitha R.

Holmes, de la Universidad Estatal de Nueva York, en New Paltz; a Avi Sadeh, de la Universidad de Tel Aviv; a Cecil R. Reynolds, de la Universidad A&M de Texas; a Birgitte Vittrup, de la Universidad de Mujeres de Texas; a Laurence Steinberg, de la Universidad Tufts; a Noel A. Card y Stephen T. Russell, de la Universidad de Arizona; a Adele Diamond, de la Universidad de British Columbia; a Silvia A. Bunge, Elliot Turiel y Matthew P. Walker, de la Universidad de California, en Berkeley; a Greg J. Duncan y Richard J. Haier, de la Universidad de California, en Irving; a Abigail A. Baird, Adriana Galvan, Michael Prelip y Gary Orfield, de la Universidad de California, en Los Ángeles; a Bella M. DePaulo, de la Universidad de California, en Santa Bárbara; a Claire Hughes, de la Universidad de Cambrigde; a Susan Goldin-Meadow, de la Universidad de Chicago; a Antonius H. N. Cillessen, de la Universidad de Connecticut; a David F. Lohman y Larissa K. Samuelson, de la Universidad de Iowa; a Patricia H. Hawley y Dale Walker, de la Universidad de Kansas; a Frederick W. Danner, de la Universidad de Kentucky; a Rochelle S. Newman y Nan Bernstein Ratner, de la Universidad de Maryland; a Linda R. Tropp, de la Universidad de Massachusetts, Amherst; a Ronald D. Chervin, Jennifer Crocker, Denise Kennedy, y Louise M. O'Brien, de la Universidad de Michigan; a Kyla L. Wahlstrom, de la Universidad de Minnesota; a Alan L. Sillars, de la Universidad de Montana; a E. Mark Cummings, de la Universidad Notre Dame; a April Harris-Britt y Jane D. Brown, de la Universidad de Carolina del Norte, en Chapel Hill; a David F. Dinges, de la Universidad de Pensilvania; a Ronald E. Dahl, de la Universidad de Pittsburg; a Judith G. Smetana, de la Universidad de Rochester; a Rebecca S. Bigler, Elizabeth A. Vandewater y Mark Warr, de la Universidad de Texas en Austin; a Joseph P. Allen, de la Universidad de Virginia; a Steven Strand, de la Universidad de Warwick; a Andrew N. Meltzoff, de la Universidad de Washington; a C. Robert Cloninger, de la Universidad de Washington, en St. Louis; y a Peter Salovey, de la Universidad de Yale.

También nos gustaría expresar nuestro aprecio por Deborah Linchesky, de la Academia Americana de Pediatría; a Stephen C. Farrell, de Choate-Rosemary Hall; a Brian O'Reilly, del College Board; a Donald A. Rock, de Educational Testing Service; a Anna Hogrebe, de Elsevier B.V.; a Lawrence G. Weiss, de Harcourt Weiss/Pearson; a Lauri Kirsch, de las escuelas públicas de Hillsborough County; a Lisa Smith y Stacy Oryshchyn, del distrito de escuelas públicas de Jefferson County, en Denver, Colorado;

a Gigi Ryner y Jackie Gleason, del centro preescolar Stony Creek, en Littleton, Colorado; a Mark W. Mahowald, del centro regional de Minnesota para los desórdenes del sueño; a Thomas D. Snyder, del Centro Nacional de Estadísticas Educacionales; a Jay N. Giedd y Marc Bornstein, del Instituto Nacional de Salud; a Lisa Sorich Blackwell, de New Visions for Public Schools; a Richard L. Atkinson, de Obetech LLC; a Sally Millaway y Kathleen Thomsen, de Neptune, escuelas públicas de Nueva Jersey; a Erin Ax, de Effective Educational Practices; a Judy Erickson, de Sage Publications; a todo el personal de Society for Research in Child Development; a Jessica Jensen y Debbie Burke, colegio de primaria Van Arsdale, en Arvada, Colorado; y a Bethany H. Carland, de Wiley-Blackwell. Gracias de nuevo a Joan Lawton, al personal y miembros de Magic Castle en Hollvwood, California, y a Rose M. Kreider de la oficina del censo de Estados Unidos.

Notas

Prefacio

Cary Grant hace de portero: una serie de miembros de Magic Castle recuerdan a Cary Grant haciendo de portero, bien porque estuvieron allí o porque lo oyeron de otras personas que habían estado. Aparte de los miembros del club, la historia se ha ido haciendo más elaborada a lo largo de los años; algunas versiones llegan a afirmar que ocasionalmente Grant regalaba un disfraz de portero cuando estaba en la entrada. Nuestra historia se basa en los recuerdos que Joan Lawton nos relató amablemente en entrevistas. (Y no, Lawton no le recuerda llevando puesto un disfraz. Generalmente llevaba un traje, y a veces un esmoquin.)

Introducción

La red neuronal que se activa al ser padres: entre las partes del cerebro que se activan con el apego, el amor y la respuesta paternal están: la corteza cingulada anterior, la ínsula anterior, la corteza prefrontal medial, la corteza orbitofrontal derecha, la sustancia gris periacueductual, el hipotálamo, el tálamo, el núcleo caudal, el núcleo accumbens y el putamen. Bartels y Zeki (2004), Lorberbaum *et al.* (2002), Noriuchi *et al.* (2008) y Swain *et al.* (2007).

Nuestra colaboración mutua: de principio a fin, el libro ha sido un esfuerzo conjunto, desde la investigación hasta la escritura. No obstante, a veces, cuando recordamos experiencias personales en el texto, necesitábamos identificarnos individualmente. Por lo tanto, el pronombre «yo» hace referencia a las experiencias personales de «Po»; se ha empleado el nombre «Ashley» para hacer referencia a sus experiencias personales. No obstante, componemos y corregimos los textos conjuntamente.

CAPÍTULO 1. EL PODER INVERSO DEL ELOGIO

Categorización de los alumnos avanzados: los requisitos exactos para los programas avanzados varían, pero la mayoría empiezan a llamar a los niños por este nombre basándose en las puntuaciones obtenidas en los tests de inteligencia o de rendimiento escolar que están en el percentil 90.

Los alumnos avanzados subestiman su competencia: una serie de estudios informan de que los alumnos avanzados frecuentemente subestiman su nivel de competencia; entre dichos estudios se incluyen los de Cole *et al.* (1999), Phillips (1984) y Wagner y Phillips (1992). Nota que en estos estudios el método común de evaluación es pedirle al estudiante que describa su destreza en un tema escolar y después comparar su informe con sus calificaciones escolares.

Estudio de la Universidad de Columbia: Dweck (1999).

Las chicas más brillantes cuando fallan, se vienen abajo: una de las cosas que sugiere la investigación de Dweck es que no hay nada inherentemente frágil en haber sido bendecido con un cerebro avanzado; son los elogios los que hacen que los niños inteligentes sean más vulnerables.

Curiosamente, en uno de sus estudios, Dweck descubrió que después del fracaso en una ronda de pruebas, todas las chicas se derrumbaban, y cuanto más alto era su coeficiente de inteligencia, más se venían abajo, hasta el punto de que las que tenían el coeficiente de inteligencia más alto en la primera ronda de pruebas, sacaron peores resultados que las que habían tenido puntuaciones bajas en la ronda anterior. Para explicar esto, Dweck propuso esta conjetura: «Las niñas están acostumbradas a ser perfectas. Sienten que las opiniones de los demás son una buena manera de aprender sobre sus habilidades. Los niños siempre se llaman unos a otros 'subnormal'. Nadie más les da el veredicto final sobre sus habilidades».

Esto puede explicar los descubrimientos de Henderlong, que ha detectado diferencias por edad y género en los resultados de sus experimentos, que indican que los chicos responden de manera diferente a los elogios orientados personalmente, como: «Tú eres listo.» Henderlong Corpus y Lepper (2007).

Evaluación de Baumeister de los hallazgos sobre la autoestima: fue Ahuja (2005) quien informó originalmente de la decepción de Baumeister por el resultado de sus hallazgos.

Una mayor autoestima conduce a más agresiones: desde la revisión de Baumeister, la relación entre la elevada autoestima y la agresión ha sido comprobada expresamente en los estudios sobre los niños. En 2008, los investigadores informaron de un estudio en el que los niños tenían que jugar juegos de ordenador creyendo que estaban compitiendo contra otros niños, aunque sólo lo estaban haciendo contra el mismo ordenador. El resultado estaba predeterminado: iban a perder. Después de estudiar cómo los niños atacaban a los que creían que eran sus oponentes, los investigadores concluyeron que la hipótesis de que aquéllos con baja autoestima son agresivos no había hallado confirmación empírica, pero sí la había hallado la hipótesis de que los niños con la autoestima más alta son agresivos y narcisistas. Incluso llegaron a sugerir que los esfuerzos por potenciar la autoestima «probablemente incrementarán (más que disminuir) la conducta agresiva del joven en situación de riesgo», Thomaes *et al.* (2008).

Revisión de 150 estudios sobre los elogios: Henderlong y Lepper (2002).

Cloninger localiza el circuito de persistencia en el cerebro: Cloninger puso a la gente dentro de un escáner MRI para medir su actividad cerebral mientras contemplaban una serie de 360 fotografías, como accidentes automovilísticos y personas que sostenían a niños. Les pidió que valoraron las fotografías como agradables, neutrales o desagradables. Los más persistentes (según la puntuación obtenida en un test de personalidad que analizaba siete factores) tuvieron más actividad en su corteza prefrontal lateral orbital y medial, así como en el estriado ventral. Curiosamente, también evaluaron más fotografías neutrales como agradables, y fotografías desagradables como neutrales. En otras palabras, los individuos persistentes experimentan el mundo como más agradable; les molesta menos.

Capítulo 2. La hora perdida

La falta de precisión de los padres a la hora de evaluar si sus hijos duermen lo suficiente: varios investigadores han tratado de calcular hasta qué punto son precisos los padres al evaluar la cantidad de sueño de sus hijos, comparando los informes de los progenitores con los de los niños y con las mediciones científicas (actígrafo). Los primeros suelen sobrestimar el tiempo que duermen sus hijos en una cantidad de al menos media hora, y esta desviación puede llegar hasta la hora y media. Consulta, por ejemplo, la National Sleep Foundation (2006a) y Werner *et al.* (2008).

Informes de los alumnos de secundaria sobre falta de sueño: la falta de sueño de los adolescentes es un problema que de ninguna manera se limita a un país concreto: los adolescentes de todo el mundo están exhaustos. En un estudio realizado con estudiantes de Singapur, el 96,9% dijeron que no dormían lo suficiente. Y sólo el 0,5% de ellos habían hablado con un médico de sus dificultades para dormir. Lim *et al.* (2008).

Bases de «la hora de sueño perdida» por los niños: parece haber un acuerdo universal en torno al hecho de que los niños duermen menos actualmente que en los años pasados. No obstante, donde no existe tanto acuerdo es con respecto a la cantidad de sueño que han perdido. Basamos nuestra investigación «la hora de sueño perdida» en estudios sobre el sueño y el uso general del tiempo: nuestra cifra probablemente supone una evaluación conservadora.

Según un informe, en 1997 se comprobó que los niños de entre tres y cinco años dormían sólo un poco más de 10,8 horas por noche, mientras que los de seis a ocho años dormían 10,1 horas. En 2004, la Fundación Nacional del Sueño descubrió que los pequeños de entre tres y cinco años dormían 10,4 horas y los de seis a ocho sólo 9,5. (Compara Hofferth y Sanderberg [2001] con El Sueño en 2004, de la Fundación Nacional del Sueño en America Poll.)

Durante el mismo periodo, la Universidad Brown descubrió que, en 1997, los niños de entre nueve y doce años dormían aproximadamente 9,6 horas, pero en 2004 los de sexto dormían 8,3 horas, una diferencia de 1,3 horas. Carskadon (2004) y encuesta Sueño en América (2006).

Pueden hallarse más pruebas de la hora de sueño perdida en un estudio influyente y ampliamente citado sobre los niños suizos. En dicho estudio, la duración del sueño infantil cayó en todas las edades a lo largo de la década de los noventa, lo que significa que un niño de dos años dormía menos en 1986 de lo que lo hubiera hecho en 1974. En realidad, los más pequeños son los que más sueño perdieron. Los bebés de seis meses nacidos en 1993 dormían 2,5 horas menos que los nacidos en 1978, mientras que para los de dieciséis años había 1 hora de diferencia. Iglowstein *et al.* (2003).

En 2005, el grupo de trabajo sobre el sueño de los adolescentes/adultos jóvenes de la Academia Americana de Pediatría y su comité para la adolescencia emitieron un informe técnico que opinaba que el estudio de Iglowstein era un «trabajo impresionante» y una valiosa directriz en cuanto a las tendencias del sueño de los jóvenes en Estados Unidos; en todo caso, los estudiosos americanos creían que los resultados de este país serían más «extremos» que los suizos. Millman *et al.* (2005). Y Landhuis y otros creían que se puede apoyar la afirmación de que ha habido una caída de dos horas en el sueño a lo largo de las últimas dos décadas. Landhuis *et al.* (2008).

Entre otros estudios que analizan esta tendencia internacional descendente en la duración del sueño, contamos con los de Van Cauter *et al.* (2008) y Taheri (2006).

Estudio de Rhode Island sobre los adolescentes que establecen sus horas de ir a dormir: Wolfson y Carskadon (1998).

Falta de sueño y sus efectos en la estabilidad emocional y en el desarrollo: entrevistas de los autores con Ronald Chevrin y Louise O'Brien; Chervin *et al.* (2005); Chervin *et al.* (2002); Chervin *et al.* (1998). Para la estabilidad emocional de los adolescentes, entrevistas de los autores con Ronald Dahl, David Dinges y Frederick Danner, así como Dahl (1999), Danner y Phillips (2008).

Manipulación experimental de la duración del sueño infantil y rendimiento en los tests: después del experimento de Sadeh, Tzischinsky *et al.* (2008) replicaron sus descubrimientos haciendo que los niños de cursos superiores durmieran una hora más de lo normal. Los estudiantes que durmieron el tiempo extra obtuvieron puntuaciones significativamente superiores en los tests de matemáticas y en las medidas de la atención.

Los efectos de la pérdida de sueño son similares a la exposición al plomo: McKenna (2007).

Estudios que informan de la correlación sueño/curso: consulta Danner y Gilman (2008), Warner *et al.* (2008), Bachmann y Ax (2007) y Fredriksen *et al.* (2004).

La interferencia de la falta de sueño con los mecanismos cerebrales: Durmer y Dinges (2005).

Sueño de ondas lentas y aprendizaje del vocabulario por parte de los niños: Backhaus *et al.* (2008).

Edina, puntuaciones SAT en Minnesota: según Edina, el periódico *New York Times* informó previamente sobre los aumentos en las puntuaciones del SAT; no obstante, el artículo informó de puntuaciones incorrectas. El *Times* dio números más bajos de los que los estudiantes habían obtenido. Wahlstrom pidió una corrección en aquel momento, pero nadie respondió a su demanda. A petición nuestra, Wahlstrom recuperó la información que había proporcionado anteriormente al *Times*, y después reanalizó los datos para confirmar la precisión del incremento.

O'Reilly, de la Junta Escolar, nos explicó en una entrevista que el incremento es aún más extraordinario por dos motivos. Primero, las puntuaciones que incluimos en el texto se basaban en un test de 1.600 puntos: un incremento de 212 puntos supondría el 14% de la puntuación total. Segundo, la mayoría de los estudiantes de Minnesota realizan el ACT: sólo los más competitivos hacen el SAT. Consecuentemente, O'Reilly dice que los estudiantes que puntúan en el 10% superior del SAT estarían en el 1% más elevado a nivel nacional. También indicamos que el aumento de las puntuaciones después de postergar la hora de comienzo de las clases equivale aproximadamente al incremento prometido por los profesionales de los cursos preparatorios para el SAT.

Horas de comienzo de la escuela más tardías producen un incremento en la calidad de vida: Htwe *et al.* (2008); entrevistas a Danner y Phillips (2008), y a Wahlstrom.

Prevalencia de horas de comienzo tempranas en los institutos: Wolfson y Carskadon (2005).

Revisión a cargo de McMaster de los programas de prevención de la obesidad: Thomas (2006). Los británicos realizaron una revisión similar a gran escala de los programas de prevención de la obesidad y también concluyeron que había «escasa» evidencia de que resultaran eficaces. Consulta «La obesidad no es culpa del individuo» (2007). Stice *et al.* (2006) también consideraron que la eficacia de la mayoría de los programas era «mínima».

Ver televisión y otras actividades sedentarias de los niños: Vandewater no es el único estudioso que discute la premisa de que los niños limitan su actividad física por ver televisión. Taveras *et al.* (2007) concluyeron que si los niños vieran una hora menos de televisión por semana, no se produciría un incremento de su actividad física. Y otros investigadores han medido el tiempo que pasan haciendo los deberes, usando el ordenador, leyendo, dedicados a sus aficiones, con sus amigos, e incluso sentados en el coche de camino hacia la escuela. Cuando se considera todo esto, la televisión sólo ocupa un tercio de la actividad sedentaria de los adolescentes. Biddle *et al.* (2009) y Utter *et al.* (2003).

Estudios que muestran relación entre la falta de sueño y la obesidad infantil: además de los estudios americanos, australianos, canadienses y japoneses que han encontrado una conexión entre la reducción del sueño infantil y la obesidad, esta misma relación ha sido hallada ahora por investigadores en Francia, Alemania, Portugal, Túnez, China, Hong Kong, Taiwán, Brasil y Nueva Zelanda. Los estudiosos han descubierto que una reducción del sueño infantil en primaria predice obesidad a los treinta y dos años. Entre los estudios que hablan de estas conexiones se incluyen Landhuis *et al.* (2008), Nixon *et al.* (2008), Taveras *et al.* (2008), Lumeng *et al.* (2007), Eisenmann *et al.* (2006), Chaput *et al.* (2006), Gupta *et al.* (2002) y Sekine *et al.* (2002). Dos metaanálisis también han hallado una relación entre el sueño infantil y la obesidad: Cappuccio *et al.* (2008) y Chen *et al.* (2008).

Mientras que algunos investigadores –por ejemplo, Hassan *et al.* (2008) y Horne (2008)– aún no están muy seguros de la relación entre el sueño y la obesidad infantil, la revista *Pediatrics* declara que hay suficientes datos para apoyar la relación entre la falta de sueño y el sobrepeso en los niños, y que el sueño debería ser considerado al evaluar los problemas de peso del niño. Krebs *et al.* (2007). Y otros investigadores creen que ahora los datos son lo suficientemente persuasivos para que el sueño y la obesidad infantiles se consideren un asunto de salud pública. Young (2008).

CDC/USDA posiciones sobre los niños y el sueño: Park (2008), Schoenborn y Adams (2008), Redding (2007) y Hensley (2007).

Capítulo 3. ¿Por qué los padres blancos no hablan de las razas?

Percepción infantil de las diferencias de raza: Kelly *et al.* (2007) han determinado que los niños empiezan a notar los aspectos visuales aparentes de las diferencias raciales entre el tercer y el sexto mes.

Experimento con grupos interraciales: Rooney-Rebeck y Jason (1986).

Subgrupos en las escuelas japonesas: parcialmente basado en entrevistas de los autores y en su correspondencia con David Crystal y Crystal *et al.* (2000).

Acallar los comentarios infantiles sobre las razas: en un caso supimos de una maestra de preescolar que empezó su conferencia sobre Martin Luther King júnior y uno de los niños la interrumpió con el comentario: «Mamá dice que no deberíamos hablar sobre el color de la piel». Polite y Saenger (2003).

Estudio sobre los alumnos de secundaria de Detroit: Oyserman *et al.* (2006).

Santa negro y Santa blanco: el relato se basa en entrevistas de los autores, en su correspondencia con Copenhaven-Johnson y en el informe Copenhaven-Johnson (2007).

Capítulo 4. Por qué mienten los niños

Un número de 100.000 niños testifican: siguiendo los descubrimientos de Telwar sobre la comprensión infantil de las mentiras, y en qué circunstancias era más probable que los niños mintieran, la legislatura canadiense revisó su procedimiento para determinar si a los niños se les debería permitir testificar. Talwar *et al.* (2002).

Sistemas de detección de mentiras: en una extensa revisión de 150 estudios sobre detección de mentiras, el profesor Aldert Vrij, de la Universidad de Portsmouth, concluyó: «No hay una única clave verbal, no-verbal o fisiológica relacionada con el engaño. En otras palabras, no existe nada equivalente al crecimiento de la nariz de Pinocho». Vrij (2004). Tal vez la creencia más común sobre la detección de mentiras es que la gente desvía la mirada cuando no está diciendo la verdad. No obstante, un estudio tras otro demuestran que desviar la mirada tiene poca relación con que la persona esté mintiendo. Este acto es aún menos significativo en los niños, que frecuentemente alejan la mirada cuando se concentran mientras están hablando con un interlocutor. Consulta Talwar y Lee (2002a) y Vrij *et al.* (2004).

En un estudio de 2006 sobre las respuestas a más de 11.000 entrevistas en 57 países, el 64% de los interlocutores dijeron que desviar la vista implicaba mentir. Los investigadores plantean la hipótesis de que el mito de desviar la mirada viene de un estado emocional diferente: en todo el mundo, la gente mira al suelo para indicar vergüenza. Por lo tanto, sugieren que existe la suposición de que los mentirosos se avergüenzan de su falsedad, y por tanto desvían la mirada. Global Deception Research Team (2006).

La incapacidad de los padres de detectar las mentiras de sus hijos: Talwar ha estudiado que los padres fracasan regularmente a la hora de identificar las mentiras de sus hijos, y los primeros resultados se publicaron en 2002. No está sola en estos descubrimientos: los investigadores Angela M. Crossman y Michael Lewis llegaron a conclusiones similares: en un estudio, los padres seguían dando resultados peores de los atribuibles al azar a la hora de identificar las mentiras de sus hijos. Crossman y Lewis (2006).

En su último estudio, Talwar ha tratado de averiguar si algunas personas detectan mejor las mentiras que otras, y ha descubierto que sólo el 4% eran repetidamente mejores a la hora de detectar mentiras. Leach *et al.* (2009).

Prevalecencia de los niños que miran furtivamente y mienten: los porcentajes de niños que hacen trampa y mienten durante el juego de mirar furtivamente del que hemos hablado vienen del primer estudio de Talwar en 2002. Talwar y Lee (2002a). No obstante, desde entonces, la pauta descubierta por la investigadora se ha repetido en muchos estudios subsiguientes: el porcentaje de niños que miran de manera furtiva y mienten se mantuvo asombrosamente coherente. Además, desde entonces otros estudiosos han replicado sus propias versiones de este estudio.

Conexión de la mentira con la inteligencia: Talwar ha descubierto que los niños con un funcionamiento ejecutivo y una memoria operativa más avanzados mienten mejor. También ha visto relaciones entre las mentiras de los niños y la «teoría de la mente»: la capacidad de entender y hacer un seguimiento de los puntos de vista de distintas personas.

Las mentiras de los niños para hacer felices a sus padres: junto con la investigación de Talwar, el trabajo de Bussey también llega a esta conclusión. Cuando Bussey leía relatos a los niños, y les pedía que predijeran si el protagonista iba a decir la verdad o no, las respuestas estaban parcialmente determinadas por si la historia contaba si el protagonista sería castigado por cometer una fechoría o por admitirla. Bussey también ha propuesto que hasta los ocho años los niños no empiezan a creer que decir la verdad pueda hacer que quien la dice se sienta mejor. Bussey (1999), y Wagland y Bussey (2005). Además, un estudio de 2007 de la Universidad de Texas, en El Paso, ofrece un giro intrigante tanto para la conclusión de Talwar de que los niños mienten para hacer felices a los adultos como para los niños de Dweck adictos al elogio. En este estudio, a los niños pequeños se les preguntó si habían visto a alguien tomar un juguete del examinador. A algunos de ellos se les decía: «Gracias, has sido de gran ayuda», cada vez que respondían «sí» a *cualquiera* de las preguntas del examinador. En el plazo de cuatro minutos, la mitad de los niños que habían escuchado elogios empezaron a hacer confesiones falsas. En realidad mentían sobre fechorías de las que ellos no habían sido parte, para que los elogios pudieran continuar. Billings *et al.* (2007).

Frecuencia de las mentiras en los niños: Wilson *et al.* (2003) y Wilson *et al.* (2004).

Murmuraciones: el principal trabajo sobre las habladurías de los niños viene de Den Bak y Ross (1996), y Ros y Den Bak-Lammers (1998). Friman *et al.* (2004) también ofrecen información interesante, especialmente sobre la cuestión de que los niños de cuarto curso consideran que decir chismes es un acto agresivo, equiparable con robar o la destrucción de la propiedad ajena.

Frecuencia de las mentiras adultas: existen suposiciones populares de que el adulto medio miente al menos tres veces en una conversación de diez minutos. No obstante, esta estadística se basa en un experimento que plantea una situación muy manipulada, en la que a dos extraños se les pidió que se sentaran en una habitación y al menos a uno se le instruyó para que dijera cosas que agradaran al otro. Incluso en ese entorno artificial, el 40% de los sujetos del test no mintieron nunca. Los datos de DePaulo y Hancock sobre la frecuencia de las mentiras no se basan en la manipulación experimental, sino en estudios en los que los participantes hacen un seguimiento diario de todas las mentiras que han dicho. En los estudios de DePaulo y Hancock, la población en general sólo mentía una media de una vez al día, y los estudiantes universitarios dos veces al día. DePaulo *et al.* (1996) y Hancock *et al.* (2004).

Valoración que hacen los adultos de la honestidad infantil: en un análisis de las respuestas de los padres a una encuesta que preguntaba qué rasgos valoraban más de sus hijos, la «honestidad» ganó con claridad, y no había ningún otro rasgo que se le acercase. Alwin (1989).

Capítulo 5. La búsqueda de vida inteligente en preescolar

El modelo de test de inteligencia: nuestra versión del test de inteligencia se basa en manuales de formación a disposición del público, en presentaciones y en preguntas de muestra: las preguntas que usamos se fundamentan en una variedad de tests de inteligencia y de rendimiento. Las pruebas mismas se guardan celosamente: los editores por lo general sólo las venden a psicólogos con licencia y a los administradores de escuelas. (También hay algunas guías *underground*.)

La correlación entre el test en preescolar y el rendimiento en tercero: se trata de una determinación matemática, basada en una correlación del 40%: la típica relación estadística entre el rendimiento de los niños en un test de inteligencia en la guardería o en preescolar y sus puntuaciones en el mismo test en tercero. Lohman (2006), Lohman y Corp. (2006), y Lohman (2003). En cuanto a lo bien que las puntuaciones WPPSI predicen logros *posteriores,* la investigación anterior ha mostrado que dichas puntuaciones (a las edades de cuatro a seis años) sólo explican entre el 7 y el 24% de las puntuaciones en las pruebas SAT, que se realizan once o doce años después. Así, al menos el 76% de la puntuación SAT no está determinada por la inteligencia a una edad temprana. Spinelli (2006) y Baxter (1988).

Los autores y editores de los tests de inteligencia trabajan para eliminar los sesgos raciales/étnicos: Dietz (sin fecha), Rock y Stenner (2005), y Lohman y Lakin (2006).

Eficacia internacional de los tests de inteligencia: consulta, por ejemplo, Barber (2005).

Coeficientes de inteligencia de licenciados universitarios y doctores: Colom (2004).

Tasa de progreso de los estudiantes avanzados de California: «Windows and classrooms...» (2003).

Estudio de Carolina del Norte que compara los primeros tests de inteligencia con el rendimiento escolar posterior: Kaplan (1996).

Todo un tercio de los niños más brillantes de tercero puntúan por debajo de la media antes de preescolar: Lohman (2006).

Uso de un único test para ubicar a los estudiantes avanzados: además de la unanimidad de los estudiosos respecto a que una única prueba no debería determinar la ubicación en un programa avanzado, estos consejos vienen de los propios creadores de los tests. En una guía clínica editada por el presidente y director de la Pearson Assesment Divison, a los psicólogos se les advierte de que «no se debe usar nunca un solo test aislado para evaluar que un niño es avanzado, o para realizar recomendaciones sobre su ubicación escolar». Sparrow y Gurland (1998).

Declaración de Reynolds sobre la evaluación de avanzado o perteneciente a educación especial: Reynolds se refiere a los requisitos federales que indican que los alumnos que han de ir a educación especial deben pasar múltiples pruebas antes de su ubicación final, y su progreso en los programas también se reevalúa continuamente.

Evaluación del estado de Carolina del Sur de sus estudiantes avanzados: Van Tassel-Baska *et al.* (2007), VanTassel-Baska *et al.* (2002) y «Removal of Students» (2004).

Esfuerzo abortado por repetir las pruebas en Florida: «Legislative Update...» (2008).

Programas de la ciudad de Nueva York para niños avanzados: «Chancellor Proposes Change...» (2008) y «Gifted and Talented Proposal» (2007).

Inteligencia emocional/Salovey frente a Goleman: el equipo que acuñó originalmente el término «inteligencia emocional» incluyó a John D. Mayer, Peter Saloveny y David R. Caruso.

En una sala llena a rebosar durante la convención de la Asociación de Psicología Americana de 2008, Salovey llamó la atención de sus colegas sobre esta línea del libro de 1995 de Goleman: «[...] los datos existentes sugieren [que la inteligencia emocional] podría ser tan poderosa, y a veces más, que el coeficiente de inteligencia». Salovey explicó que «lo que existía» en 1995 era «cero»: no había ningún dato en absoluto cuando Goleman escribió esa afirmación. Por aquel tiempo, el equipo de Salovey acababa de crear la teoría de la posible existencia de la inteligencia emocional: ni siquiera habían creado una manera de medirla. La aseveración de Goleman de 1998 de que «casi el 90% de la diferencia entre los trabajadores más brillantes en el puesto de trabajo y los que están en la media se debe a la inteligencia emocional» tampoco contaba con pruebas en ese momento. Desde entonces, Salovey y otros han descubierto que, en algunos campos, la inteligencia emocional puede ser beneficiosa, pero en otros puede ser un inconveniente. Entre los agentes de seguros, por ejemplo, los que tienen más sensibilidad emocional son menos eficientes y productivos, porque se implican demasiado con sus clientes.

Evidentemente, Salovey, Mayer y Caruso siguen creyendo con firmeza en la existencia de la inteligencia emocional, y en que probablemente es un activo. Pero siguen analizando qué es y qué significa poseerla. Entre tanto, se sienten frustrados por haber sido criticados repetida y severamente por otros investigadores por las afirmaciones de Goleman y otros, y no por sus propias declaraciones.

Y con respecto al entrenamiento escolar de los niños en inteligencia emocional, el primer estudio verdadero sobre si se puede detectar y medir, y si eso supondría un beneficio académico, se está realizando actualmente. Notas del autor sobre la conferencia APA 2008, Mayer, Salovey y Caruso (2008) y Salovey (2008).

Inteligencia emocional en una población reclusa: Hemmati *et al.* (2004).

«En un test de conocimiento emocional»: Izard *et al.* (2001).

Éxito académico y rasgos de personalidad: Newsome *et al.* (2000).

Corteza cerebral y desarrollo de las sinapsis: para darte una sensación del gran proceso de organización que se desarrolla en el cerebro, se pueden perder hasta 30.000 sinapsis por *segundo* hasta que el niño llega a la adolescencia. Para supervisiones del desarrollo cortical y sináptico del cerebro, consulta Shaw (2007), Giedd (2008), Shaw *et al.* (2006), Lenroot y Giedd (2006) y Lerch *et al.* (2006). Consulta también Spear (2000) en las fuentes del capítulo 7.

Organización del cerebro: la mielinización, el proceso por el que la materia gris se convierte en materia blanca, afecta más específicamente a los procesos cognitivos, como el desarrollo de la memoria operativa. La organización de las fibras cerebrales, conocidas como axones, impacta drásticamente en la velocidad de procesamiento del cerebro. Lerch et al. (2006); Nagy *et al.* (2004), Barnea-Goraly *et al.* (2005), Schmithorst y Holland (2007), Schmithorst *et al.* (2002) y Schmithorst *et al.* (2006).

Dos tercios de las puntuaciones en los tests de inteligencia mejorarán o empeorarán más de 15 puntos: el trabajo de Sontag y McCall analizó datos del estudio longitudinal de Fels; a los individuos de este estudio se les midió el coeficiente de inteligencia cada medio año desde los dos años y medio hasta los seis, y después una vez al año hasta los doce, y de nuevo a los catorce, quince y diecisiete. McCall descubrió que el coeficiente de los niños normales de clase media cambió una media de 28,5 puntos entre los dos años y medio y los diecisiete. Por otra parte, más de un tercio de los niños realizaban saltos en el rendimiento de más de 30 puntos durante esa misma edad. Algunos argumentan que el coeficiente de inteligencia es estable a lo largo de la infancia, especialmente después de los seis años; no obstante, McCall explica que la alta correlación ofrecida como evidencia resulta, en cierta medida, desorientadora. Estas fórmulas comparan la variación en las puntuaciones de un individuo con la variación mucho más amplia de la población en general. Así, cuando se ve como correlación, la varianza de las puntuaciones del individuo parece relativamente pequeña, pero las puntuaciones a lo largo de los años infantiles cuentan otra historia. Consulta Sontag *et al.* (1958), McCall *et al.* (1973) y Sternberg *et al.* (2001).

En otro estudio de una serie de niños desde la infancia hasta los dieciséis años de edad se descubrió que el coeficiente de inteligencia cambiaba significativamente en más de la mitad de ellos, no una vez sino tres a lo largo de ese periodo. Schwartz y Elonen (1975).

Las puntuaciones en el test de inteligencia de los niños avanzados son más variables: Sparrow y Gurland determinaron: «De los niños en la muestra estandarizada del WISC-III, el 45,8% de los que tenían un coeficiente superior a 135 presentaban discrepancias entre [las dos principales secciones del test] de 11 puntos o más». Sparrow y Gurland (1998). Otros estudios que han informado sobre la variación de la puntuación infantil en los tests de inteligencia son los de Robinson y Clinkenbeard (1998), y Robinson y Weimer (1991).

Localizar el amor, la religión y el peligro en el cerebro: el peligro se observa más agudamente en la amígdala, así como en el hipocampo, la ínsula, la corteza prefrontal, la corteza promotora, la estriada y la cingulada anterior. La recitación de pasajes bíblicos activa las cortezas dorsolateral prefrontal, dorsomedial frontal y medial parietal. El amor romántico está presente en la ínsula medial, en la corteza cingular anterior, en el giro dentado, en el hipotálamo, en el hipcampo, en el putamen, en el globos pálido y, para las mujeres, en el genu. Phelps *et al.* (2001), Williams *et al.* (2001), Azari *et al.* (2001), Bartels y Zeki (2000), y Bartels y Zeki (2004) en las fuentes de la introducción.

Cambios en el procesamiento cerebral a lo largo del desarrollo: algunos informes sobre este cambio evolutivo incluyen, Casey *et al.* (2005), Colom *et al.* (2006a), Colom *et al.* (2006b), Haier (1990), Johnson *et al.* (2008), Paus *et al.* (2005), Paus *et al.* (1999), Rubia *et al.* (2006), Scherf *et al.* (2006), Schlaggar *et al.* (2002), y Thomas *et al.* (2008).

Capítulo 6. El efecto de los hermanos

Aumento de las familias con un hijo: curiosamente, a pesar del aumento de familias con un solo hijo, sólo el 3% de los americanos cree que las familias con hijos únicos son ideales. Mancillas (2006).

Frecuencia de discusiones entre hermanos: Kramer *et al.* (1999).

Descubrimientos de Kramer sobre la aceptación por parte de los padres del conflicto entre hermanos: Kramer y una serie de estudiosos se quejan de que la aceptación parental del conflicto entre hermanos contribuye a su prevalecencia:

viéndolo como inevitable, los progenitores hacen menos por impedir que ocurra. Los estudiosos también rechazan la idea de que el conflicto entre hermanos es una certeza, apuntando hacia mejores relaciones fraternales en otras culturas, donde se espera que los hermanos mayores cuiden de los pequeños.

El papel de los padres en la prevención y resolución de conflictos: otra de las razones por las que Kramer es tan innovador es que los resultados de las investigaciones sobre los intentos parentales de resolver los conflictos son decididamente confusos. Smith y Ross (2007) consiguieron entrenar en cierta medida a los padres para mediar en las disputas entre hermanos. (El programa era la disertación doctoral de Smith, y Kramer estaba en el panel de revisión.) Pero, sin ese entrenamiento, Ross y otros investigadores han descubierto que la intervención de los progenitores en una discusión puede empeorar las cosas. Frecuentemente, su enfoque se centra en obligar a sus hijos a compartir un juguete por el que luchan, y en alejar a un niño del conflicto, pero entonces privan a los niños de la oportunidad de aprender a negociar y de respetar sus mutuas necesidades. Y aún es peor cuando los padres acaban la discusión diciendo algo como: «Ya basta, estoy harto de vosotros». Porque ahí está exhibiendo el mismo tipo de poder autocentrado y unilateral que los niños. Consulta Kramer *et al.* (1999), Perlman *et al.* (2007), Ross *et al.* (2006), y Ross (1996).

Causas de disputas entre hermanos: McGuire *et al.* (2000).

Capítulo 7. La ciencia de la rebelión adolescente

Estadísticas sobre certezas de la vida: para ver las probabilidades de que se disuelva un matrimonio, consulta Bramlett y Mosher (2002). En cuanto a la esperanza de vida en Estados Unidos, consulta las estadísticas del Centro Nacional de Salud. El porcentaje de aprobados para quienes se examinaban por primera vez en el examen de acceso a la Universidad del Estado de Nueva York fue del 83% en 2008, lo que supone un ascenso con respeto a la cifra del 79,1% del año anterior, mientras que el récord de solicitudes en Harvard (27.462) hizo que su tasa de aceptación, del 7%, fuera la más baja en la historia de la escuela. McAlary (2008) y «A Record Pool...» (2008).

Aburrimiento y uso de alcohol/drogas: el Centro Nacional para la Adicción y el Abuso de Sustancias descubrió que los adolescentes aburridos tenían un 50% más de probabilidades de fumar, emborracharse o consumir drogas ilegales. Caldwell y Smith (2006).

Entrevista Harris a los padres de adolescentes: «¡Wake up Moms and Dads!» (2008).

El adolescente que dice «esto no tiene nada que ver contigo»/el deseo de autonomía: el deseo de autonomía adolescente no es universal: los niños generalmente no exigen el control total de sus vidas. Más bien, como ha descubierto la investigadora Judith Smetana, los adolescentes dividen el mundo en ciertas esferas de control: creen que hay cosas sobre las que los padres tienen derecho a mantener el control, pero también hay otras que están adecuadamente bajo el suyo propio. La tensión surge cuando los padres y los adolescentes no coinciden en qué debe incluirse en cada categoría.
Por ejemplo, tanto el padre como la hija pueden estar de acuerdo en que él establece las reglas sobre la conducción, porque están relacionadas con la seguridad. Pero el padre también podría creer que tiene derecho a dar su aprobación a los amigos de su hija, mientras que ésta está en franco desacuerdo, ya que cree que sus amigos son un asunto exclusivamente suyo.
Otro ejemplo: los progenitores podrían sentirse furiosos por la negativa de su hijo de limpiar su habitación o cuidar de sus cosas, pero él piensa que su desorden sólo le afecta a él, y no entiende por qué se sienten tan molestos.
Se podría asumir que en la primera adolescencia se acepta más el gobierno de los padres, pero Darling ha descubierto que es justo al revés: en la primera adolescencia se desea tener más el control de la propia vida que en los años posteriores.

Centro de gratificación del cerebro: el experimento de Galvan se diseñó específicamente para evaluar cómo se procesan las gratificaciones dentro del núcleo accumbens y la corteza orbital frontal, porque estas áreas del cerebro son particularmente sensibles a la cantidad de gratificaciones. La corteza estriada ventral y el tálamo también participan en la percepción y respuesta a la gratificación. Consulta Izuma *et al.* (2008) en las fuentes del capítulo 1 y Galvan *et al.* (2005).

Discutir con los padres: las discusiones con los padres llegan al máximo cuando los niños están en la primera adolescencia, entre los once y los catorce años. No obstante, esto es válido para los hermanos mayores; para los pequeños, ese periodo de máximo conflicto se produce son su madre entre las edades de nueve y once años, y con su padre todavía antes, entre los siete y los nueve. Shanahan *et al.* (2007).

El mito de los años de rebelión adolescente: nuestra revisión de las primeras investigaciones fracasadas sobre la rebelión adolescente se basan en Steinberg (2001). Las estimaciones actuales dicen que la verdadera rebelión contra los padres sólo ocurre en una horquilla de entre el 5 y el 15% de los casos. Smetana *et al.* (2006). El mito de la rebelión adolescente no es la única creencia tradicional relacionada con los adolescentes: tampoco existen pruebas de que éstos sean impulsados por sus «acaloradas hormonas». Spear (2000).

Estudiantes universitarios en programas de recuperación: California no es el único estado con estudiantes universitarios en programas de recuperación. Pensilvania estima que un tercio de sus estudiantes universitarios estatales también recibieron clases particulares. «Analysis of the 2003-04 Budget...» (2003), «Early Assessment Program» (2008) y Barnes (2007).

Pero estos números contienen una historia oculta: actualmente, a nivel nacional, hay menos estudiantes que necesitan clases de recuperación que los que ha habido desde los años ochenta. El 42% de la promoción de 1982 necesitó cursos de repaso en la universidad, incluyendo el 29% de los alumnos que estaban en el quintil superior de la nación. En 1992, los programas de repaso y recuperación sólo afectaban al 26% del total de estudiantes, y únicamente el 9% de los mejores de la nación necesitaron estas ayudas. La cantidad se ha mantenido en torno al 28% desde entonces. En realidad ahora hay menos escuelas y universidades que ofrezcan cursos de recuperación que en los años ochenta. Adelman (2004), y Pasard y Lewis (2003).

Aumentan los estudiantes que reciben clases avanzadas de matemáticas y ciencias/aumentan las solicitudes para la universidad: entre 1990 y 2004 se produjo un incremento del 20% en la participación de los estudiantes en clases de matemáticas y ciencias. Éste no es el único indicador de que los alumnos están realizando cursos más avanzados: desde 1996 hasta 2007, el número de alumnos que hicieron exámenes de ubicación avanzados (intentando obtener créditos universitarios mientras aún están en el instituto de secundaria) se triplicó hasta llegar a la cifra de 1,5 millones. También hay más alumnos que estudian, e incluso exceden, el número de años recomendados de las asignaturas clave en el instituto. Morisi (2008) y «The American Freshman: Forty-Year Trends» (2007).

Por supuesto, aún se pude mejorar: las tasas nacionales de fracaso y abandono escolar son inaceptables. Pero, como media, hay millones de niños que están mejor preparados académicamente que antes.

Datos de las solicitudes de admisión en universidades: «Percentage of High School Completers» (2008).

Entrevistas a alumnos de primer año de universidad: hemos extraído los datos de la entrevista anual del Instituto de Investigación de la Educación Superior, «The American Freshman», para los años de 2007 a 2009.

CAPÍTULO 8. ¿ES POSIBLE ENSEÑAR AUTOCONTROL?

Ineficacia de las clases de educación vial: Mayhew *et al.* (1998), Vernick *et al.* (1999), y Williams (2006).

Fracaso de los programas para la prevención del uso de drogas y del abandono escolar: la oficina de contabilidad general informó de la ineficacia de los programas DARE y revisó otros programas para la prevención del uso de drogas en un informe presentado al senador Richard J. Durban (D-Illinois). Kanof (2003). Evaluaciones similares se incluyeron en un informe al Congreso del Instituto Nacional de Justicia. Sherman *et al.* (1998). Entre los análisis de los especialistas se incluyen los de Lynam *et al.* (1999) y Shepard (2001).

Intervenciones y el tamaño de los efectos: para tener una perspectiva del tamaño de los efectos en intervenciones específicas, consulta Ammerman *et al.* (2002), Snyder *et al.* (2004), Welsh y Farrington (2003), Stice *et al.* (2006), y Wilfley *et al.* (2007).

Aprendiendo mediante el uso del diálogo interno: un estudio realizado en la Universidad Vanderbilt ha demostrado recientemente el poder de enseñar a usar el diálogo interno. Los niños de cuatro y cinco años tuvieron que elegir un color y una forma, y después predecir cuál sería el siguiente objeto de la serie. Al grupo de control se le enseñó a emplear una pauta. Los niños a los que se les había enseñado el diálogo interno fueron un 300% mejores en la tarea que los del grupo de control. Rittle-Johnson *et al.* (2008).

La maleabilidad del autocontrol: Masicampo y Baumeister (2008) y Baumeister *et al.* (2007).

Estudio para encontrar una correlación entre el coeficiente de inteligencia elevado y la fatiga relacionada con la glucosa: Shamosh y Gray (2007).

CAPÍTULO 9. JUEGA BIEN CON OTROS

Respuestas de los estudiosos a los descubrimientos de Dodge: basado en las notas del autor sobre comentarios de Dodge, Loansford y miembros del público durante la presentación de Dodge *et al.* en el encuentro bianual de la Sociedad para la Investigación del Desarrollo Infantil, celebrada en Boston en 2007.

Diferencias interculturales/étnicas en el uso del castigo corporal: es importante indicar que, incluso para la mayoría de las familias que usan el castigo corporal, generalmente es una ocurrencia rara, y que estamos hablando de aplicar este tipo de castigos sólo como reprimenda. No nos referimos al abuso. Y, para reafirmar una vez más lo que aparece en el texto, Dodge y sus colegas no creen que su trabajo debiera animar a nadie a usar el castigo corporal. Más bien creen que se tienen que considerar los significados culturales y parentales asociados con el castigo (tome la forma que tome) para entender sus efectos sobre el chico.

El uso del castigo corporal por parte de los protestantes conservadores y otros grupos religiosos: Gershoff *et al.* (1999), Gershoff (2002), y Regnerus *et al.* (2003).

Investigación británica sobre abusos en la escuela: House of Commons... (2007).

Aumento de la tolerancia cero: Skiba *et al.* (2006) y entrevistas de los autores con la presidenta de la fuerza para la tarea tolerancia cero de la APA, Cecil Reynolds.

Popie-jopie: entrevistas de los autores con Cillessen, y DeBruyn y Cillessen (2006).

Estudios que conectan la popularidad y el uso del alcohol: consulta, por ejemplo, Allen *et al.* (2006), y Allen y McFarland (2008).

Los niños que están «socialmente ocupados»: entrevista de los autores con Claire Hughes.

Estimación de que uno de cada seis niños podrían ser controladores biestratégicos: Jacobs *et al.* (2007).

Tiempo que pasan los adolescentes en interacción con adultos e iguales: Spear (2000) en las fuentes del capítulo 7; entrevistas de los autores y correspondencia con Baird y Allen.

Capítulo 10. Por qué Hannah habla y Alyssa no

Estudio sobre el lenguaje de los bebés y el uso del vídeo de la Universidad de Washington: Zimmerman *et al.* (2007a) y Zimmerman *et al.* (2007b).

Medición del lenguaje infantil/CDI: los estudios de Zimmerman *et al.* emplearon lo que se conoce como la «forma corta del CDI»: una lista de 89 palabras que se considera que indican directamente la amplitud del vocabulario de un niño. La forma completa del CDI es una lista de todas las palabras –está pensado para crear índices en tiempo real de todo el vocabulario infantil– pero, dependiendo de la edad del niño, a los investigadores entrenados puedes llevarles entre dos y tres horas aplicar la totalidad de la prueba. Por lo tanto, en las entrevistas telefónicas como las realizadas por la Universidad de Washington, la forma corta del CDI es verdaderamente la única alternativa práctica, y sus resultados son lo suficientemente fiables como para satisfacer a los estudiosos de este campo. Ciertamente, algunos consideran que lo ideal para los científicos es administrar el CDI completo, pero esto agota a los padres y a los niños. Notas del autor de la conferencia IASCL, Edimburgo, Escocia (2008) y Fenson *et al.* (2000).

Aigner-Clark acredita a Kuhl: Burr (1997) y Morris (1997).

Segmentación del lenguaje en los niños: Jusczyk (1999), Newman *et al.* (2006), y Newman *et al.* (2003).

Simultaneidad de los datos sensoriales: Bahrick y Lickliter (2002), Bahrick y Lickliter (2000), Gogate y Bahrick (1998), y Hollich *et al.* (2005).

Adquisición de nombres y palabras «de clase cerrada»: Goodman *et al.* (2008).

Turnarse en el diálogo entre niños y padres predice la habilidad cognitiva: Tamis-LeMonda y Bornstein (2002).

Movimientos manuales y aprendizaje de las palabras: Schwade *et al.* (2004).

Valor de oír múltiples pronunciaciones para aprender palabras: Rost y McMurray (2008).

El 45% de las expresiones del niño de dos años comienza con una de 17 palabras: Cameron-Faulkner *et al.* (2003).

Comparación de la adquisición de palabras en las lenguas europeas y coreana: Bornstein *et al.* (2004).

Uso de marcos y conjuntos de variación: en un estudio de dos años de duración realizado con niños de entre catorce y treinta meses, los niños cuyos padres habían usado más conjuntos de variación tenían un lenguaje más avanzado, tanto por el número de palabras como por la estructura de su sintaxis. Fernald y Hurtado (2006), Bornstein *et al.* (1999), Waterfall (2009), y Waterfall (2006).

El sesgo de la forma: entrevistas de los autores con Samuelson y Smith; también Samuelson (2008), Samuelson y Horst (2004), Samuelson (2002), Samuelson (2000), Smith (2008), y Smith *et al.* (2002).

Crecimiento del vocabulario infantil: Goodman *et al.* (2008).

Conclusión

Reevaluación por parte de los investigadores de la rueda de molino hedonista: Diener *et al.* (2006).

Efecto del elogio en los adultos: consulta, por ejemplo, McCausland *et al.* (2007) y Earley (1986).

El desarrollo ortogonal de virtud y vicio en los niños: otro ejemplo viene de Padilla-Walker. Ella ha visto que los esfuerzos de los padres por inculcarles a los niños valores prosociales impacta en sus actitudes y conductas prosociales, pero no parece cambiar sus conductas o actitudes antisociales. Padilla-Walker (2007), y Padilla-Walker y Carlo (2007).

Los niños que saben que les gusta el sabor de las manzanas no comen más fruta: por desgracia, en este caso no estamos hablando hipotéticamente. Un equipo de la Universidad de California, en Los Ángeles, fue contratado para evaluar la eficacia de la Red de la Nutrición, un programa que las 325 escuelas del distrito escolar unificado de Los Ángeles usaban en sus aulas para mejorar los hábitos alimenticios. Los investigadores entrevistaron a cerca de 1.000 alumnos de tercero, cuarto y quinto. Descubrieron que casi todos los niños –dentro o fuera del programa– sabían que las frutas saben bien y que son buenas para ellos. (También conocían los beneficios de las verduras, aunque no les gustara el sabor.) Pero, a pesar de saberlo, comían aproximadamente una pieza de fruta al día, y algo menos que una ración de verduras. Los investigadores se preguntaron si el coste de la verdura fresca podría ser el obstáculo para que se consumiera más, pero menos de un 1% de los estudiantes dijeron que sus padres no podían costear los productos frescos. La primera razón por la que los niños no satisfacían la cantidad diaria recomendada de verduras y frutas era que preferían comer alguna otra cosa. Prelip *et al.* (2006).

Fuentes y referencias selectas

Además de las numerosas entrevistas que hemos realizado, a continuación damos una lista de los materiales de investigación significativos y de las conferencias que han informado directamente nuestros textos.

Introducción

Bartels, Andreas y Semir Zeki, «The Neural Correlates of Maternal and Romantic Love», *NeuroImage*, vol. 21, nº 3, pp. 1155-1166 (2004).

Lorberbaum, Jeffrey P., John D. Newman, Amy R. Horwitz, Judy R. Dubno, R. Bruce Lydiard, Mark B. Hamner, Daryl E. Bohning, y Mark S. George, «A Potential Role for Thalamocingulate Circuitry in Human Maternal Behavior», *Biological Psychiatry,* vol. 51, nº 6, pp. 431-445 (2002).

Noriuchi, Madoka, Yoshiaki Kikuchi y Atsushi Senoo, «The Functional Neuroanatomy of Maternal Love: Mother's Response to Infant's Attachment Behaviors», *Biological Psychiatry*, vol. 63, nº 4, pp. 415-423 (2008).

Swain, James E., Jeffrey P. Lorberbaum, Samet Kose y Lane Strathearn, «Brain Basis of Early Parent-Infant Interactions: Psychology, Physiology, and In Vivo Functional Neuroimaging Studies», *Journal of Child Psychology and Psychiatry*, vol. 48, nº 3-4, pp. 262-287 (2007).

Capítulo 1. El poder inverso del elogio

Ahuja, Anjana, «Forget Self-Esteem and Learn Some Humility», *The Times* (Londres), p. A1 (17 de mayo de 2005).

Atiderson, D. Chris, Charles R. Crowell, Mark Doman y George S. Howard, «Performance Posting, Goal Setting, and Activity-Contingent Praise as Applied to a University Hockey Team», *Journal of Applied Psychology*, vol. 73, nº 1, pp. 87-95 (1988).

Baumeister, Roy E., Jennifer D. Campbell, Joachim I. Krueger y Kathleen D. Vohs, «Does High Self-Esteem Cause Better Performance, Interpersonal Success, Happiness or Healthier Lifestyles?», *Psychological Science in the Public Interest*, vol. 4, nº 1, pp. 1-44 (2003).

Baumeister, Roy F., Jennifer D. Campbell, Joachim I. Krueger y Kathleen D. Vohs, «Exploding the Self Esteem Myth», *Scientfic American*, vol. 292, pp. 84-92 (2005).

Baumeister, Roy F., Debra G. Hutton y Kenneth J. Cairns, «Negative Effects of Praise on Skilled Performance», *Basic and Applied Psychology*, vol. 11, nº 2, pp. 131-148 (1990).

Blackwell, Lisa Sorich, Kali H. Trzesniewski y Carol S. Dweck, «Implicit Theories of Intelligence Predict Achievement Across an Adolescent Transition: A Longitudinal Study and an Intervention», *Child Development*, vol. 78, nº 1, pp. 246-263 (2007).

Campanella Bracken, Cheryl, Leo W. Jeffres y Kimberly A. Neuendorf, «Criticism or Praise? The Impact of Verbal Versus Text-Only Computer Feedback on Social Presence, Intrinsic Motivation, and Recall», *CyberPsychology & Behavior*, vol. 7, nº 3, pp. 349-357 (2004).

«Chat Wrap-Up: Student Motivation, What Works, What Doesn't», *Education Week*, vol. 26, nº 3, p. 38 (2006).

Cole, David A., Joan M. Martin, Lachlan A. Peeke, A. D. Seroczynski y Jonathan Fier, «Children's Over- and Underestimation of Academic Competence: A Longitudinal Study of Gender Difference, Depression and Anxiety», *Child Development*, vol. 70, nº 2, pp. 459-473 (1999).

Crocker, Jennifer, entrevista con Neal Conan, *Talk of the Nation*, Radio Pública Nacional, Washington DC (3 de agosto de 2005).

Dweck, Carol S., «Caution: Praise Can Be Dangerous», *American Educator*, vol. 23. nº 1, pp. 4-9 (1999).

_____*Mindset*. Nueva York: Ballantine (2006).

_____«The Perils and Promise of Praise», *Educational Leadership*, vol. 65, nº 2, pp. 34-39 (2007).

«Empty Praise: A Generation Ill-Prepared for Real World», *San Diego Union Tribune*, p. B.10.2 (2005).

Gusnard, Debra A., John M. Ollinger, Gordon L. Shulman, C. Robert Cloninger, Joseph L. Price, David C. Van Essen y Marcus E. Raicule, «Persistence and

Brain Circuitry», *Proceedings of the National Academy of Sciences*, vol. 100, nº 6, pp. 3476-3484 (2003).

Hancock, Dawson R., «Influencing Graduate Students' Classroom Achievement, Homework Habits and Motivation to Learn With Verbal Praise», *Educational Research*, vol. 44, nº 1, pp. 83-95 (2002).

Henderlong, Jennifer y Mark R. Lepper, «The Effects of Praise on Children's Intrinsic Motivation: A Review and Synthesis», *Psychological Bulletin,* vol. 128, nº 5, pp. 774-795 (2002).

Henderlong Corpus, Jennifer y Mark R. Lepper, «The Effects of Person Versus Performance Praise on Children's Motivation: Gender and Age as Moderating Factors», *Educational Psychology*, vol. 27, nº 4, pp. 487-508 (2007).

____Kelly E. Love y Christin M. Ogle, «Social Comparison Praise Undermines Intrinsic Motivation When Children Later Doubt Their Ability», informe y póster presentados en el encuentro bianual de la Society for Research in Child Development, Atlanta (2005).

____Christin M. Ogle y Kelly E. Love-Geiger, «The Effects of Social-Comparison Versus Mastery Praise on Children's Intrinsic Motivation», *Motivation and Emotion*, vol. 30, nº 4, pp. 335-345 (2006).

Izuma, Keise, Daisuke N. Saito y Norihiro Sadato, «Processing of Social and Monetary Rewards in the Human Striatum», *Neuron*, vol. 58, nº 2, pp. 284-294 (2008).

Kennedy Manzo, Kathleen, «Student Ambition Exceeds Academic Preparation», *Education Week*, vol. 24, nº 30, p. 6 (2005).

Kutner, Lawrence, «Parents and Child», *New York Times* (6 de junio de 1991), p. c.2.

Lepper, Mark R., David Greene y Richard E. Nisbett, «Undermining Children's Intrinsic Interest With Extrinsic Reward: A Test of the 'Overjustification' Hypothesis», *Journal of Personality and Social Psychology*, vol. 28, nº 1, pp. 129-137 (1973).

May, J. Christopher, Mauricio R. Delgado, Ronald E. Dahl, V. Andrew Stenger, Neal D. Ryan, Julie A. Fiez y Cameron S. Carter, «Event-Related Functional Magnetic Resonance Imaging of Reward-Related Brain Circuitry in Children and Adolescents», *Biological Psychiatry*, vol. 55, nº 4, pp. 359-366 (2004).

McHoskey, John W., William Worzel y Christopher Szyarto, «Machiavellianism and Psychopathy», *Journal of Personality and Social Psychology*, vol. 74, nº 1, pp. 192-210 (1998).

Meyer, Wulf-Uwe, Rainer Reisenzein y Oliver Dickhauser, «Inferring Ability From Blame: Effects of Effort Versus Liking-Oriented Cognitive Schemata», *Psychology Science*, vol. 46, nº 2, pp. 281-293 (2004).

Mueller, Claudia M. y Carol S. Dweck, «Praise for Intelligence Can Undermine Children's Motivation and Performance», *Journal for Personality and Social Psychology*, vol. 75, nº 1, pp. 33-52 (1998).

Ng, Florrie Fei-Yin, Eva M. Pomerantz y Shui-fong Lam, «European American and Chinese Parents' Responses to Children's Success and Failure: Implications for Children's Response», *Developmental Psychology*, vol. 43, nº 5, pp. 1239-1255 (2008).

Niiya, Yu, Jennifer Crocker y Elizabeth N. Bartmess, «From Vulnerability to Resilience Learning Orientations Buffer Contingent Self-Esteem From Failure», *Psychological Science*, vol. 15, nº 12, pp. 801-805 (2004).

Peikin, David, «Praising Children for Their Intelligence May Leave Them Ill-Equipped to Cope With Failure» [artículo de prensa], American Psychological Association, Washington DC (1998).

Phillips, Deborah, «The Illusion of Incompetence Among Academically Competent Children», *Child Development*, vol. 55, nº 6, pp. 2000-2016 (1984).

Pomerantz, Eva M., Wendy S. Grolnick y Carne E. Price, «The Role of Parents in How Children Approach Achievement», en *The Handbook of Competence and Motivation*, pp. 259-278, de Andrew J. Elliot y Carol S. Dweck (eds.). Nueva York: Guilford Press (2005).

Reynolds, John, Mike Stewart, Ryan MacDonald y Lacey Sischo, «Have Adolescents Become Too Ambitious? U.S. High School Seniors' Career Plans, 1976 to 2000», Departamento de Sociología, Universidad del Estado de Florida (2005).

Ryan, Richard M. y Edward L. Deci, «Self-Determination Theory and the Facilitation of Intrinsic Motivation, Social Development, and Wellbeing», *American Psychologist*, vol. 55, nº 1, pp. 68-78 (2000).

Strickler, Jane, «What Really Motivates People?», *Journal for Quality and Participation*, pp. 26-28 (2006).

Swanbrow, Diane, «Shame on Us: Shaming Some Kids Makes Them More Aggressive» [artículo de prensa], Universidad de Michigan, Ann Arbor (2008).

Thomaes, Sander, Brad J. Bushman, Hedy Stegge y Tjeert Olthof, «Trumping Shame by Blasts of Noise: Narcissism, Self-Esteem, Shame, and Aggression in Young Adolescents», *Child Development*, vol. 79, nº 6, pp. 1792-1801 (2008).

Wagner, Barry M. y Deborah A. Phillips, «Beyond Beliefs: Parent and Child Behaviors and Children's Perceived Academic Competence», *Child Development*, vol. 63, nº 6, pp. 1380-1391 (1992).

Webster, Robert L. y Harry A. Harmon, «Comparing Levels of Machiavellianism of Today's College Students With College Students of the 1960's», *Teaching Business Ethics,* vol. 6, nº 4, pp. 435-445 (2002).

Willingham, Daniel T., «How Praise Can Motivate or Stifle», *American Educator*, vol. 29, nº 4, pp. 23-27, (2005-2006).

CAPÍTULO 2. LA HORA PERDIDA

Acebo, Christine, Avi Sadeh, Ronald Seifer, Orna Tzischinsky, Abigail Hafer y Mary A. Carskadon, «Sleep/Wake Patterns Derived From Activity Monitoring and Maternal Report for Healthy 1- to 5-Year-Old Children», *Sleep*, vol. 28, nº 12, pp. 1568-1577 (2005).

Anderson, Patricia M. y Kristin F. Bucher, «Childhood Obesity: Trends and Potential Causes», *Future of Children*, vol. 16, nº 1, pp. 19-45 (2006).

Arcia, Emily, Peter A. Ornstein y David A. Otto, «Neurobehavioral Evaluation System (NES) and School Performance», *Journal of School Psychology,* vol. 29, nº 4, pp. 337-352 (1991).

Arcuri, Jim, «AASM to School-Bound: Sleep Is the Right Ingredient for Academic Success» [artículo de prensa], American Academy of Sleep Medicine, Westchester, IL (2007).

____«Children With Sleep Disorders Symptoms Are More Likely to have Trouble Academically» [artículo de prensa], Associated Professional Sleep Societies, LLC, Westchester, IL (2007).

____«Sleep Deprivation Can Lead to Smoking, Drinking» [artículo de prensa], Associated Professional Sleep Societies, LLC, Westchester, IL (2007).

Bachmann, Alissa y Erin Ax, «The Relationship Between the Prevalence of Sleep Disorders Symptoms and Academic Performance in Lower Elementary School Students», *Journal of Sleep and Sleep Disorders Research*, vol. 30, suplemento resumido, p. A99 (2007).

Backhaus, Jutta, Ralf Hoeckesfeld, Jan Born, Fritz Hohagen y Klaus Junghanns, «Immediate as Well as Delayed Post Learning Sleep but Not Wakefulness Enhances Declarative Memory Consolidation in Children», *Neurobiology of Learning and Memory*, vol. 89, nº 1, pp. 76-80 (2008).

Bartolic, Silvia K., Sook-Jung Lee y Elizabeth A. Vandewater, «Relating Activity Involvements to Child Weight Status: Do Normal and Overweight Children

Differ in How They Spend Their Time?», trabajo presentado en el encuentro anual de la Population Association of America, Nueva York (2007).

Bass, Joseph y Fred W. Turek, «Sleepless in America», *Archives of Internal Medicine*, vol. 165, nº 1, pp. 15-16 (2005).

Beebe, D. W., D. Rose y R. Amin, «Effect of Chronic Sleep Restriction on an Adolescents' Learning and Brain Activity in a Simulated Classroom: A Pilot Study», *Journal of Sleep and Sleep Disorders Research*, vol. 31, suplemento resumido, p. A77 (2008).

Biddle, Stuart J. H., «Sedentary Behavior», *American Journal of Preventive Medicine*, vol. 33, nº 6, pp. 502-504 (2007).

____Trish Gorely, Simon J. Marshall y Noel Cameron, «The Prevalence of Sedentary Behavior and Physical Activity in Leisure Time: A Study of Scottish Adolescents Using Ecological Momentary Assessment», *Preventive Medicine*, vol. 48, nº 2, pp. 151-155 (2009).

Bogan, Lisa, Louise Herot, Amy Harris Hoermann, Catharine Kempson, Helen Martin, Janice Whitney y Carole Young-Kleinfield, «School Start Time Study Report», Liga de mujeres votantes, Wilton, CT (2002).

Born, Jan, «Sleep Enforces the Temporal Sequence in Memory» [artículo de prensa], Biblioteca Pública de Ciencia, Universidad de Lübeck, Alemania (2007).

Brandt, Michelle, «Stanford Study Links Obesity to Hormonal Changes From Lack of Sleep» [artículo de prensa], Universidad de Stanford, Stanford, CA (2004).

Burtanger, Donna, «Practice Makes Perfect, if You Sleep on It» [artículo de prensa], Harvard University, Cambridge, MA (2002).

Cappuccio, Francesco P., Frances M. Taggart, Ngianga-Bakwin Kandala, Andrew Currie, Ed Peile, Saverio Stranges y Michelle A. Miller, «Meta-analysis of Short Sleep Duration and Obesity in Children and Adults», *Sleep*, vol. 31, nº 5, pp. 619-626 (2008).

Carins, A., J. Harsh y M. LeBourgeois, «Napping in Children Is Related to Later Sleep Phase», *Journal of Sleep and Sleep Disorders Research*, vol. 30, suplemento resumido, p. A100 (2007).

Chaput, J-P., M. Brunet y A. Tremblay, «Relationship Between Short Sleeping Hours and Childhood Overweight/Obesity: Results From the 'Québec en Forme' Project», *International Journal of Obesity*, vol. 30, nº 7, pp. 1080-1085 (2006).

Chen, Xiaoli, May A. Beydoun y Youfa Wang, «Is Sleep Duration Associated With Childhood Obesity? A Systematic Review and Meta-analysis», *Obesity*, vol. 16, nº 2, pp. 265-274 (2008).

Chervin, Ronald D., Kristen Hedger Archbold, James E. Dillon, Parviz Panahi, KennethJ. Pituch, Ronald E. Dahi y Christian Guilleminault, «Inattention, Hyperactivity, and Symptoms of Sleep-Disordered Breathing», *Pediatrics*, vol. 109, nº 3, pp. 449-456 (2002).

____James E. Dillon, Claudio Bassetti, Dara A. Ganoczy y Kenneth J. Pituch, «Symptoms of Sleep Disorders, Inattention, and Hyperactivity in Children», *Sleep*, vol. 20, nº 12, pp.1185-1192 (1997).

____Deborah L. Ruzicka, Kristen Hedger Archbold y James E. Dillon, «Snoring Predicts Hyperactivity Four Years Later», *Sleep*, vol. 28, nº 7, pp. 885-890 (2005).

Crosby, Brian, Michelle Gryczkowski, Monique K. LeBourgeois, D. Joe Olmi, Brian Rabian y John R. Harsh, «Mid-Sleep Time and Psychosocial Functioning in Black and White Preschool Children», trabajo presentado en el 21 encuentro anual de las Associated Professional Sleep Societies, Salt Lake City (2007).

Dahl, Ronald E., «The Consequences of Insufficient Sleep for Adolescents», *Phi Delta Kappan*, vol. 80, nº 5, pp. 354-359 (1999).

____«Sleep, Learning, and the Developing Brain: Early-to-Bed as a Healthy and Wise Choice for School Aged Children», *Sleep*, vol. 28, nº 12, pp. 1498-1499 (2005).

Danner, F. W. y R. Gilman, «Sleep Habits, Emotional Disturbance, and ADHD in High School Preshmen», *Journal of Sleep and Sleep Disorders Research*, vol. 31, suplemento resumido, p. A107 (2008).

____R. R. Staten, «Disturbed Sleep, Psychological Distress, and Life Satisfaction in a College Sample», *Journal of Sleep and Sleep Disorders Research*, vol. 31, suplemento resumido, p. A112 (2008).

Danner, Fred, «Sleep Deprivation and School Performance», presentación en el encuentro anual de la Academy of Professional Sleep Societies, Las Vegas (2000).

____Barbara Phillips, «Adolescent Sleep, School Start Times, and Teen Motor Vehicle Crashes», *Journal of Clinical Sleep Medicine*, vol. 4, nº 6, pp. 533-535 (2008).

____«Disturbing Trends in the Sleep of 'Normal' Children and Adolescents», trabajo presentado en el 17 encuentro anual de las Associated Professional Sleep Societies, Chicago (2003).

Dollman, James, K. Ridley, T. Olds y E. Lowe, «Trends in the Duration of School-Day Sleep Among 10- to 15-year-old South Australians Between 1985 and 2004», *Acta Pediatrica*, vol. 96, nº 7, pp. 1011-1014 (2007).

Dragseth, Kenneth A., «A Minneapolis Suburb Reaps Early Benefits From a Late Start», *School Administrator* (marzo de 1999), http://tinyurl .com/cuob4h

Durmer, Jeffrey S. y David F. Dinges, «Neurocognitive Consequences of Sleep Deprivation», *Seminars in Neurology*, vol. 25, nº 1, pp. 117-129 (2005).

Eisenmann, Joey C., Panteleimon Ekkekakis y Megan Holmes, «Sleep Duration and Overweight Among Australian Children and Adolescents», *Acta Pediatrica*, vol. 95, nº 8, pp. 956-963 (2006).

Ellenbogen, Jeffrey M., Peter T. Hu, Jessica D. Payne, Debra Titone y Matthew P. Walker, «Human Relational Memory Requires Time and Sleep», *Proceedings of the National Academy of Sciences*, vol. 104, nº 18, pp. 7723-7728 (2007).

Fallone, Gahan, Christine Acebo, Ronald Seifer y Mary A. Carskadon, «Experimental Restriction of Sleep Opportunity in Children: Effects Teacher Ratings», *Sleep*, vol. 28, nº 12, pp. 1561-1567 (2005).

Fredriksen, Katia, Jean Rhodes, Ranjini Reddy y Niobe Way, «Sleepless in Chicago: Tracking the Effects of Adolescent Sleep Loss During the Middle School Years», *Child Development*, vol. 75, nº 1, pp. 84-95 (2004).

Gavin, Kara, «Link Found Between Kids' Sleep, Behavior Problems» [artículo de prensa], Universidad de Michigan, Ann Arbor (2002).

Gibson, Edward S., A. C. Peter Powles, Lehana Thabane, Susan O'Brien, Danielle Sirriani Molnar, Nik Trajanovic, Robert Ogilvie, Colin Shapiro, Mi Yan y Lisa Chilcott-Tanser, «'Sleepiness' Is Serious in Adolescence: Two Surveys of 3235 Canadian Students», *BMC Public Health*, vol. 6, nº 116 (2006).

Graham, Mary C. (ed.), *Sleep Needs, Patterns and Difficulties of Adolescents: Summary of a Workshop*. Washington DC: National Academy of Sciences, National Academy Press (2000).

Gregory, Alice M., Jan Van der Ende, Thomas A. Willis y Frank C. Verhulst, «Parent-Reported Sleep Problems During Development and Self-reported Anxiety/Depression, Attention Problems, and Aggressive Behavior Later in Life», *Archives of Pediatrics & Adolescent Medicine*, vol. 162, nº 4, pp. 330-335 (2008).

Gupta, Neeraj K., William H. Mueller, Wenyaw Chan y Janet C. Meininger, «Is Obesity Associated With Poor Sleep Quality in Adolescents?», *American Journal of Human Biology*, vol. 14, nº 6, pp. 762-768 (2002).

Hassan, F., M. M. Davis y R. Chervin, «Insufficient Nights of Sleep and Childhood Obesity in a Nationally Representative Dataset», *Journal of Sleep and Sleep Disorders Research*, vol. 31, suplemento resumido, p. A64 (2008).

Hensley, Timothy K., Centers for Disease Control, Atlanta, correos electrónicos intercambiados con los autores (2007).

National Sleep Foundation, «Highlights», encuesta Sueño en America, 2004, Washington DC (2004).

Hofferth, Sandra L. y John F. Sandberg, «How American Children Spend Their Time», *Journal of Marriage and Family*, vol. 63, nº 2, pp. 295-308 (2001).

Horne, James, «Too Weighty a Link Between Short Sleep and Obesity?», *Sleep*, vol. 31, nº 5, pp. 595-596 (2008).

Htwe, Z. W., D. Cuzzonc, M. B. O'Malley y E. B. O'Malley, «Sleep Patterns of High School Students Before After delayed School Start Time», *Journal of Sleep and Sleep Disorders Research*, vol. 31, suplemento, pp. A74-A75 (2008).

Huppé, Jean-François, «Children Who Sleep Less Are Three Times More Likely to Be Overweight» [artículo de prensa], Universidad Laval, Quebec, Canadá (2006).

Iglowstein, Ivo, Oskar G. Jenni, Luciano Molinari y Remo H. Largo, «Sleep Duration From Infancy to Adolescence: Reference Values and Generational Trends», *Pediatrics*, vol. 111, nº 2, pp. 302-307 (2003).

Kiess, W., C. Marcus y M. Wabitsch (eds.), *Obesity in Childhood and Adolescence, Pediatric Adolescent Medicine*, vol. 9. Suiza: Karger, Basilea (2004).

Kiess, Wieland, correos electrónicos intercambiados con los autores (2007).

Krebs, Nancy F., John H. Himes, Dawn Jacobson, Theresa A. Nicklas, Patricia Guilday y Dennis Styne, «Assessment of Child and Adolescent Overweight and Obesity», *Pediatrics*, vol. 120, suplemento, pp. S193-S228 (2007).

Landhuis, Carl Erik, Richie Poulton, David Welch y Robert John Hancox, «Childhood Sleep Time and Long-Term Risk for Obesity: A 32-Year Prospective Birth Cohort Study», *Pediatrics*, vol. 122, nº 5, pp. 955-960 (2008).

LeBourgeois, Monique K. y John R. Harsh, «Racial Gaps in School Readiness: The Importance of Sleep and Rhythms?», informe presentado en el 21 encuentro anual de las Associated Professional Sleep Societies, Salt Lake City (2007).

Lim, L., S. Su, S. Fook y P. Lee, «Sleep Deprivation Among Adolescents in Singapore», *Journal of Sleep and Sleep Disorders Research*, vol. 31, suplemento resumido, p. A86 (2008).

Liu, Xianchen, Erika E. Forbes, Neal D. Ryan, Dana Rofey, Tamara S. Hannon y Ronald E. Dahl, «Rapid Eye Movement Sleep in Relation to Overweight in Children and Adolescents», *Archives of General Psychiatry*, vol. 65, nº 8, pp. 924-932 (2008).

Lumeng, Julie C., Deepak Somashekar, Danielle Appugliese, Niko Kaciroti, Robert F. Corwyn y Robert H. Bradley, «Shorter Sleep Duration Is Associated With Increased Risk for Being Overweight at Ages 9 to 12 Years», *Pediatrics*, vol. 120, nº 5, pp. 1020-1029 (2007).

Martin, Douglas, «Late to Bed, Early to Rise Makes a Teen-Ager... Tired», *New York Times*, p. 4A.24 (1 de agosto de 1999).

McKenna, Ellen, «Sleep Disorders Can Impair Children's IQ's as Much as Lead Exposure» [artículo de prensa], Sistema de Salud de la Universidad de Virginia (2007).

McNamara, J., C. McCrae y W. Berg, «The Impact of Sleep on Children's Executive Functioning», *Journal of Sleep and Sleep Disorders Research*, vol. 30, suplemento, p. A79 (2007).

Mendoza, Martha, correos electrónicos intercambiados con los autores (2007).

____«Review Finds Nutrition Education Failing», Associated Press vía Yahoo! News (2007).

Millman, Richard P. y Working Group on Sleepiness in Adolescents/Young Adults y AAP Committee on Adolescence, «Excessive Sleepiness in Adolescents and Young Adults: Causes, Consequences, and Treatment Strategies», informe técnico, American Academy of Pediatrics, National Heart, Lung, and Blood Institute y National Center on Sleep Disorders Research, *Pediatrics*, vol. 115, nº 6, pp. 1774-1786 (2005).

«National Sleep Foundation 2004 Sleep in America Summary of Findings,» National Sleep Foundation, Washington DC (2004).

National Sleep Foundation, «National Sleep Foundation 2006 Sleep in America Poll Highlights and Key Findings», Washington DC (2006).

____«National Sleep Foundation 2006 Sleep in America Poll Summary of Findings», Washington DC (2006).

____página web: http://tinyurl.com/5b47dq

Nixon, Gillian M., John M. D. Thompson, Dug Yeo Han, David M. Becroft, Phillipa M. Clark, Elizabeth Robinson, Karen E. Waldie, Chris J. Wild, Peter N. Black y Edwin A. Mitchell, «Short Sleep Duration in Middle Childhood: Risk Factors and Consequences», *Sleep*, vol. 31, nº 1, pp. 71-78 (2008).

«Obesity 'Not Individuals' Fault», noticias de la BBC (2007), http://tinyurl.com/ch2nx2.

Owens, Judith, Rolanda Maxim, Melissa McGuinn, Chantelle Nobile, Michael Msall y Anthony Alano, «Television-Viewing Habits and Sleep Disturbance in School Children», *Pediatrics*, vol. 104, nº 3, pp. e27 y siguientes (1999).

Park, Madison, «Falling Asleep in Class? Blame Biology», CNN.com (2008), http://tinyurl.com/6q26f8.

Prescott, Bonnie, «Study Shows How Sleep Improves Memory» [artículo de prensa], Universidad de Harvard, Cambridge, MA (2005).

Ramsey, Kathryn Moynihan, Biliana Marcheva, Akira Kohsaka y Joseph Bass, «The Clockwork of Metabolism», *The Annual Review of Nutrition*, vol. 27, pp. 219-240 (2007).

Redding, Jerry, Departamento de Agricultura de Estados Unidos, Washington DC, correos electrónicos intercambiados con los autores (2007).

Rogers, Naomi L., Jillian Dorrian y David E. Dinges, «Sleep, Waking and Neurobehavioural Performance», *Frontiers in Bioscience*, vol. 8, pp. s1056-1067 (2003).

Sadeh, Avi, Reut Gruber y Amiram Raviv, «The Effects of Sleep Restriction and Extension on School-Age Children: What a Difference an Hour Makes», *Child Development*, vol. 74, nº 2, pp. 444-455 (2003).

Schardt, David, «How Sleep Affects Your Weight», *Nutrition Action Newsletter*, pp. 10-11 (2005).

Schechter, Michael S. y Section on Pediatric Pulmonology, Subcommittee on Obstructive Sleep Apnea Syndrome, «Technical Report: Diagnosis and Management of Childhood Obstructive Sleep Apnea Syndrome», *Pediatrics*, vol. 109, nº 4, pp. e69 y siguientes (2002).

Schoenborn, Charlotte A. y Patricia F. Adams, «Sleep Duration as a Correlate of Smoking, Alcohol Use, Leisure-Time Physical Inactivity, and Obesity Among Adults: United States, 2004-2006», NCHS Health E-Stat, Centers for Disease Control, Atlanta (2008).

Sekine, Michikazu, Takashi Yamagami, Kyoko Handa, Tomohiro Saito, Seiichiro Nanri, Katsuhiko Kawaminami, Noritaka Tokui, Katsumi Yoshida y Sadanobu Kagamimori, «A Dose-Response Relationship Between Short Sleeping Hours and Childhood Obesity: Results of the Toyama Birth Cohort Study», *Child: Care, Health & Development*, vol. 28, nº 2, pp. 163-170 (2002).

Spiegel, Karine, «Sleep Loss as a Risk Factor for Obesity and Diabetes», *International Journal of Obesity*, vol. 3, nº 1, pp. 27-28 (2008).

_____Kristen Knutson, Rachel Leproult, Esra Tasali y Eve Van Cauter, «Sleep Loss: A Novel Risk Factor for Insulin Resistance and Type 2 Diabetes», *Journal of Applied Physiology*, vol. 99, nº 5, pp. 2008-2019, (2005).

_____EsraTasali, Plamen Penev y Eve Van Cauter, «Brief Communication: Sleep Curtailment in Healthy Young Men Is Associated With Decreased Leptin Levels, Elevated Ghrelin Levels, and Increased Hunger and Appetite», *Annals of Internal Medicine*, vol. 141, nº 11, pp. 846-850 (2005).

Spruyt, K., O. San Capdevila, S.M. Honaker, J. L. Bennett y D. Gozal, «Obesity, Snoring, and Physical Activity in School-Aged Children», *Journal of Sleep and Sleep Disorders Research*, vol. 31, suplemento, p. A76 (2008).

Stice, Eric, Heather Shaw y C. Nathan Marti, «A Meta-analytic Review of Obesity Prevention Programs for Children and Adolescents: The Skinny on Interventions that Work», *Psychological Bulletin*, vol. 132, nº 5, pp. 667-691 (2006).

Stickgold, Robert y Matthew P. Walker, «Memory Consolidation and Reconsolidation: What Is the Role of Sleep?», *Trends in Neuroscience*, vol. 28, nº 8, pp. 408-415 (2005).

_____ y Matthew P. Walker, «Sleep-Dependent Memory Consolidation and Reconsolidation», *Sleep Medicine*, vol. 8, nº 4, pp. 331-343 (2007).

Taheri, S., «The Link Between Short Sleep Duration and Obesity: We Should Recommend More Sleep to Prevent Obesity», *Archives of Diseases in Childhood*, vol. 91, nº 11, pp. 881-884 (2006).

Tasali, Esra, Rachel Leproult, David A. Ehrmann y Eve Van Cauter, «Slow-wave Sleep and the Risk of Type 2 Diabetes in Humans», *Proceedings of the National Academy of Sciences*, 1ª ed. (2007).

Taveras, Elsie M., Alison E. Field, Catherine S. Berkey, Sheryl L. Rifas-Shiman, A., Lindsay Frazier, Graham A. Colditz y Matthew W. Gillman, «Longitudinal Relationship Between Television Viewing and Leisure-Time Physical Activity During Adolescence», *Pediatrics*, vol. 119, nº 2, pp. e314-e319 (2007).

Taveras, Elise M., Sheryl L. Rifas-Shiman, Emily Oken, Erica P. Gunderson y Matthew W. Gillman, «Short Sleep Duration in Infancy and Risk of Childhood Overweight», *Archives of Pediatrics & Adolescent Medicine*, vol. 162, nº 4, pp. 305-311 (2008).

Thomas, H., «Obesity Prevention Programs for Children and Youth: Why Are Their Results So Modest?», manuscrito de la Universidad McMaster (2006).

Touchette, Évelyne, Dominique Petit, Jean R. Séguin, Michel Boivin, Richard E. Tremblay y Jaques Y. Montplaisir, «Associations Between Sleep Duration Patterns and Behavioral/Cognitive Functioning at School Entry», *Sleep*, vol. 30, nº 9, pp. 1213-1219 (2007).

Tzischinsky, O., S. Hadar y D. Lufi, «Delaying School Start Time by One Hour: Effects on Cognitive Performance in Adolescents», *Journal of Sleep and Sleep Disorders Research*, vol. 31, suplemento, p. A369 (2008).

Utter, Jennifer, Dianne Neumark-Sztainer, Robert Jeffrey y Mary Story, «Couch Potatoes or French Fries: Are Sedentary Behaviors Associated With Body Mass Index, Physical Activity, and Dietary Behaviors Among Adolescents?», *Journal of the American Dietetic Association*, vol. 103, nº 10, pp. 1298-1305 (2003).

Van Cauter, Eve, Kristen Knutson, Rachel Leproult y Karine Spiegel, «The Impact of Sleep Deprivation on Hormones and Metabolism», *Medscape Neurology & Neurosurgery,* vol. 7, nº 1(2005).

Van Cauter, Eve, Karine Spiegel, Esra Tasali y Rachel Leproult, «Metabolic Consequences of Sleep and Sleep Loss», *Sleep Medicine*, vol. 9, sup. 1, pp. S23-28 (2008).

Vandewater, Elizabeth A., «Media Use and Children's Health», trabajo presentado en la convención anual de la Population Association of America, Nueva York (2007).

Wahlstrom, Kyla L., correos electrónicos intercambiados con los autores (2007).

____«The Prickly Politics of School Starting Times», *Phi Delta Kappan*, vol. 80, nº 5, pp. 344-347, Minneapolis (1999).

____«School Start Time Study: Final Summary», vol. 1, informes sobre la hora de comienzo de las escuelas, Center for Applied Research and Educational Improvement (CAREI), Universidad de Minnesota, Minneapolis (sin fecha).

Wahlstrom, Kyla L., «School Start Time Study: Technical Report Vol. II, Analysis of Student Survey Data», Center for Applied Research and Educational Improvement, Universidad de Minnesota, Minneapolis (sin fecha).

____Mark L. Davison, Jiyoung Choi y Jesse N. Ross, «Minneapolis Public Schools Start Time Study Executive Summary», Center for Applied Research and Educational Improvement, Universidad de Minnesota, Minneapolis (2001).

____G. Wrobel y P. Kubow, «Minneapolis Public Schools Start Time Study: Executive Summary», Center for Applied Research and Educational Improvement, Universidad de Minnesota, Minneapolis (1998).

Walker, Matthew P. y Robert Stickgold, «Sleep-Dependent Learning and Memory Consolidation», *Neuron*, vol. 44, nº 1, pp. 121-133 (2004).

____«Sleep, Memory & Plasticity», *Annual Review of Psychology*, vol. 57, pp. 139-166 (2006).

Warner, Suzanne, Greg Murphy y Denny Meyer, «Holiday and School term Sleep Patterns of Australian Adolescents», *Journal of Adolescence*, vol. 31, nº 5, pp. 595-608 (2008).

Werner, Helene, Luciano Molinari, Caroline Guyer y Oskar G. Jenni, «Agreement Rates Between Actigraphy, Diary, and Questionnaire for Children's Sleep Patterns», *Archives of Pediatrics and Adolescent Medicine*, vol. 162, nº 4, pp. 350-358 (2008).

Wolfson, Amy R. y Mary A. Carskadon, «Sleep Schedules and Daytime Functioning in Adolescents», *Child Development*, vol. 69, nº 4, pp. 875-887 (1998).

____«A Survey of Factors Influencing High School Start Times», *NASSP Bulletin*, vol. 89, nº 642, pp. 47-66 (2005).

Wong, Maria M. y Tim Roehrs, «Sleep Problems in Early Childhood May Predict Substance Use During Adolescence» [artículo de prensa], *Alcoholism: Clinical & Experimental Research* (2004).

Young, Terry, «Increasing Sleep Duration for a Healthier (and Less Obese?) Population Tomorrow», *Sleep*, vol. 31, nº 5, pp. 593-594 (2008).

CAPÍTULO3. ¿POR QUÉ LOS PADRES BLANCOS NO HABLAN DE LAS RAZAS?

Baron, Andrew Scott y Mahzarin R. Banaji, «The Development of Implicit Attitudes: Evidence of Race Evaluations From Ages 6 and 10 and Adulthood», *Psychological Science*, vol. 17, nº 1, pp. 53-58 (2006).

Bigler, Rebecca S., «The Use of Multicultural Curricula and Materials to Counter Racism in Children», *Journal of Social Issues*, vol. 55, nº 4, pp. 687-705 (1999).

____Lynn S. Liben, «A Developmental Intergroup Theory of Social Stereotypes and Prejudice», *Advances in Child Development and Behavior*, vol. 34, pp. 39-89 (2006).

____«Developmental Intergroup Theory: Explaining and Reducing Children's Social Stereotyping and Prejudice,» *Current Directions in Psychological Science*, vol. 16, no. 3, pp. 162-166 (2007).

Meredith v. Jefferson County Board of Education (nº 05-908 y 05-915) (2006), informe de 553 científicos sociales como *Amici Curiae* en apoyo de los demandados.

Brown, Tony N., Emily E. Tanner-Smith, Chase L. Lesane-Brown y Michael E. Ezell, «Child, Parent, Situational Correlates of Familial Ethnic/Race Socialization», *Journal of Marriage and Family*, vol. 69, nº 1, pp. 14-25 (2007).

Copenhaver-Johnson, Jeane F., correos electrónicos intercambiados con los autores (2007).

____Joy T. Bowman y Angela C. Johnson, «Santa Stories: Children's Inquiry About Race during Picturebook Read Alouds», *Language Arts*, vol. 84, nº 3, pp. 234-244 (2007).

Crystal, David S., Hirozumi Watanabe y Ru San Chen, «Preference for Diversity in Competitive and Cooperative Contexts: A Study of American and Japanese Children and Adolescents», *International Journal of Behavioral Development*, vol. 24, nº 3, pp. 348-355 (2000).

Harris-Britt, April, Ndidi A. Okeke, Cleo Samuel y Beth E. Kurtz-Costes, «Mediational Influences in the Relationship Between Racial Socialization and Achievement Outcomes in Late Childhood», póster presentado en el encuentro bianual de la Society for Research in Child Development, Boston (2007).

____Cecelia Valrie, Beth Kurtz-Costes y Stephanie J. Rowley, «Perceived Racial Discrimination and Self-Esteem in African American Youth», *Journal of Adolescent Research*, vol. 17, nº 4, pp. 669-682 (2007).

Hughes, Julie M., Rebecca S. Bigler y Sheri R. Levy, «Consequences of Learning About Historical Racism Among European American and African American Children», *Child Development*, vol. 78, nº 6, pp. 1689-1705 (2007).

«The Impact of Racial and Ethnic Diversity on Educational Outcomes: Cambridge, MA School District», The Civil Rights Project, Universidad de Harvard, Cambridge, MA (2002).

«The Impact of Racial and Ethnic Diversity on Educational Outcomes: Lynn, MA School District», The Civil Rights Project, Universidad de Harvard, Cambridge, MA (2002).

Katz, Phyllis A., «Racists or Tolerant Multiculturalists», *American Psychologist*, vol. 58, nº 11, pp. 897-909 (2003).

Kelly, David J., Paul C. Quinn, Alan M. Slater, Kang Lee, Liezhong Ge y Olivier Pascalis, «The Other-Race Effect Develops During Infancy: Evidence of Perceptual Narrowing», *Psychological Science*, vol. 18, nº 12, pp. 1084-1089 (2007).

Kurlaendar, Michal y John T. Yun, «Is Diversity a Compelling Educational Interest? Evidence From Louisville», en G. Orfield (ed.), *Diversity Challenged: Evidence in the Impact of Affirmative Action,* pp.111-141. Cambridge, MA: Harvard Educational Publishing Group (2001).

«Mission Statement,» página web de Civil Rights Project (2007), http://www . civilrightsproject.ucla.edu/aboutus.php.

Moody, James, «Race, School Integration, and Friendship Segregation in America»,*American Journal of Sociology*, vol. 107, nº 3, pp. 679-716 (2001).

Oyserman, Daphna, Daniel Brickman, Deborah Bybee y Aaron Celious, «Fitting in Matters: Markers of In-Group Belonging and Academic Outcomes», *Psychological Science*, vol. 17, nº 10, pp. 854-861 (2006).

Patterson, Meagan M. y Rebecca S. Bigler, «Preschool Children's Attention to Environmental Messages About Groups: Social Categorization and the Origins of Intergroup Bias», *Child Development*, vol. 77, nº 4, pp. 847-860 (2006).

Pettigrew, Thomas F. y Linda R. Tropp, «A Meta-analytic Test of Intergroup Contact Theory», *Journal of Personality and Social Psychology*, vol. 90, nº 5, pp. 751-783 (2006).

Polite, Lillian y Elizabeth Baird Saenger, «A Pernicious Silence: Confronting Race in the Elementary Classroom», *Phi Delta Kappan*, vol. 85, nº 4, pp. 274-278 (2003).

Rooney-Rebeck, Patricia y Leonard Jason, «Prevention of Prejudice in Elementary School Students», *Journal of Primary Prevention*, vol. 7, nº 2, pp. 63-73 (1986).

Rosales, Melodye, *Twas the Night B'fore Christmas: An African-American Version*. Nueva York: Scholastic (1996).

Stephan, Walter G., «Improving Intergroup Relations in the Schools», en *School Desegregation in the 21st Century*, pp. 267-290. C. H. Rossell, D. J. Armor, y H. J. Walherg (eds.), Westport, CT: Praeger Publishers (2002).

Tynes, Brendesha M., «Role Taking in Online 'Classrooms': What Adolescents Are Learning About Race and Ethnicity», *Developmental Psychology*, vol. 43, nº 6, pp. 1312-1320 (2007).

Vittrup, Birgitte y George W. Holden, «Why White Parents Don't Talk to Their Children About Race», presentación realizada en el encuentro bianual de la Society for Research in Child Development, Boston (2007).

Vittrup, Birgitte, *Exploring the Influences of Educational Television and Parent-Child Discussions on Improving Children's Racial Attitudes*, tesis doctoral, Universidad de Texas, en Austin Repository, Austin, TX (2007).

Capítulo 4. Por qué mienten los niños

«An Act to Amend the Criminal Code (protection of children and other vulnerable persons) and the Canada Evidence Act», acta C-2, primera sesión, 38 Parlamento, 53 Elizabeth II, Cámara de los Comunes, Canada (2004).

Alwin, Duane F., «Changes in Qualities Valued in Children in the United States, 1964 to 1984», *Social Science Research*, vol. 18, nº 3, pp. 195-236 (1989).

Arruda, Cindy M., Megan K. Brunet, Mina E. Poplinger, Ilana Ross, Anjanie McCarthy, Victoria Talwar y Kang Lee, «'I Cannot Tell a Lie': Enhancing Truth-Telling in Children Through the Use of Traditional Stories», presentación realizada en el encuentro biannual de la Society for Research in Child Development, Boston (2007).

Berthoud-Papandropoulou, loanna y Helga Kilcher, «Is a False Belief Statement a Lie or a Truthful Statement? Judgments and Explanations of Children Aged 3 to 8», *Developmental Science*, vol. 6, nº 2, pp. 173-177 (2003).

Billings, F. James, Tanya Taylor, James Burns, Deb L. Corey, Sena Garven y James M. Wood, «Can Reinforcement Induce Children to Falsely Incriminate Themselves?», *Law and Human Behavior*, vol. 31, nº 2, pp. 125-139 (2007).

Bull, Ray y Aldert Vrji, «People's Insight into Their Own Behaviour and Speech Content While Lying», *British Journal of Psychology*, vol. 92, nº 2, pp. 373-389 (2001).

Bussey, Kay, «Children's Categorization and Evaluation of Different Types of Lies and Truths», *Child Development*, vol. 70, nº 6, pp. 1338-1347 (1999).

____«Parental and Interviewer Influences on Children's Lying and Truth Telling», comentarios sobre un informe presentado en el encuentro bianual de la Society for Research in Child Development, Boston (2007).

Crossman, Angela M. y Michael Lewis, «Adults Ability to Detect Children's Lying», *Behavioral Sciences and the Law*, vol. 24, nº 5, pp. 703-715 (2006).

Den Bak, Irene M. y Hildy S. Ross, «I'm Telling! The Content, Context and Consequences of Children's Tattling on Their Siblings», *Social Development*, vol. 5, nº 3, pp. 292-309 (1996).

DePaulo, Bella M., Matthew E. Ansfield, Susan E. Kirkendol, y Joseph M. Boden, «Serious Lies», *Basic and Applied Social Psychology*, vol. 26, nº 2-3, pp. 147-167 (2004).

____Deborah A. Kashy, Susan E. Kirkendol, Jennifer A. Epstein y Melissa M. Wyer, «Lying in Everyday Life», *Journal of Personality and Social Psychology*, vol. 70, nº 5, pp. 979-995 (1996).

Edelstein, Robin S., Tanya L. Luten, Paul Ekman y Gail S. Goodman, «Detecting Lies in Children and Adults», *Law and Human Behavior*, vol. 30, nº 1, pp. 1-10 (2006).

Ekman, Paul, «Would a Child Lie?», *Psychology Today*, vol. 23, nº 62, pp. 7-8 (1989).

Friman, Patrick C., Douglas W. Woods, Kurt A. Freeman, Rich Gilman, Mary Short, Ann M. McGrath y Michael L. Handwerk, «Relationships Between Tattling, Likeability, and Social Classification: A Preliminary Investigation of Adolescents in Residential Care», *Behavior Modification*, vol. 28, nº 3, pp. 331-348 (2004).

Fu, Genyuc y Kang Lee, «Social Grooming in the Kindergarten: The Emergence of Flattery Behavior», *Developmental Science*, vol. 10, nº 2, pp. 255-265 (2007).

Gervais, Jean, Richard E. Tremblay, Lyse Desmarais-Gervais y Frank Vitaro, «Children's Persistent Lying, Gender Differences, and Disruptive Behaviours: A Longitudinal Perspective», *International Journal of Behavioral Development*, vol. 24, nº 2, pp. 213-221 (2000).

Global Deception Research Team, «A World of Lies», *Journal of Cross-Cultural Psychology*, vol. 37, nº 1, pp. 60-74 (2006).

Hancock, Jeffrey T., Jennifer Thom-Santelli y Thompson Ritchie, «Deception and Design: The Impact of Communication Technology on Lying Behavior», informe presentado en el CHI, Viena, Austria (2004).

Josephson Institute of Ethics, «2006 Report Card on the Ethics of American-Youth –Part One– Integrity», (2006).

Leach, Amy-May, R. C. L. Lindsay, Rachel Koehler, Jennifer L. Beaudry, Nicholas C. Bala, Kang Lee y Victoria Talwar, «The Reliability of Lie Detection Performance», *Law and Human Behavior*, vol. 37, nº 1, pp. 96-109 (2009).

____Victoria Talwar, Kang Lee, Nicholas Bala y R.C.L. Lindsay, «'Intuitive' Lie Detection of Children's Deception by Law Enforcement Officials and University Students», *Law and Human Behavior*, vol. 28, nº 6, pp. 661-685 (2004).

Lee, Kang, «Promoting Honesty in Young Children», comentarios e informe presentados en el encuentro biannual de la Society for Research in Child Development, Boston (2007).

Peterson, Candida C., James L. Peterson y Diane Seeto, «Developmental Changes in Ideas About Lying», *Child Development*, vol. 54, nº 6, pp. 1529-1535 (1983).

Poplinger, Mina E., Victoria Talwar, Kang Lee, Fen Xu y Genyue Fu, «The Development of White Lie-Telling Among Children Three to Five Years», póster presentado en el encuentro bianual de la Society for Research in Child Development, Boston (2007).

Ross, Hildy S. e Irene M. den Bak-Lammers, «Consistency and Change in Children's Tattling on their Siblings: Children's Perspectives on the Moral Rules and Procedures of Family Life», *Social Development*, vol. 7, nº 3, pp. 275-300 (1998).

Strichartz, Abigail F. y Roger V. Burton, «Lies and Truth: A Study of the Development of the Concept», *Child Development*, vol. 61, nº 1, pp. 211-220 (1990).

Strömwall, Leif A. y Pär Anders Granhaget, «Detecting Deceit in Pairs of Children», *Journal of Applied Social Psychology*, vol. 37, nº 6, pp. 1285-1304 (2007).

Talwar, Victoria, correos electrónicos intercambiados con los autores (2007-2009).

____«Sociocognitive Correlates of Children's Lying, Executive Functioning, and False Beliefs», comentarios e informe presentados en el encuentro biannual de la Society for Research in Child Development, Boston (2007).

____Heidi Gordon y Kang Lee, «Lying in the Elementary School Years: Verbal Deception and Its Relation to Second-Order Belief Understanding», *Developmental Psychology*, vol. 43, nº 3, pp. 804-810 (2007).

____Kang Lee, «Development of Lying to Conceal a Transgression: Children's Control of Expressive Behavior During Verbal Deception», *International Journal of Behavioral Development*, vol. 26, nº 5, pp. 436-444 (2002).

____«Emergence of White Lie-Telling in Children Between 3 and 7 Years of Age», *Merrill-Palmer Quarterly*, vol. 48, nº 2, pp. 160-181 (2002).

____«Social and Cognitive Correlates of Children's Lying Behavior», *Child Development*, vol. 79, nº 4., pp. 866-881 (2008).

____Nicholas Bala y R. C. L. Lindsay, «Children's Conceptual Knowledge of Lie-Telling and Its Relation to Their Actual Behaviors: Implications for Court Competence Examination», *Law and Human Behavior*, vol. 26, nº 4, pp. 395-415 (2002).

____«Children's Lie-Telling to Conceal a Parent's Transgression: Legal Implications», *Law and Human Behavior*, vol. 28, nº 4, pp. 411-435 (2004).

____Lindsay, «Adults' Judgments of Children's Coached Reports», *Law and Human Behavior*, vol. 30, nº 5, pp. 561-5701 (2006).

____Susan M. Murphy, y Kang Lee, «White Lie-Telling in Children for Politeness Purposes», *International Journal of Behavioral Development*, vol.31, nº 1, pp. 1-11 (2007).

Vrij, Aldert, «Why Professionals Fail to Catch Liars and How They Can Improve», *Legal and Criminological Psychology*, vol. 9, nº 2, pp. 159-181 (2004).

____Lucy Akehurst, Stavroula Soukara, y Ray Bull, «Detecting Deceit Via Analyses of Verbal and Nonverbal Behavior in Children and Adults», *Human Communication Research*, vol. 30, nº 1, pp. 8-41 (2004).

Wagland, Paul y Kay Bussey, «Factors that Facilitate and Undermine Children's Beliefs About Truth Telling», *Law and Human Behavior*, vol. 29, nº 6, pp. 639-655 (2005).

Wilson, Anne E., Melissa D. Smith y Hildy S. Ross, «The Nature and Effects of Young Children's Lies», *Social Development*, vol. 12, nº 1, pp. 21-45 (2003).

____Michael Ross, «Young Children's Personal Accounts of Their Sibling Disputes», *Merrill Palmer Quarterly*, vol. 50, nº 1, pp. 39-60 (2004).

Capítulo 5. La búsqueda de vida inteligente en preescolar

Amso, Dima y B. J. Casey, «Beyond What Develops When: Neuroimaging May Inform How Cognition Changes With Development», *Current Directions in Psychological Science*, vol. 15, nº 1, pp. 24-29 (2006).

«Answers About Elementary School Enrollment, Part 3», City Blog, *New York Times* (2008), http://tinyurl.com/9taksw

Azari, Nina P., Janpeter Nickel, Gilbert Wunderlich, Michael Niedeggen, Harald Hefter, Lutz Tellmann, Hans Herzog, Petra Stoerig, Dieter Birnbacher y Rüdiger J. Seitz, «Neural Correlates of Religious Recitation», *European Journal of Neuroscience*, vol. 13, nº 8, pp. 1649-1652 (2001).

Barber, Nigel, «Educational and Ecological Correlates of IQ: A Cross National Investigation», *Intelligence*. vol. 33, nº 3, pp. 273-284 (2005).

Barnea-Goraly, Naama, Vinod Menon, Mark Eckert, Leanne Tamm, Roland Bammer, Asya Karchemskiy, Christopher C. Dant y Allan L. Reiss, «White Matter Development During Childhood and Adolescence: A Cross-Sectional Diffusion Tensor Imaging Study», *Cerebral Cortex*, vol.15, nº 12, pp. 1848-1854 (2005).

Bartels, Andreas y Semir Zeki, «The Neural Basis of Romantic Love», *NeuroReport*, vol. 11, nº 17, pp. 3829-3834 (2000).

Baxter, Betty Carpenter, *The Relationship of Early Tested Intelligence on the WPPSI to Later Tested Aptitude on the SAT*, tesis doctoral, Universidad de Columbia, Nueva York (1988).

Casey, B. J., Sarah Getz y Adriana Galvan, «The Adolescent Brain», *Developmental Review*, vol. 28, nº 1, pp. 62-77 (2008).

____Nim Tottenham, Conor Liston y Sarah Durston, «Imaging the Developing Brain: What Have We Learned about Cognitive Development?», *Trends in Cognitive Science*, vol. 9, nº 3, pp. 104-110 (2005).

«Chancellor Proposes Change to New Citywide Standard for Gifted and Talented Programs» [artículo de prensa], Escuelas públicas de la ciudad de Nueva York, Nueva York (2008), http://tinyurl.com/6vgkz5

Colom, Roberto, «Intelligence Assessment», en *Encyclopedia of Applied Psychology,* vol. 2, Pp. 307-314. Charles Spielberger (ed.), Oxford: Academic Press (2004).

____Rex E. Jung, y Richard J. Haier, «Distributed Brain Sites for the G-Factor of Intelligence», *NeuroImage*, vol. 31, nº 3, pp. 1359-1365 (2006).

____«Finding the G-Factor in Brain Structure Using the Method of Correlated Vectors», *Intelligence*, vol. 34, nº 6, pp. 561-570 (2006).

Demetriou, Andreas y Smaragda Kazi, «Self-Awareness in *g* (with Processing Efficiency and Reasoning)», *Intelligence*, vol. 34, nº 3, pp. 297-317 (2006).

____Athanassios Raftopoulous, «Modeling the Developing Mind: From Structure to Change», *Developmental Review*, vol. 19, nº 3, pp. 319-368 (1999).

Detterman, Douglas K., correos electrónicos intercambiados con los autores (2008).

_____«Validity of IQ: What Does IQ Predict?», presentación PowerPoint (sin fecha).

Dietz, Greg, «WISC-IV –Wechsler Intelligence Scale for Children– cuarta edición», presentación PowerPoint (sin fecha).

Duncan, Greg J., Amy Claessens, Aletha C. Huston, Linda Pagani, Mimi Engel, Holly Sexton, Chantelle J. Dowsett, Katherine Manguson, Pamela Klebanov; Leon Feinstein, Jeanne Brooks-Gunn, Kathryn Duckworth y Crista Japel, «School Readiness and Later Achievement», *Developmental Psychology*, vol. 43, nº 6, pp. 1428-1446 (2007).

Fischer, Kurt, «Dynamic Cycles of Cognitive and Brain Development: Measuring Growth in Mind, Brain, and Education», en *The Educated Brain*, pp. 127-150, A. M. Battro, K. W. Fischer y P. Léna (eds.), Cambridge, Reino Unido: Cambridge University Press (2006).

_____Samuel P. Rose, «Dynamic Development of Coordination of Components in Brain and Behavior: A Framework for Theory and Research», en *Human Behavior and the Developing Brain*, pp. 3-66. G. Dawson y K. W. Fisher (eds.), Nueva York: Guilford Press (1994).

Giedd, Jay N., «The Teen Brain: Insights from Neuroimaging», comentarios e informe presentados en el encuentro bianual de la Society for Research on Adolescence, Chicago (2008).

_____«The Teen Brain: Insights from Neuroimaging», *Journal of Adolescent Health,* vol. 42, nº 4, pp. 335-343 (2008).

«Gifted and Talented Proposal», presentación de las escuelas públicas de Nueva York, Nueva York (2007).

Gogtay, Nitin, Jay N. Giedd, Leslie Lusk, Kiralee M. Hayashi, Deanna Greenstein, A. Catherine Vaituzis, Tom F. Nugent III, David H. Herman, Liv S. Ciasen, Arthur W. Toga, Judith L. Rapoport y Paul M. Thompson, «Dynamic Mapping of Human Cortical Development During Childhood Through Early Adulthood», *Proceedings of the National Academy of Science*, vol. 101, nº 21, pp. 8174-8179 (2004).

Green, Elizabeth, «City Lowers Gifted, Talented School Standards», *New York Sun* (2008).

Haier, Richard J., «The End of Intelligence Research», *Intelligence*, vol. 14, nº 4, pp. 371-374 (1990).

Hemmati, Toni, Jeremy E. Mills y Daryl G. Kroner, «The Validity of the Bar-On Emotional Intelligence Quotient in an Offender Population», *Personality and Individual Differences*, vol. 37, nº 4, pp. 695-706 (2004).

Herszenhorn, David M., «In Testing for Gifted Programs, a Few Knots», *New York Times*, p. B.1, (10 de enero de 2007).

Honzik, M. P, J. W. Macfarlane y L. Allen, «The Stability of Mental Test Performance Between Two and Eighteen Years», *Journal of Experimental Education*, vol. 17, nº 2, pp. 309-324 (1948).

Horowitz, Frances D., comentarios como presidente del simposio, «Development of Giftedness and Talent Across the Life Span», convención anual de la American Psychological Association, Boston (2008).

Izard, Carroll, Sarah Fine, David Schultz, Allison Mostow, Brian Ackerman y Eric Youngstrom, «Emotion Knowledge as a Predictor of Social Behavior and Academic Competence in Children at Risk», *Psychological Science*, vol. 12, nº 1, pp. 18-23 (2001).

Johnson, Wendy, Rex E. Jung, Roberto Colom y Richard J. Haier, «Cognitive Abilities Independent of IQ Correlate with Regional Brain Structure», *Intelligence*, vol. 36, nº 1, pp. 18-28 (2008).

June, Rex E. y Richard J. Haier, «The Parieto-Frontal Integration Theory (P-FIT) of Intelligence: Converging Neuroimaging Evidence», *Behavioral and Brain Sciences*, vol. 30, nº 2, pp. 135-187 (2007).

Kaplan, Charles, «Predictive Validity of the WPPSI-R: A Four Year Follow Up Study», *Psychology in the Schools*, vol. 33, nº 3, pp. 211-220 (1996).

Kim, Juhn y Hoi K. Suen, «Predicting Children's Academic Achievement from Early Assessment Scores: A Validity Generalization Study», *Early Childhood Research Quarterly,* vol. 18, nº 4, pp. 547-566 (2003).

Laidra, Kaia, Helle Pullmann y Jüri Allik, «Personality and Intelligence as Predictors of Academic Achievement: A Cross-sectional Study From Elementary to Secondary School», *Personality and Individual Differences*, vol. 42, nº 3, pp. 441-451 (2007).

Lee, Kun Ho, Yu Yong Choi, Jeremy R. Gray, Sun Hee Cho, Jeong-Ho Chae, Seungheun Lee y Kyungjin Kim, «Neural Correlates of Superior Intelligence: Stronger Recruitment of Posterior Parietal Cortex», *NeuroImage*, vol. 29, nº 2, pp. 578-586 (2006).

«Legislative Update», *It Takes...*, noticiario de la división de instrucción y currículum de los programas académicos avanzados, Escuelas públicas del condado de Miami-Dade, condado de Miami-Dade, Florida (2008).

Lenroot, Rhoshel K. y Jay N. Giedd, «Brain Development in Children and Adolescents: Insights from Anatomical Magnetic Resonance Imaging», *Neuroscience and Biobehavioral Reviews*, vol. 30, nº 6, pp. 718-729 (2006).

Lerch, Jason P., Keith Worsley, W. Philip Shaw, Deanna K. Greenstein, Rhoshel K. Lenroot, Jay Giedd y Alan C. Evans, «Mapping Anatomical Correlations Across Cerebral Cortex (MACACC) Using Cortical Thickness from MRI», *NeuroImage*, vol. 31, nº 3, pp. 993-1003 (2006).

Lohman, David F., «Tables of Prediction Efficiencies» (2003).

_____«Understanding and Predicting Regression Effects in the Identification of Academically Gifted Children», informe presentado en el encuentro annual de la American Educational Research Association, San Francisco (2006).

Lohman, David F., intercambio de e-mails con los autores (2008).

_____Katrina A. Korh, «Giftcd Today But Not Tomorrow? Longitudinal Changes in ITBS and CogAT Scores During Elementary School», *Journal for the Education of the Gifted,* 29, nº 4, pp. 451-484 (2006).

_____Joni Lakin, «Nonverbal Test Scores as One Component of an Identification System: Integrating Ability, Achievement, and Teacher Ratings», informe presentado en el octavo simposio bienal Henry B. y Jocelyn Wallace National Research sobre desarrollo del talento, Universidad de Iowa, Iowa (2006).

Mathews, Dona J., «Developmental Transitions in Giftedness and Talent: Childhood to Adolescence», comentarios e informe presentados en la convención annual de la American Psychological Association, Boston (2008).

Mayer, John D., Richard D. Roberts, y Sigal G. Barsade, «Human Abilities: Emotional Intelligence», *Annual Review of Psychology*, vol. 59, pp. 507-536 (2008).

_____Peter Salovey, y David R. Caruso, «Emotional Intelligence: New Ability or Eclectic Traits?», *American Psychologist*, vol. 63, nº 6, pp. 503-517 (2008).

McCall, Robert B., Mark I. Appelbaum y Pamela S. Hogarty, «Developmental Changes in Mental Performance», *Monographs of the Society for Research in Child Development*, vol. 38, nº 3, pp. 1-84 (1973).

Mervielde, Ivan, Veerle Buystt, y Filip De Fruyt, «The Validity of the Big Five as a Model for Teachers' Ratings of Individual Differences Among Children Aged 4-12 Years», *Personality and Individual Differences*, vol. 18, nº 4, pp. 525-534 (1995).

Mostow, Allison J., Carroll E. Izard, Sarah Fine y Christopher J. Trentacosta, «Modeling Emotional, Cognitive, and Behavioral Predictors of Peer Acceptance», *Child Development*, vol. 73, nº 6, pp. 1775-1787 (2002).

Nagy, Zoltan, Helena Westerberg y Torkel Klingberg, «Maturation of White Matter Is Associated With the Development of Cognitive Functions During Childhood», *Journal of Cognitive Neuroscience*, vol. 16, nº 7, pp. 1227-1233 (2004).

Newsome, Shaun, Arla L. Day y Victor M. Catano, «Assessing the Predictive Validity of Emotional Intelligence», *Personality and Individual Differences*, vol. 29, nº 6, pp. 1005-1016 (2000).

Noble, Kimberly G., Nim Tottenham y B. J. Casey, «Neuroscience Perspectives on Disparities in School Readiness and Cognitive Achievement», *Future of Children*, vol. 15, nº 1, pp. 71-89 (2005).

Novak, Patricia A., William T. Tsushima y Matthew M. Tsushima, «Predictive Validity of Two Short-Forms of the WPPSI: A 3-year Follow-Up Study», *Journal of Clinical Psychology*, vol. 47, nº 5, pp. 698-702 (1991).

O'Connor, Raymond M. y Ian S. Little, «Revisiting the Predictive Validity of Emotional Intelligence: Self-Report Versus Ability-Based Measures», *Personality and Individual Differences*, vol. 35, nº 8, pp. 1893-1902 (2003).

Passingham, Richard, «Brain Development and IQ», *Nature*, vol. 440, nº 7084, pp. 619-620 (2006).

Paus, Tomás, «Mapping Brain Maturation and Cognitive Development During Adolescence», *Trends in Cognitive Science*, vol. 9, nº 2, pp. 60-68 (2005).

Paus, Tomás, Alex Zijdenbos, Keith Worsley, D. Louis Collins, Jonathan Blumenthal, Jay N. Giedd, Judith L. Rapoport y Alan C. Evans, «Structural Maturation of Neural Pathways», *Science*, vol. 283, nº 5409, pp. 1908-1911 (1999).

Pfeiffer, Steven I., correos electrónicos intercambiados con los autores (2008).

Pfeiffer, Steven I. y Yaacov Petscher, «Identifying Young Gifted Children Using the Gifted Rating Scales-Preschool/Kindergarten Form», *Gifted Child Quarterly*, vol. 52, nº 1, pp. 19-29 (2008).

Phelps, Elizabeth A., Kevin J. O'Connor, J. Christopher Gatenby, John C. Gore, Christian Grillon y Michael Davis, «Activation of the Left Amygdala to a Cognitive Representation of Fear», *NatureNeuroscience*, vol. 4, nº 4, pp. 437-441 (2001).

Qin, Yulin, Cameron S. Carter, Eli M. Silk, V. Andrew Stenger, Kate Fissell, Adam Goode y John R. Anderson, «The Change of the Brain Activation Patterns as Children Learn Algebra Equation Solving», *Proceedings of the National Academy of Science*, vol. 101, nº 15, pp. 5686-5691 (2004).

«Removal of Students from the Gifted and Talented Program», criterios de educación del departamento estatal, Oficina de currículos y estándares, división de currículos y evaluaciones, Carolina del Sur (2004), http://tinyurl.com/bpftog

Rivera, S. M., A. L. Reiss, M. A. Eckert y V. Menon, «Developmental Changes in Mental Arithmetic: Evidence for Increased Functional Specialization in the Left Inferior Parietal Cortex», *Cerebral Cortex*, vol. 15, nº 11, pp. 1779-1790 (2005).

Robinson, Ann y Pamela R. Clinkenbeard, «Giftedness: An Exceptionality Examined», *Annual Review of Psychology*, vol. 49, pp. 117-139 (1998).

Robinson, N. y L. Weimer, «Selection of Candidates for Early Admission to Kindergarten and First Grade», en *The Academic Acceleration of Gifted Children*, pp. 29-50. W. T. Southern and E. Jones (eds.), Nueva York: Teachers College Press (1991).

Rock, Donald A. y A. Jackson Stenner, «Assessment Issues in the Testing of Children at School Entry», *Future of Children*, vol. 15, nº 1, pp. 15-34 (2005).

Rubia, Katya, Anna B. Smith, James Woolley, Chiara Nosarti, Isobel Heyman, Eric Taylor y Mick Brammer, «Progressive Increase of Frontostriatal Brain Activation From Childhood to Adulthood During Event-Related Tasks of Cognitive Control», *Human Brain Mapping*, vol. 27, nº 12, pp. 973-993 (2006).

Salovey, Peter, «Emotional Intelligence: Is There Anything to It?», comentarios presentados en la conferencia de la sala G. Stanley, convención anual de la American Psychological Association, Boston (2008).

Saulny, Susan, «Gifted Classes Will Soon Use Uniform Test, Klein Decides,» *New York Times,* p. B.1 (16 de noviembre de 2005).

Scherf, K. Suzanne, John A. Sweeney y Beatriz Luna, «Brain Basis of Developmental Change in Visuospatial Working Memory», *Journal of Cognitive Neuroscience*, vol. 18, nº 7, pp. 1045-1058 (2006).

Schlaggar, Bradley L., Timothy T. Brown, Heather M. Lugar, Kristina M. Visscher, Francis M. Miezin y Stevan E. Petersen, «Functional Neuroanatomical Differences Between Adults and School-Age Children in the Processing of Single Words», *Science*, vol. 296, nº 5572, pp. 1476-1479 (2002).

Schmithorst, Vincent J. y Scott K. Holland, «Sex Differences in the Development of Neuroanatomical Functional Connectivity Underlying Intelligence Pound Using Bayesian Connectivity Analysis», *NeuroImage*, vol. 35, nº 1, pp. 406-419 (2007).

Schmithorst, Vincent J., Scott K. Holland y Elena Plante, «Cognitive Modules Utilized for Narrative Comprehension in Children: A Functional Magnetic Resonance Imaging Study», *NeuroImage*, vol. 29, nº 1, pp. 254-266 (2006).

Schmithorst, Vincent J., Marko Wilke, Bernard J. Dardzinski y Scott K. Holland, «Correlation of White Matter Diffusivity and Anisotropy With Selected Sources and Age during Childhood and Adolescence: A Cross-sectional Diffusion Tensor MR Imaging Study», *Radiology*, vol. 222, pp. 212-218 (2002).

Schwartz, David M., «WISC-IV—VVechsler Intelligence Scale for Children—Fourth Edition, WISC-IV Comprehensive PowerPoint Presentation» (sin fecha).

Schwartz, Edward M. y Anna S. Elonen, «IQ and the Myth of Stability: A 16-Year Longitudinal Study of Variations in Intelligence Test Performance», *Journal of Clinical Psychology*, Vol. 31, nº 4, pp. 687-694 (1975).

Shaw, Philip, «Intelligence and the Developing Human Brain», *BioEssays*, vol. 29, nº 10, pp. 962-973 (2007).

Shaw, P., D. Greenstein, J. Lerch, L. Clasen, R. Lenroot, N. Gogtay, A. Evans, J. Rapoport y J. Giedd, «Intellectual Ability and Cortical Development in Children and Adolescents», *Nature*, vol. 440, nº 7084, pp. 676-679 (2006).

Sontag, L. W., C. T. Baker y V. L. Nelson, «Mental Growth and Personality Development: A Longitudinal Study», *Monographs of the Society for Research in Child Development,* vol. 23, nº 2 (nº de serie 68) (1958).

Sowell, Elizabeth R., Paul M. Thompson, Christiana M. Leonard, Suzanne E. Welcome, Eric Kan y Arthur W. Toga, «Longitudinal Mapping of Cortical Thickness and Brain Growth in Normal Children», *Journal of Neuroscience*, vol. 24, nº 38, pp. 8223-8231 (2004).

Sparrow, Sara S. y Suzanne T. Gurland, «Assessment of Gifted Children with the ISC-III», en *WISC-III Clinical Use and Interpretation: Scientist-Practitioner Perspectives*, pp. 59-72, editors A. Prifitera y D. Saklofske, San Diego: Academic Press (1998).

_____Stephen I. Pfeiffer, y Tina M. Newman, «Assessment of Children who are Gifted with the WISC-IV», en *WISC-IV Clinical Use and Interpretation: Scientist Practitioner Perspectives,* pp. 281-297. A. Prifitera, D. Saklofske y L. Weiss (eds.), Burlington, VT: Elsevier Academic Press (2005).

Spinelli, Lydia, «Assessing Young Children for Admissions,» comentarios de la conferencia de directores de admission NYSAIS (2006), http://tinyurl.com/br2vwt

Sternberg, Robert J., Elena L. Grigorenko y Donald A. Bundy, «The Predictive Value of IQ», *Merrill-Palmer Quarterly*, vol. 47, nº 1, pp. 1-41 (2001).

Thomas, Kathleen M., Ruskin H. Hunt, Nathalie Vizueta, Tobias Sommer, Sarah Durston, Yihong Yang y Michael S. Worden, «Evidence of Developmental Differences in Implicit Sequence Learning: An fMRI Study of Children and Adults», *Journal of Cognitive Neuroscience,* vol. 16, nº 8, pp. 1339-1351 (2004).

Tsushima, William T., Vincent A. Onorato, Frederick T. Okumura y Dalton Sue, «Predictive Validity of the Star: A Need for Local Validation», *Educational and Psychological Measurement*, vol. 43, nº 2, pp. 663-665 (1983).

_____Victoria M. Stoddard, «Predictive Validity of a Short-Form WPPSI With Prekindergarten Children: A 3-Year Follow-Up Study», *Journal of Clinical Psychology*, vol. 42, nº 3, pp. 526-527 (1986).

Van Rooy, David L. y Chockalingam Viswesvaran, «Emotional Intelligence: A Meta-analytic Investigation of Predictive Validity and Nomological Net», *Journal of Vocational Behavior*, vol. 65, nº 1, pp. 71-95 (2004).

VanTassel-Baska, Joyce, Annie Xuemei Feng y Brandy L. Evans, «Patterns of Identifications and Performance Among Gifted Students Identified Through Performance Tasks: A Three-Year Analysis», *Gifted Child Quarterly*, vol. 51, nº 3, pp. 218-231 (2007).

____Dana Johnson y Linda D. Avery, «Using Performance Tasks in the Identification of Economically Disadvantaged and Minority Gifted Learners: Findings From Project STAR», *Gifted Schools Quarterly*, vol. 46, nº 2, pp. 110-123 (2002).

Weiss, Lawrence, Donald Saklofske, Aurelio Prifitera y James Holdnack, *WISC-IV Advanced Clinical Interpretation.* Londres: Academic Press (2006).

Williams, Leanne M., Mary L. Phillips, Michael J. Brammer, David Skerrett, Jim Lagopoulos, Chris Rennie, Homayoun Bahramali, Gloria Olivieri, Anthony S. David, Anthony Peduto y Evian Gordon, «Arousal Dissociates Amygdala and Hippocampal Fear Responses: Evidence from Simultaneous fMRI and Skin Conductance Recording», *NeuroImage*, vol. 14, nº 5, pp. 1070-1079 (2001).

California Energy Commission, «Windows and Classrooms: A Study of Student Performance and the Indoor Environment», informe técnico (2003).

Worrell, Frank C., «What Does Gifted Mean? Personal and Social Identity Perspectives on Giftedness in Adolescence», comentarios e informe presentados en la convención anual de la American Psychological Association, Boston.

Capítulo 6. El efecto de los hermanos

Bagley, Sarah, Jo Salmon y David Crawford, «Family Structure and Children's Television Viewing and Physical Activity», *Medicine & Science in Sports & Exercise*, vol. 38, nº 5, pp. 910-918 (2006).

Brody, Gene H., «Sibling Relationship Quality: Its Causes and Consequences», *Annual Review of Psychology*, vol. 49, pp. 1-24 (1998).

Camodeca, Marina y Ersilia Menesini, «Is Bullying Just a School Problem: Similarities Between Siblings and Peers?», póster presentado en la convención bianual de la Society for Research in Child Development, Boston (2007).

Campione-Barr, Nicole y Judith G. Srnetana, «But It's My Turn in the Front Seat! Adolescent Siblings' Conflicts, Relationships, and Adjustment», comentarios e informe presentados en el encuentro bianual de la Society for Research on Adolescence, Chicago (2008).

Chen, X., Z. Wang, J. Gao y W. Hu, «College Students' Social Anxiety Associated with Stress and Mental Health», *Wei Sheng Yan Jiu*, vol. 36, nº 2, pp. 197-209 (2007).

Day, Lincoln H., «Is There Any Socially Significant Psychological Difference in Being an Only Child?: The Evidence from Some Adult Behavior», *Journal of Applied Social Psychology*, vol. 21, nº 9, pp. 754-773 (1991).

DeHart, Ganie B., Bobette Buchanan, Carjah Dawkins y Jill Rabinowitz, «Preschoolers' Use of Assertive and Affiliative Language with Siblings and Friends», póster presentado en la convención bianual de la Society for Research in Child Development, Boston (2007).

Ding, Qu Jian y Therese Hesketh, «Family Size, Fertility Preferences, and Sex Ratio in China in the Era of the One Child Family Policy: Results from National Family Planning and Reproductive Health Survey», *BMJ*, vol. 333, pp. 371-373 (2006).

Downey, Douglas B. y Dennis J. Condron, «Playing Well With Others in Kindergarten: The Benefit of Siblings at Horne», *Journal of Marriage and Family*, vol. 66, nº 2, pp. 333-350 (2004).

Dunn, Judy y Shirley McGuire, «Sibling and Peer Relationships in Childhood», *Journal of Child Psychology and Psychiatry,* vol. 33, nº 1, pp. 67-105 (1992).

Fields, Jason, «Living Arrangements of Children: 1996», informe corriente sobre población, oficina del censo, Washington DC, pp.70-74 (1996).

Goldberg, Shmuel, Eran Israeli, Shepard Schwartz, Tzippora Shochat, Gabriel Izbicki, Ori Toker-Maimon, Eyal Klement y Elie Picard, «Asthma Prevalence, Family Size, and Birth Orden», *Chest*, vol. 131, nº 6, pp. 1747-1752 (2007).

Hesketh, T., J. D. Qu y A. Tomkins, «Health Effects of Family Size: Cross Sectional Survey in Chinese Adolescents», *Archives of the Diseases of Childhood,* vol. 88, nº 6, pp. 467-471 (2003).

Hesketh, Therese, Li Lu y Zhu Wei Xing, «The Effect of China's One Child Family Policy after 25 Years», *New England Journal of Medicine*, vol. 353, nº 11, pp. 1171-1176 (2005).

Kennedy, Denise y Laurie Kramer, «Building Emotion Regulation in Sibling Relationships», póster presentado en la convención bianual de la Society for Research in Child Development, Boston (2007).

____«Improving Emotional Regulation and Sibling Relationship Quality: The More Fun With Sisters and Brothers Program», *Family Relations*, vol. 57, nº 5, pp. 567-578 (2008).

____«Mothers and Fathers Regulation of Siblings' Emotionality», Informe presentado en la conferencia National Council on Family Relations, Pittsburgh (2007).

____correos electrónicos intercambiados con los autores (2007-2008).

Kinra, S., G. Davey Smith, M. Jeffreys, U. Gunneil, B. Galobardes y P. McCarron, «Association Between Sibship Size and Allergic Diseases in the Glasgow Alumni Study», *Thorax*, vol. 61, nº 1, pp. 48-53 (2006).

Kowal, Amanda K., Jennifer L. Krull y Laurie Kramer, «Shared Understanding of a Parental Differential Treatment in Families», *Social Development*, vol. 15, nº 2, pp. 276-295 (2006).

Kramer, Laurie, correos electrónicos intercambiados con los autores (2007-2008).

____«The Essential Ingredients of Successful Sibling Relationships: An Emerging Framework for Advancing Theory and Practice», manuscrito bajo revisión (2009).

____Lisa A. Baron, «Intergenerational Linkages: How Experiences With Siblings Relate to the Parenting of Siblings», *Journal of Social and Personal Relationships*, vol. 12, nº 1, pp. 67-87 (1995).

____John Gottman, «Becoming a Sibling: With a Little Help from My Friends», *Developmental Psychology*, vol. 28, nº 4, pp. 685-699 (1992).

____Amanda K. Kowal, «Sibling Relationship Quality from Birth to Adolescence: The Enduring Contribution of Friends», *Journal of Family Psychology*, vol. 19. nº 4, pp. 503-511 (2005).

____Sonia Noorman y Renee Brockman, «Representations of Sibling Relationships in Young Children's Literature», *Early Childhood Research Quarterly*, vol. 14, nº 4, pp. 555-574 (1999).

____Lisa A. Perozynski y Tsai-Yen Chung, «Parental Responses to Sibling Conflict: The Effects of Development and Parent Gender», *Child Development*, vol. 70, nº 6, pp. 1401-1414 (1999).

____Chad Radey, «Improving Sibling Relationships among Young Children: A Social Skills Training Model», *Family Relations*, vol. 46, nº 3, pp. 237-246 (1997).

____Dawn Ramsburg, «Advice Given to Parents on Welcoming a Second Child: A Critical Review», *Family Relations*, vol. 51, nº 1, pp. 2-14 (2002).

Kreider, Rose M., «Living Arrangements of Children: 2004», informe corriente sobre población, oficina del censo de Estados Unidos, Washington DC, pp. 70-114 (2008).

Krombhholz, Heinz, «Physical Performance in Relation to Age, Sex, Birth Order, Social Class, and Sports Activities of Preschool Children», *Perceptual Motor Skills*, vol. 102, nº 2, pp. 477-484 (2006).

Liu, Chenying, Tsunetsugti Munakata y Francis N. Onuoha, «Mental Health Condition of the Only Child», *Adolescence*, vol. 40, nº 160, pp. 831-845 (2005).

Mancillas, Adriean, «Challenging the Stereotypes About Only Children: A Review of the Literature and Implications for Practice», *Journal of Counseling & Development*, vol. 84, nº 3, pp. 268-275 (2006).

McGuire, Shirley, Beth Manke, Afsoon Eftekhani y Judy Dunn, «Children's Perceptions of Sibling Conflict During Middle Childhood: Issues and Sibling (Dis)similanity», *Social Development*, vol. 9, nº 2, pp. 173-190 (2000).

Mosier, Christine E. y Barbara Rogoff, «Privileged Treatment of Toddlers: Cultural Aspects of Individual Choice and Responsibility», *Developmental Psychology*, vol. 39, nº 6, pp. 1047-1060 (2003).

Perlman, Michal, Daniel A. Garfinkel y Sheni L. Turreli, «Parent and Sibling Influences on the Quality of Children's Conflict Behaviours across the Preschool Period», *Social Development,* Vol. 16, nº 4, pp. 1-23 (2007).

Punch, Samantha, «'You Can Do Nasty Things to Your Brothers and Sisters Without a Reason': Siblings' Backstage Behaviors», *Children & Society*, vol. 22, nº 5, pp. 333-344 (2007).

Ram, Avigail y Hildy S. Ross, «Problem Solving, Contention, and Struggle: How Siblings Resolve a Conflict of Interests», *Child Development*, vol. 72, nº 6, pp. 1710-1722 (2001).

Riggio, Heidi, «Personality and Social Skill Differences Between Adults With and Without Siblings», *Journal of Psychology*, vol. 133, nº 5, pp. 514- 522 (1999).

Ross, Hildy S., «Negotiating Principles of Entitlement in Sibling Property Disputes», *Developmental Psychology*, vol. 32, nº 1, pp. 90-101 (1996).

_____Michael Ross, Nancy Stein y Tom Trabasso, «How Siblings Resolve Their Conflicts», *Child Development*, vol. 77, nº 6, pp. 1730-1745 (2006).

Saporetti, G., S. Sancini, L. Bassoli, B. Castelli y A. Pellai, «Analisi del Rischio per i Disturbi del Comportamento Alimentare in una Scuola Media Superiore: Una Ricerca Basata sull'Eating Attitudes Test 26», *Minerva Pediatrica*, vol. 56, nº 1, pp. 83-90 (2004).

Smith, Julie y Hildy Ross, «Training Parents to Mediate Sibling Disputes Affects Children's Negotiation and Conflict Understanding», *Child Development*, vol. 78, nº 3, pp. 790-805 (2007).

«Table F2. Family Households, by Type, Age of Own Children, and Educational Attainment of Householder: 2007», suplemento anual social y económico, 2007, encuesta corriente de población, oficina del censo de Estados Unidos, Washington DC (2008).

T-Ping, Cheng, Cassimiro Afonso Nunes, Gabriel Rabelo Guimaraes, Joao Penna Martins Vieira, Luc Louis Maurice Weckx y Tanner José Arantes Borges, «Accidental Ingestion of Coins by Children: Management at the ENT Department of the Joao XXIII Hospital», *Revista Brasileira de Otorrinolaringologia* (edición inglesa), vol. 72, nº 4, pp. 470-474 (2006).

Williams, H. C., A. Pottier y D. Strachan, «The Descriptive Epidemiology of Warts in British Schoolchildren», *British Journal of Dermatology*, vol. 128, nº 5, pp. 504-511 (1993).

Wilson, Anne E. y Melissa Smith, «Young Children's Personal Accounts of Their Sibling Disputes», *Merrill-Palmer Quarterly*, vol. 50, nº 1, pp. 39-60 (2004).

Wolke, Dieter y Muthanna M. Samara, «Bullied by Siblings: Association With Peer Victimisation and Behaviour Problems in Israeli Lower Secondary School Children», *Journal of Child Psychology and Psychiatry*, vol. 45, nº 5, pp. 1015-1029 (2004).

Capítulo 7. La ciencia de la rebelión adolescente

Adelman, Clifford, «Principal Indicators of Student Academic Histories in Postsecondary Education, 1972-2000», U.S. Department of Education, Institute of Education Sciences, Washington DC (2004).

«The American Freshman: Forty-Year Trends: 1966-2006», HERI Research Brief, Instituto de Investigación de la Educación Superior, Universidad de California, Los Ángeles (2007).

«The American Freshman: National Norms for Fall 2006», HERI Research Brief, Instituto de Investigación de la Educación Superior, Universidad de California, Los Ángeles (2007).

«The American Freshman: National Norms for Fall 2008», HERI Research Brief, Instituto de Investigación de la Educación Superior, Universidad de California, Los Ángeles (2009).

«Analysis of the 2003-04 Budget Bill: California State University (6610)», oficina del Analista Legislativo, Gobierno Estatal de California, Sacramento, CA (2003), http://tinyurl.com/a74blb

Baird, Abigail A., «Real Effects of the Imaginary Audience: Peers Influence Neural Activity During Decision Making Among Adolescents», informe presentado en el encuentro biannual de la Society for Research on Adolescence, Chicago (2008).

____Jonathan A. Fugelsang, «The Emergence of Consequential Thought: Evidence from Neuroscience», *Philosophical Transactions of the Royal Society B*, vol. 359, nº 1451, pp. 1797-1804 (2004).

Barnes, Tom, «Debate Rages Over Requiring Students to Pass Tests to Graduate», *Pittsburgh Post-Gazette* (2007).

Bramlett, Matthew D. y William D. Mosher, *Cohabitation, Marriage, Divorce, and Remarriage in the United States*, estadísticas vitales y de salud, National Center for Health Statistics, Hyattsville, MD, vol. 23, nº 22 (2002).

Byrne, Clara, Tabitha R. Holmes y Lynne A. Bond, «Parent-Adolescent Conflict: Distinguishing Constructive from Destructive Experiences», póster presentado en el encuentro bianual de la Society for Research in Child Development, Boston (2007).

Caldwell, Linda, resultados de entrevista al grupo TimeWise Focus, inéditos (sin fecha).

____«TimeWise Taking Charge of Leisure Time», hoja de datos, ETR Associates, Santa Cruz, California (sin fecha).

____«TimeWise: Taking Charge of Leisure Time: Final Report to NIDA», Universidad del Estado de Pensilvania, University Park, PA (2004).

____«Educating For, About, and Through Leisure», en *Recreation and Youth Development*, pp. 193-218, P. A. Witt. y L. L. Caldwell (eds.), Universidad Estatal, PA: Venture Publishing (2005).

____«Leisure and Health: Why Is Leisure Therapeutic?», *British Journal of Guidance & Counselling,* vol. 33, nº 1, pp. 7-26 (2005).

____«TimeWise Description», página web de Caldwell, Universidad Estatal de Pensilvania. http://www.personal.psu.edu/llc7/TimeWise.htm.

____correos electrónicos intercambiados con los autores (2007-2008).

____Cheryl K. Baldwin, Theodore Walls y Ed Smith, «Preliminary Effects of a Leisure Education Program to Promote Healthy Use of Free Time among Middle School Adolescents», *Journal of Leisure Research*, vol. 36, nº 3, pp. 310-335 (2004).

____Nancy Darling, «Testing A Leisure-based, Ecological Model of Substance Use: Suggestions for Prevention», informe presentado en el encuentro bianual de la Society for Research on Adolescence, Chicago (2000).

____Laura L. Payne y Bonnie Dowdy, «'Why Are You Bored?: An Examination of Psychological and Social Control Causes of Boredom Among Adolescents», *Journal of Leisure Research*, vol. 31, nº 2, pp. 103-121 (1999).

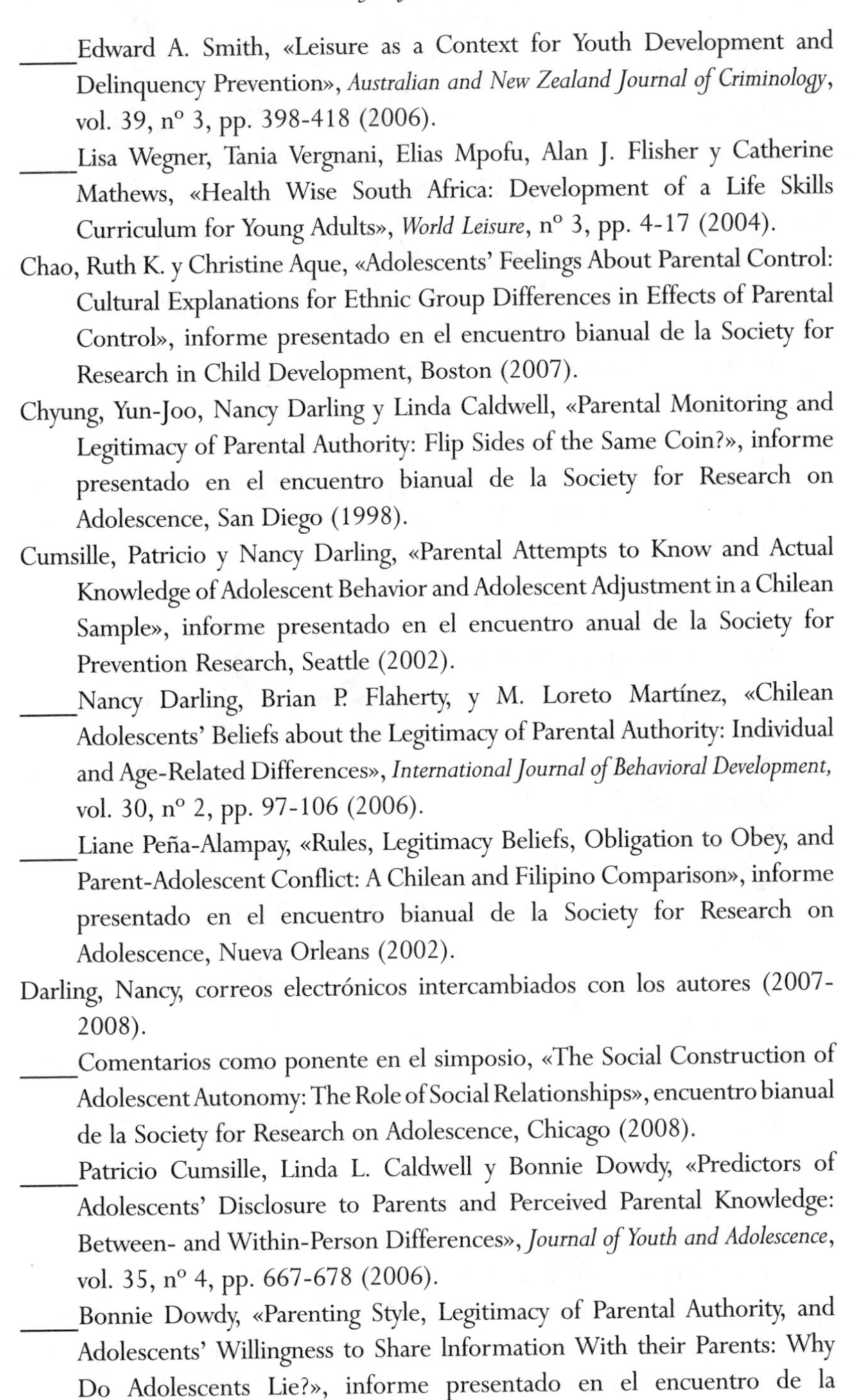

———Edward A. Smith, «Leisure as a Context for Youth Development and Delinquency Prevention», *Australian and New Zealand Journal of Criminology*, vol. 39, nº 3, pp. 398-418 (2006).

———Lisa Wegner, Tania Vergnani, Elias Mpofu, Alan J. Flisher y Catherine Mathews, «Health Wise South Africa: Development of a Life Skills Curriculum for Young Adults», *World Leisure*, nº 3, pp. 4-17 (2004).

Chao, Ruth K. y Christine Aque, «Adolescents' Feelings About Parental Control: Cultural Explanations for Ethnic Group Differences in Effects of Parental Control», informe presentado en el encuentro bianual de la Society for Research in Child Development, Boston (2007).

Chyung, Yun-Joo, Nancy Darling y Linda Caldwell, «Parental Monitoring and Legitimacy of Parental Authority: Flip Sides of the Same Coin?», informe presentado en el encuentro bianual de la Society for Research on Adolescence, San Diego (1998).

Cumsille, Patricio y Nancy Darling, «Parental Attempts to Know and Actual Knowledge of Adolescent Behavior and Adolescent Adjustment in a Chilean Sample», informe presentado en el encuentro anual de la Society for Prevention Research, Seattle (2002).

———Nancy Darling, Brian P. Flaherty, y M. Loreto Martínez, «Chilean Adolescents' Beliefs about the Legitimacy of Parental Authority: Individual and Age-Related Differences», *International Journal of Behavioral Development,* vol. 30, nº 2, pp. 97-106 (2006).

———Liane Peña-Alampay, «Rules, Legitimacy Beliefs, Obligation to Obey, and Parent-Adolescent Conflict: A Chilean and Filipino Comparison», informe presentado en el encuentro bianual de la Society for Research on Adolescence, Nueva Orleans (2002).

Darling, Nancy, correos electrónicos intercambiados con los autores (2007-2008).

———Comentarios como ponente en el simposio, «The Social Construction of Adolescent Autonomy: The Role of Social Relationships», encuentro bianual de la Society for Research on Adolescence, Chicago (2008).

———Patricio Cumsille, Linda L. Caldwell y Bonnie Dowdy, «Predictors of Adolescents' Disclosure to Parents and Perceived Parental Knowledge: Between- and Within-Person Differences», *Journal of Youth and Adolescence*, vol. 35, nº 4, pp. 667-678 (2006).

———Bonnie Dowdy, «Parenting Style, Legitimacy of Parental Authority, and Adolescents' Willingness to Share Information With their Parents: Why Do Adolescents Lie?», informe presentado en el encuentro de la

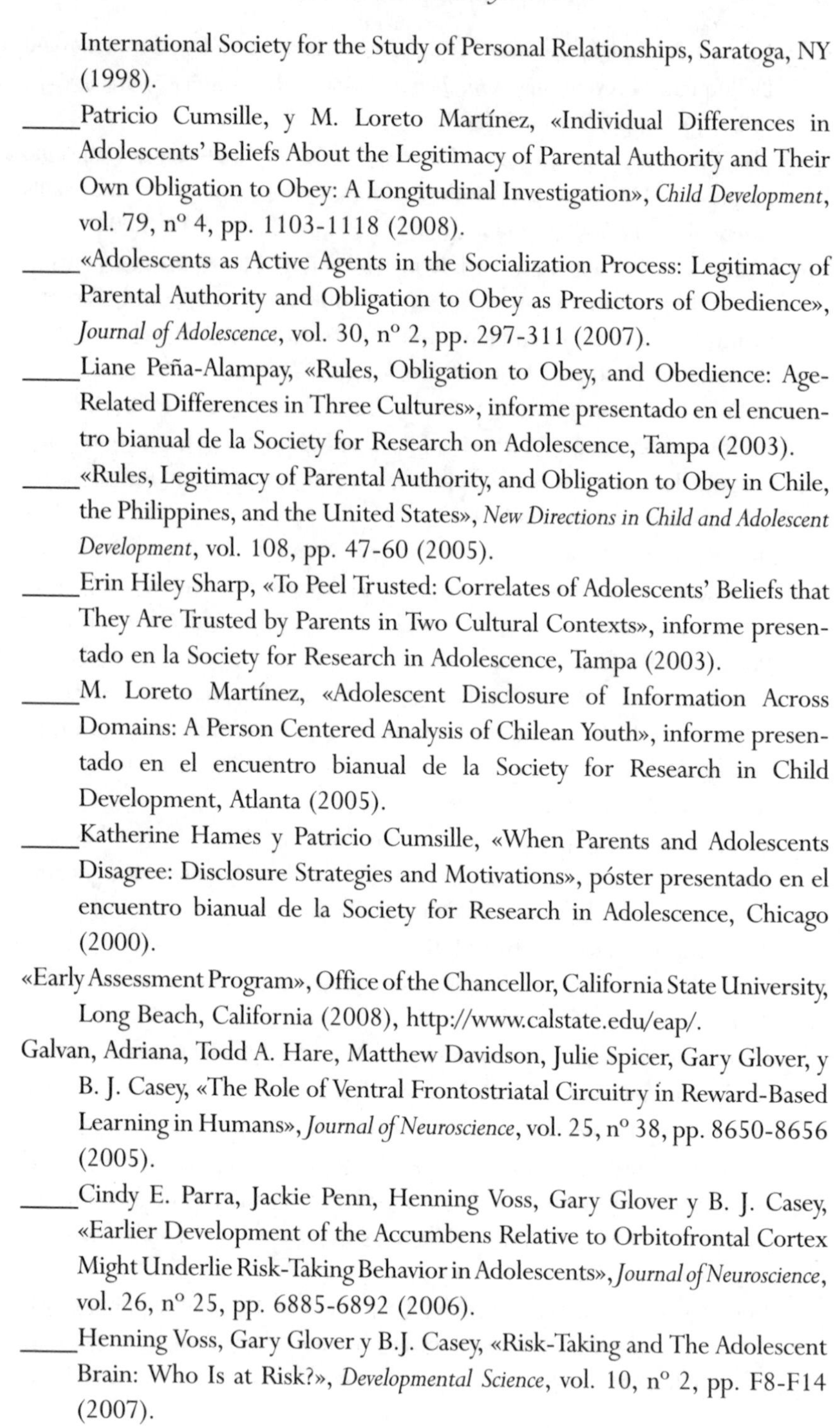

International Society for the Study of Personal Relationships, Saratoga, NY (1998).

____Patricio Cumsille, y M. Loreto Martínez, «Individual Differences in Adolescents' Beliefs About the Legitimacy of Parental Authority and Their Own Obligation to Obey: A Longitudinal Investigation», *Child Development*, vol. 79, nº 4, pp. 1103-1118 (2008).

____«Adolescents as Active Agents in the Socialization Process: Legitimacy of Parental Authority and Obligation to Obey as Predictors of Obedience», *Journal of Adolescence*, vol. 30, nº 2, pp. 297-311 (2007).

____Liane Peña-Alampay, «Rules, Obligation to Obey, and Obedience: Age-Related Differences in Three Cultures», informe presentado en el encuentro bianual de la Society for Research on Adolescence, Tampa (2003).

____«Rules, Legitimacy of Parental Authority, and Obligation to Obey in Chile, the Philippines, and the United States», *New Directions in Child and Adolescent Development*, vol. 108, pp. 47-60 (2005).

____Erin Hiley Sharp, «To Peel Trusted: Correlates of Adolescents' Beliefs that They Are Trusted by Parents in Two Cultural Contexts», informe presentado en la Society for Research in Adolescence, Tampa (2003).

____M. Loreto Martínez, «Adolescent Disclosure of Information Across Domains: A Person Centered Analysis of Chilean Youth», informe presentado en el encuentro bianual de la Society for Research in Child Development, Atlanta (2005).

____Katherine Hames y Patricio Cumsille, «When Parents and Adolescents Disagree: Disclosure Strategies and Motivations», póster presentado en el encuentro bianual de la Society for Research in Adolescence, Chicago (2000).

«Early Assessment Program», Office of the Chancellor, California State University, Long Beach, California (2008), http://www.calstate.edu/eap/.

Galvan, Adriana, Todd A. Hare, Matthew Davidson, Julie Spicer, Gary Glover, y B. J. Casey, «The Role of Ventral Frontostriatal Circuitry in Reward-Based Learning in Humans», *Journal of Neuroscience*, vol. 25, nº 38, pp. 8650-8656 (2005).

____Cindy E. Parra, Jackie Penn, Henning Voss, Gary Glover y B. J. Casey, «Earlier Development of the Accumbens Relative to Orbitofrontal Cortex Might Underlie Risk-Taking Behavior in Adolescents», *Journal of Neuroscience*, vol. 26, nº 25, pp. 6885-6892 (2006).

____Henning Voss, Gary Glover y B.J. Casey, «Risk-Taking and The Adolescent Brain: Who Is at Risk?», *Developmental Science*, vol. 10, nº 2, pp. F8-F14 (2007).

Hancock, Jeffrey T., Jennifer Thom-Santelli y Thompson Ritchie, «Deception and Design: The Impact of Communication Technology on Lying Behavior», informe presentado en el CHI, Viena (2004).

Holmes, Tabitha R., Lynne A. Bond y Ciara Byrne, «Mothers' Beliefs about Knowledge and Mother-Adolescent Conflict», *Journal of Social and Personal Relationships*, vol. 25, nº 4, pp. 561-586 (2008).

Hutchinson, Susan L., Cheryl K. Baldwin y Linda L. Caldwell, «Differentiating Parent Practices Related to Adolescent Behavior in the Free Time Context», *Journal of Leisure Research*, vol. 35, nº 4, pp. 396-422 (2003).

Kuhnen, Camelia M. y Brian Knutson, «Neural Basis of Financial Risk Taking», *Neuron*, vol. 47, nº 5, pp. 763-770 (2005).

Laird, Robert D., Michael M. Criss, Gregory S. Pettit, Kenneth A. Dodge y John E. Bates, «Parents' Monitoring Knowledge Attenuates the Link Between Antisocial Friends and Adolescent Delinquent Behavior», *Journal of Abnormal Child Psychology*, vol. 74, nº 3, pp. 752-768 (2007).

Laird, Robert D., Gregory S. Pettit, John E. Bates y Kenneth A. Dodge, «Parents' Monitoring-Relevant Knowledge and Adolescents' Delinquent Behavior: Evidence of Correlated Developmental Changes and Reciprocal Influences», *Child Development*, vol. 74, nº 3, pp. 752-768 (2003).

Fastats, National Center for Health Statistics, «Life Expectancy», Hyattville, MD (2008), http://www.cdc.gov/nchs/fastats/lifexpec.htm

McAlary, John J., artículo de prensa, The New York State Board of Law Examiners, Albany, Nueva York (2008).

Morisi, Teresa L., «Youth Enrollment and Employment During the School Year», *Monthly Labor Review*, vol. 131, nº 2, pp. 51-63 (2008).

Parsad, Basmat y Laurie Lewis, «Remedial Education at Degree-Granting Postsecondary Institutions in Fall 2000», NCES 2004-010, oficial de proyectos: Bernard Greene, Departamento de Educación de los Estados Unidos, Centro Nacional de las Estadísticas Educativas, Washington DC (2003).

Perkins, Serena A. y Elliot Turiel, «To Lie or Not to Lie: To Whom and Under What Circumstances», *Child Development*, vol. 78, nº 2, pp. 609-621 (2007).

Pesavento, Lisa C. (ed.), «Leisure Education in the Schools», declaración de posición remitida a la American Association for Leisure and Recreation (AALR) (2003).

Pinch, Katherine, «Surely You Don't Mean Me? Leisure Education and the Park and Recreation Professional», *California Parks & Recreation*, vol. 59, nº 3, p. 3 (2003).

«Proficiency Reports of Students Entering the CSU System, California State University», Office of the Chancellor, California State University, Long Beach, CA (2008), http://www.asd.calstate.edu/performance/proficiency.shtml.

Rearick, Jacki y Linda L. Caldwell, «Evaluation of an After-School Program Affiliated with the Central Blair County Recreation and Park Commission», informe NRPA (2001).

«A Record Pool Leads to a Record-low Admissions Rate», *Harvard University Gazette* (en línea), Universidad de Harvard, Cambridge, Massachusetts (2008), http:// www.news.harvard.edu/gazette/2008/04.03/99-admissions.html.

Shanahan, Lilly, Susan M. McHale, D. Wayne Osgood y Ann C. Crouter, «Conflict Frequency With Mothers and Fathers from Middle Childhood to Late Adolescence: Within- and Between-Families Comparisons», *Developmental Psychology*, vol. 43, nº 3, pp. 539-550 (2007).

Sharp, Erin Hiley, Linda L. Caldwell, John W. Graham y Ty A. Ridenour, «Individual Motivation and Parental Influence on Adolescents' Experiences of Interest in Free Time: A Longitudinal Examination», *Journal of Youth and Adolescence*, vol. 35, nº 3, pp. 359-372 (2006).

Smetana, Judith G., «Adolescent Disclosure and Secrecy: The Who, What, Where and Why», informe presentado en el encuentro bianual de la European Association for Research on Adolescence, Antalya, Turquía (2006).

Smetana, Judith G., «Daily Variations in Latino, African American, and European American Teens' Disclosure and Secrecy With Parents and Best Friends», comentarios sobre el informe presentado por Judith G. Smetana, Denise C. Gettman, Myriam Villalobos y Marina A. Tasopoulos, en el encuentro bianual de la Society for Research in Child Development, Boston (2007).

_____correos electrónicos intercambiados con los autores (2007-2008).

_____«'It's 10 O'Clock: Do You Know Where Your Children Are?' Monitoring and Adolescents' Information Management», *Child Development Perspectives*, vol. 2, nº 1, pp. 19-25 (2008).

_____Nicole Campione-Barr y Aaron Metzger, «Adolescent Development in Interpersonal and Societal Contexts», *Annual Review of Psychology*, vol. 57, pp. 255-284 (2006).

_____Denise C. Gettman, Myriam Villalobos y Marina A. Tasopoulos, «Daily Variations in African American, Latino, and European American Teens' Disclosure with Parents and Best Friends», informe presentado en el encuentro bianual de la Society for Research in Child Development, Boston (2007).

____Aaron Metzger, Denise C. Gettman y Nicole Campione-Barr, «Disclosure and Secrecy in Adolescent-Parent Relationships», *Child Development*, vol. 77, nº 1, pp. 201-217 (2006).

Spear, L. P., «The Adolescent Brain and Age-Related Behavioral Manifestations», *Neuroscience and Behavioral Reviews*, vol. 24, nº 4, pp. 417-463 (2000).

Steinberg, Laurence, «'We Know Some Things': Parent-Adolescent Relationships in Retrospect and Prospect», *Journal of Research on Adolescence,* vol. 11, nº 1, pp. 1-19 (2001).

____«Risk Taking in Adolescence: What Changes, and Why?», *Annals of the New York Academy of Science*, vol. 1021, pp. 51-58 (2004).

____«Risk Taking in Adolescence: New Perspectives From Brain and Behavioral Science», *Current Directions in Psychological Science*, vol. 16, nº 2, pp. 55-59 (2007).

____«A Social Neuroscience Perspective on Adolescent Risk-Taking», *Developmental Review*, vol. 28, nº 1, pp. 78-106 (2008).

National Center for Education Statistics, US Department of Education, «Table 24-1, Percentage of High School Completers who Were Enrolled in College the October Immediately Following High School Completion, By Race/ Ethnicity and Family Income: 1972-2006»,Washington DC (2008).

Tasopoulos, Marina A., JennyYau y Judith G. Smetana, «Mexican American, Chinese American and European American Teens' Disclosure to Parents about Their Activities», póster presentado en el encuentro bianual de la Society for Research in Child Development, Boston (2007).

Tibbits, Melissa K., Linda L. Caldwell, Edward A. Smith y Laura Ferrer Wreder, «Boredom As a Risk Factor for Academic Failure and Substance Use in Adolescence», póster presentado en el encuentro bianual de la Society for Research in Child Development, Boston (2007).

Turiel, Elliot, «Honesty, Deception, and Social Resistance in Adolescents and Adults», Comentarios e informe presentados en el encuentro bianual de la Society for Research in Child Development, Boston (2007).

«Wake Up Moms and Dads'» [artículo de prensa], WE TV, Nueva York (2008).

Wang, Qian y Eva Pomerantz, «The Role of Parents' Autonomy Support and Control in American and Chinese Adolescents' Psychological Functioning», Informe presentado en el encuentro bianual de la Society for Research in Child Development, Boston (2007).

Warr, Mark, «The Tangled Web: Delinquency, Deception, and Parental Attachment», *Journal of Youth and Adolescence*, vol. 36, nº 5, pp. 607-622 (2007).

Watts, Clifton E., Jr. y Linda L. Caldwell, «Exploring the Effects of Adolescent Perceptions of Parenting in Free Time and Gender on Adolescent Motivation in Free Time», conclusiones del simposio Northeastern Recreation Research 2006, pp. 326-334 (2006).

Watts, Clifton E. y Linda L. Caldwell, «Self-Determination and Free Time Activity Participation as Predictors of Initiative», *Journal of Leisure Research*, vol. 40, nº 1, pp. 156-181 (2008).

Capítulo 8. ¿Es posible enseñar autocontrol?

Ammerman, Alice S., Christine H. Lindquist, Kathleen N. Lohr y James Hersey, «The Efficacy of Behavioral Interventions to Modify Dietary Fat and Fruit and Vegetable Intake: A Review of the Evidence», *Preventive Medicine*, vol. 35, nº 1, pp. 25-41 (2002).

Barnett, W. Steven, Donald J. Yarosz, Jessica Thomas y Amy Hornbeck, «Educational Effectiveness of a Vygotskian Approach to Preschool Education: A Randomized Trial», Instituto Nacional para la Investigación de la Educación Primaria, Universidad Rutgers, New Brunswick, NJ (2006).

Baumeister, Roy F., Kathleen D. Vohs y Dianne M. Tice, «The Strength Model of Self-Control», *Current Directions in Psychological Science*, vol. 16, nº 6, pp. 351-355 (2007).

Blair, Clancy, «School Readiness Integrating Cognition and Emotion in a Neurobiological Conceptualization of Children's Functioning at School Entry», *American Psychologist,* vol. 57, nº 2, pp. 111-127 (2002).

_____Adele Diamond, «Biological Processes in Prevention and Intervention: The Promotion of Self-Regulation as a Means of Preventing School Failure», *Development and Psychopathology*, vol. 20, pp. 899-911 (2008).

Bodrova, Elena y Deborah J. Leong, *Tools of the Mind: The Vygotskian Approach to Early Childhood Education,* Nueva York: Merrill/Prentice Hall (1996).

Bodrova, Elena y Deborah J. Leong, «Tools of the Mind: A Case Study of Implementing the Vygotskian Approach in American Early Childhood and Primary Classrooms», International Bureau of Education / UNESCO (2001). http://www.ibe.unesco.org/publications/Monograph/innoQ7.pdf.25.

«D.A.R.E. Works, ...And We Can Prove It!», D.A.R.E. web site (2008). http://www.dare.com/home/tertiary/Default3ade asp?N =Tertiary&S =5.

Daugherty, Martha y C. Stephen White, «Relationships Among Private Speech and Creativity Measurements of Young Children», *Gifted Child Quarterly*, vol. 52, nº 1, pp. 30-39 (2008).

Diamond, Adele y Dima Amso, «Contributions of Neuroscience to Our Understanding of Cognitive Development», *Current Directions in Psychological Science*, vol. 17, nº 2, pp. 136-141 (2008).

____Steven Barnett, Jessica Thomas y Sarah Munro, «Preschool Program Improves Cognitive Control», *Science*, vol. 318, nº 5855, pp. 1387-1388 (2007).

Dignath, Charlotte, Gerhard Buettner y Hans-Peter Langfeldt, «How Can Primary School Students Learn Self-Regulated Learning Strategies Most Effectively? A Meta-analysis on Self-Regulation Training Programmes», *Educational Research Review,* vol. 3, nº 2, pp. 101-129 (2008).

Garon, Nancy, Susan E. Bryson e Isabel M. Smith, «Executive Function in Preschoolers: A Review Using an Integrative Framework», *Psychological Bulletin*, vol. 134, nº 1, pp. 31-60 (2008).

Graziano, Paulo A., Rachael D. Reavis, Susan P. Keane y Susan D. Calkins, «The Role of Emotion Regulation in Children's Early Academic Success», *Journal of School Psychology*, vol. 45, nº 1, pp. 3-19 (2007).

Hamilton, Denise, «The Truth about DARE: The Big-Bucks Antidrug Program for Kids Doesn't Work», *New Times* (20 de marzo de 1997).

Johnson, Glen, «Revamped Teen Driving Law Appears to Make Impact in First Year», AP via Boston.com (2008).

Kanof, Marjorie E., «Youth Illicit Drug Use Prevention: DARE Long-Term Evaluations and Federal Efforts to Identify Effective Programs», United States General Accounting Office, Washington DC, GAO-03-172R (2003).

Lynam, Donald R., Richard Milich, Rick Zimmerman, Scott P. Novak, T. K. Logan, Catherine Martin, Carl Leukefeld y Richard Clayton, «Project DARE: No Effects at 10-Year Follow-up», *Journal of Counseling and Clinical Psychology,* vol. 67, nº 4, pp. 590-593 (1999).

Mayhew, Daniel R., Herbert M. Simpson, Allan F. Williams y Susan A. Ferguson, «Effectiveness and Role of Driver Education and Training in a Graduated Licensing System», *Journal of Public Health Policy*, vol. 19, nº 1, pp. 51-67 (1998).

Masicampo, E. J. y Roy F. Baumeister, «Toward a Physiology of Dual-Process Reasoning and Judgment: Lemonade, Willpower, and Expensive Rule-Based Analysis», *Psychological Science*, vol. 19, nº 3, pp. 255-260 (2008).

Instituto Nacional para la Investigación de la Educación Primaria, Universidad Rutgers, «Preschool Program Shown to Improve Key Cognitive Functions (Including Working Memory and Control of Attention and Action)» [artículo de prensa] (2007).

Notaa, Laura, Salvatore Soresia y Barry J. Zimmerman, «Self-Regulation and Academic Achievement and Resilience: A Longitudinal Study», *International Journal of Educational Research*, vol. 41, nº 3, pp. 198-215 (2004).

Rittle-Johnson, Bethany, Megan Saylor y Kathryn E. Swygert, «Learning from Explaining: Does It Matter if Mom Is Listening?», *Journal of Experimental Child Psychology*, vol. 100, nº 3, pp. 215-224 (2008).

Shamosh, Noah A. y Jeremy R. Gray, «The Relation Between Fluid Intelligence and Self-Regulatory Depletion», *Cognition and Emotion*, vol. 21, nº 8, pp. 1833-1843 (2007).

Shepard, Edward W. III, «The Economic Costs of DARE», informe de investigación nº 22, Instituto de relaciones industriales, Le Moyne College, Syracuse, NY (2001).

Sherman, Lawrence W., Denise Gottfredson, Doris MacKenzie, John Eck, Peter Reuter y Shawn Bushway, «Preventing Crime: What Works, What Doesn't, What's Promising», informe al congreso de los Estados Unidos del National Institute of Justice, University Park, MD (1998).

Snyder, Leslie B., Mark A. Hamilton y Elizabeth W. Mitchell, «A Meta-analysis of the Effect of Mediated Health Communication Campaigns on Behavior Change in the United States», *Journal of Health Communication*, vol. 9, supp. 1, pp. 71-96 (2004).

Stice, Eric, Heather Shaw, Emily Burton y Emily Wade, «Dissonance and Healthy Weight Eating Disorder Prevention Programs: A Randomized Efficacy Trial», *Journal of Consulting and Clinical Psychology*, vol. 74, nº 2, pp. 263-275 (2006).

Vernick, Jon S., Guohua Li, Susanne Ogaitis, Ellen J. MacKenzie, Susan P. Baker y Andrea C. Gielen, «Effects of High School Driver Education on Motor Vehicle Crashes, Violations, and Licensure», *American Journal of Preventive Medicine*, vol. 16, nº 1S, pp. 40-46 (1999).

Welsh, Brandon C. y David P. Farrington, «Effects of Closed-Circuit Television on Crime», *Annals of the American Academy of Political and Social Science*, vol. 587, nº 1, pp. 110-135 (2003).

Wilfley, Denise E., Tiffany L. Tibbs, Dorothy J. Van Buren, Kelle P. Reach, Mark S. Walker y Leonard H. Epstein, «Lifestyle Interventions in the Treatment of Childhood Overweight: A Meta-analytic Review of Randomized Controlled Trials», *Health Psychology*, vol. 26, nº 5, pp. 521-532 (2007).

Williams, A. F., «Young Driver Risk Factors: Successful and Unsuccessful Approaches for Dealing With Them and an Agenda for the Future», *Injury Prevention*, vol. 12, sup. 1, pp. 4-8 (2006).

CAPÍTULO 9. *JUEGA BIEN CON OTROS*

Allen, Joseph P., comentarios como participante en un informe para un simposio, «How and Why Does Peer Influence Occur? Socialization Mechanisms From a Developmental Perspective», encuentro bianual de la Society for Research Adolescence, Chicago (2008).

____F. Christy McFarland, «Leaders and Followers: Sex, Drug Use, and Friendship Quality Predict Observed Susceptibility to Peer Influence», informe presentado en el encuentro bianual de la Society for Research Adolescence, Chicago (2008).

____Maryfrances R. Porter y F. Christy McFarland, «Leaders and Followers in Adolescent Close Friendships: Susceptibility to Peer Influence as a Predictor of Risky Behavior, Friendship Instability, and Depression», *Development and Psychopathology*, vol. 18, pp. 155-172 (2006).

Baird, Abigail A., «Real Effects of the Imaginary Audience: Peers Influence Neural Activity During Decision Making Among Adolescents», informe presentado en el encuentro bianual de la Society for Research Adolescence, Chicago (2008).

Balch, Christan, Caitlin Bango, Meagan Howell y Research Team 07, «Losers, Jerks, and Idiots: A Longitudinal Study of Put-Downs, Name Calling, and Relational Aggression on Television Shows for Children and Teens (1983-2006)», informe presentado en la conferencia Eastern Colleges Science, College of Mount Saint Vincent, Riverdale, NY (2007).

Bowker, Julie C. Wojslawowicz, «Stability of and Behaviors Associated with Perceived Popular Status Across the Middle School Transition», comentarios al informe presentado por Allison A. Buskirk Kenneth H. Rubin, Julie C. Wojslawowicz Bowker, Cathryn Booth-LaForce y Linda Rose-Krasnor, en el encuentro bianual de la Society for Research in Child Development, Boston (2007).

Buckley, Catherine K. y Sarah J. Schoppe-Sullivan, «Relations Between Paternal Involvement and Co-parenting: The Moderating Roles of Parental Beliefs and Family Earner Status», informe presentado en el Consejo Nacional de 2006 de la Conferencia Sobre Relaciones Familiares, Minneapolis (2006).

____«Father Involvement, Co-parenting, and Child and Family Functioning», informe presentado en el encuentro bianual de la Society for Research in Child Development, Boston (2007).

Burr, Jean E., Jamie M. Ostrov, Elizabeth A. Jansen, Crystal Cullerton-Sen y Nicki R. Crick, «Relational Aggression and Friendship During Early

Childhood: 'I Won't Be Your Friend!'», *Early Education & Development*, vol. 16, nº 2, pp. 161-183 (2005).

Bylaw 04/05V41, Town of Rocky Mountain House, Canada (2004).

Departamento de Educación de California, «Zero Tolerance: Information Regarding Zero Tolerance Policies for Firearms in Schools», http://www.cde. ca.gov/ls/ss/se/zerotolerance.asp

Card, Noel, «Introduction», comentarios en la Conferencia de relaciones entre pares, encuentro bianual de la Society for Research on Adolescence, Chicago (2008).

____Comentarios como ponente para el informe «Distinguishing Forms and Functions of Relational Aggression to Understand Sex Differences, Social Interaction, and Mental Health», presentado en el encuentro bianual de la Society for Research on Adolescence, Chicago (2008).

____Brian D. Stucky, Gita M. Sawalani y Todd D. Little, «Direct and Indirect Aggression during Childhood and Adolescence: A Meta-analytic Review of Gender Differences, Intercorrelations, and Relations to Maladjustment», *Child Development*, vol. 79, nº 5, pp. 1185-1229 (2008).

Cillessen, Antonius H. N. y Casey Borch, «Developmental Trajectories of Adolescent Popularity: A Growth Curve Modeling Analysis», *Journal of Adolescence*, vol. 29, nº 6, pp. 935-959 (2006).

____Lara Mayeux, «From Censure to Reinforcement: Developmental Changes in the Association Between Aggression and Social Status», *Child Development*, vol. 75, nº 1, pp. 147-163 (2004).

____Lara Mayeux, «Variations in the Association Between Aggression and Social Status: Theoretical and Empirical Perspectives», en *Aggression and Adaptation: The Bright Side to Bad Behavior»*, pp. 135-156. P. H. Hawley, T. D. Little, y P. C. Rodkin (eds.), Nueva York: Lawrence Erlbaum Associates, Inc. (2007).

____Amanda J. Rose, «Understanding Popularity in the Peer System», *Current Directions in Psychological Science*, vol. 14, nº 2, pp. 102-105 (2005).

Cohn, Andrea, y Andrea Canter, «Bullying: Facts for Schools and Parents», Asociación nacional de psicólogos escolares, recursos de NASP, página web de NASP. http://www.nasponline.org/resources/factsheets/bullying_fs.aspx.

Crick, Nikki R., Jamie M. Ostrov, Karen Appleyard, Elizabeth A. Jansen y Juan E. Casas, «Relational Aggression in Early Childhood: 'You Can't Come to My Birthday Unless...», en *Aggression, Antisocial Behavior, and Violence Among Girls: A Developmental Perspective*, M. Putallaz y K. L. Bierman (eds.), serie Duke sobre desarrollo infantil y políticas públicas, pp. 71-89. Nueva York: Guilford Press (2005).

Cummings, E. Mark, «Coping With Background Anger in Early Childhood», *Child Development*, vol. 58, nº 4, pp. 976-984 (1987).

____«Marital Conflict and Children's Functioning», *Social Development*, vol. 3, nº 1, pp. 16-36 (1994).

____Marcie C. Goeke-Morey y Lauren M. Papp, «Children's Responses to Everyday Marital Conflict Tactics in the Home», *Child Development*, vol. 74, nº 6, pp. 1918-1929 (2003).

____Marcie C. Goeke-Morey y Lauren M. Papp, «A Family-Wide Model for the Role of Emotion in Family Functioning», *Marriage & Family Review*, vol. 34, nº 1-2, pp. 13-34 (2003).

____Marcie C. Goeke-Morey y Lauren M. Papp, «Everyday Marital Conflict and Child Aggression», *Journal of Abnormal Child Psychology*, vol. 32, nº 2, pp. 191-202 (2004).

____Carolyn Zahn-Waxler y Manan Radke-Yarrow, «Developmental Changes in Children's Reactions to Anger in the Home», *Journal of Child Psychology and Psychiatry*, vol. 25, nº 1, pp. 63-74 (1984).

Davies, Patrick T., Melissa L. Sturge-Apple, Dante Cicchetti y E. Mark Cummings, «The Role of Child Adrenocortical Functioning in Pathways Between Interparental Conflict and Child Maladjustment», *Developmental Psychology*, vol. 43, nº 4, pp. 918-930 (2007).

____Marcia A. Winter, E. Mark Cummings y Deirdre Farrell, «Child Adaptation Development in Contexts of Interparental Conflict Over Time», *Child Development*, vol. 77, nº 1, pp. 218-233 (2006).

DeBruyn, Eddy H. y Antonius H. N. Cillessen, «Popularity in Early Adolescence: Prosocial and Antisocial Subtypes», *Journal of Adolescent Research,* vol. 21, nº 6, pp. 1-21 (2006).

____(«Toon») Cillessen, «Associations Between Sociometric and Perceived Popularity, Bullying & Victimization in a Dutch Normative Early Adolescent Sample (N=1207)», informe presentado en el encuentro bianual de la Society for Research in Child Development, Boston (2007).

Dodge, Kenneth A. y Jennifer E. Lansford, «The Relation Between Cultural Norms for Corporal Punishment and Societal Rates of Violent Behavior», comentarios e informe presentados en el encuentro bianual de la Society for Research in Child Development, Boston (2007).

El-Sheihk, Mona y E. Mark Cummings, «Children's Responses to Angry Adult Behavior as a Function of Experimentally Manipulated Exposure to Resolved and Unresolved Conflicts», *Social Development*, vol. 4, nº 1, pp. 75-91 (1995).

Faircloth, W. Brad, E. Mark Cummings, Jennifer Cummings, Patricia M. Mitchell, Nakya Reeves y Carolyn Shivers, «Launch Models of Change: The Effect of Baseline Levels of Marital Conflict Knowledge on Marital Outcomes», póster presentado en el encuentro bianual de la Society for Research in Child Development, Boston (2007).

Farmer, Thomas W. y Hongling Xie, «Aggression and School Social Dynamics: The Good, The Bad and the Ordinary», *Journal of School Psychology*, vol. 45, nº 5, pp. 461-478 (2007).

George, Melissa R. W., Peggy Sue Keller, Kalsea J. Koss, Caroline Connelly Rycyna, Patrick T. Davies y E. Mark Cummings, «Links Between Mother and Child Emotional Responses to Marital Conflict», Póster presentado en el encuentro bianual de la Society for Research in Child Development, Boston (2007).

Gershoff, Elizabeth T., «The Relation Between Cultural Norms for Corporal Punishment and Societal Rates of Violent Behavior», comentarios presentados por Elizabeth T. Gershoff, Andrew Grogan-Kaylor, Jennifer E. Lansford, Lei Chang, Kenneth A. Dodge, Arnaldo Zelli y Kirby Deater-Deckard, en el encuentro bianual de la Society for Research in Child Development, Boston (2007).

____«Corporal Punishment by Parents and Associated Child Behaviors and Experiences: A Meta-analytic and Theoretical Review», *Psychological Bulletin*, vol. 128, nº 4, pp. 539-579 (2002).

____Pamela C. Miller y George W. Holden, «Parenting Influences from the Pulpit: Religious Affiliation as a Determinant of Parental Corporal Punishment», *Journal of Family Psychology*, vol. 13, nº 3, pp. 307-320 (1999).

Hawley, Patricia, «Behaving Within Peer Relations», comentarios realizados en la Conferencia de relaciones entre pares, encuentro bianual de la Society for Research Adolescence, Chicago (2008).

____«Social Dominance and Prosocial and Coercive Strategies of Resource Control in Preschoolers», *International Journal of Behavioral Development*, vol. 26, nº 2, pp. 167-476 (2002).

____«Prosocial and Coercive Configurations of Resource Control in Early Adolescence: A Case for the Well-Adapted Machiavellian», *Merrill-Palmer Quarterly*, vol. 49, nº 3, pp. 279-309 (2003).

____«Strategies of Control, Aggression, and Morality in Preschoolers: An Evolutionary Perspective», *Journal of Experimental Child Psychology*, vol. 85, nº 3, pp. 213-235 (2003).

____«Social Dominance in Childhood and Aggression: Why Social Competence and Aggression May Go Hand in Hand», en *Aggression and Adaptation: The*

Bright Side of Bad Behavior, pp. 1-29. P. H. Hawley, T. D. Little y P. C. Rodkin (Eds,), Nueva York: Lawrence Erlbaum Associates, Inc. (2007).

____Todd D. Little y Noel A. Card, «The Allure of a Mean Friend: Relationship Quality and Processes of Aggressive Adolescents with Prosocial Skills», *International Journal of Behavioral Development*, vol. 31, nº 2, pp. 170-180 (2007).

«House of Commons Education and Skills Committee, Bullying», respuesta gubernamental al tercer informe del comité 2006-2007, tercer informe especial de sesiones 2006-2007 (2007).

Jacobs, Lorna, Rosie A. Ensor y Claire H. Hughes, «Preschoolers' Spontaneous and Responsive Prosocial Behaviors With Peers», póster presentado en el encuentro bianual de la Society for Research in Child Development, Boston (2007).

Kochakian, Maryjo, «Children Need to See Parents' Fights Resolved», *Hartford Courant*, p. C1 (12 de julio de 1994).

LaFontana, Kathryn M. y Antonius H. N. Cillessen, «Children's Perceptions of Popular and Unpopular Peers: A Multimethod Assessment», *Developmental Psychology*, vol. 38, nº 5, pp. 635-647 (2002).

Lansford, Jennifer E., Kirby Deater-Deckard, Kenneth A. Dodge, John E. Bates y Gregory S. Pettit, «Ethnic Differences in the Link Between Physical Discipline and Later Adolescent Externalizing Behaviors», *Journal of Child Psychology and Psychiatry*, vol. 45, nº 4, pp. 801-812 (2004).

____Kenneth A. Dodge, Patrick S. Malone, Dario Bacchini, Arnaldo Zelli, Nandita Chaudhary, Beth Manke, Lei Chang, Paul Oburu, Kerstin Palmérus, Concetta Pastorelli, Anna Silvia Bombi, Sombat Tapanya, Kirby Deater-Deckard y Naomi Quinn, «Physical Discipline and Children's Adjustment: Cultural Normativeness as a Moderator», *Child Development*, vol. 76, nº 6, pp. 1234-1246 (2005).

____Patrick S. Malone, Kenneth A. Dodge, y Lei Chang, «Perceptions of Parental Rejection and Hostility as Mediators of the Link between Discipline and Adjustment in Five Countries», informe presentado en el encuentro bianual de la Society for Research on Adolescence, Chicago (2007).

Little, Todd D., Christopher C. Henrich, Stephanie M. Jones y Patricia H. Hawley, «Disentangling the 'Whys' from the 'Whats' of Aggressive Behaviour», *International Journal of Behavioral Development* vol. 27, nº 2, pp. 122-133 (2003).

Lowery, Steven, Russell Michaud, James Aucoin y Joshua Skellet, «Sticks and Stones: Put-Downs in Television Programs Aimed at Children and Teens, Their Potential Effects, and Whether Media Literacy Education Can Make a Difference», informe presentado en la Eastern Colleges Science Conference, Universidad Niagara, Niagara, NY (2008).

Luckner, Amy E., «Relational Aggression and 'Rough and Tumble' Social Interactions», comentarios presentados por Amy E. Luckner, Peter E. L. Marks, y Nicki R. Crick en el encuentro bianual de la Society for Research on Adolescence, Chicago (2008).

Maurer, Megan, Steven Lowery, George Figueroa y James Aucoin, «'You Weasley Wimps!' Put-Downs in TV Shows for Children and Teens», informe presentado en la Eastern Colleges Science Conference, College of Mount Saint Vincent, Riverdale, NY (2007).

Mayeux, Lara y Antonius H. N. Cillessen, «The Role of Status Awareness in the Association Between Status and Aggression», informe presentado en el encuentro bianual de la Society for Research in Child Development, Boston (2007).

_____«Self-Perceptions Matter: The Role of Status Awareness in the Association between Status and Aggression», informe presentado en el encuentro bianual de la Society for Research in Child Development, Boston (2007).

_____Marlene J. Sandstrom, y Antonius H. N. Cillessen, «Is Being Popular a Risky Proposition?», *Journal of Research on Adolescence*, vol. 18, nº 1, pp. 49-74 (2008).

Mitchell, Patricia M., Kathleen P. McCoy, Laura C. Froyen, Christine E. Merrilees y E. Mark Cummings, «Prevention of the Negative Effects of Marital Conflict: An Education Program for Children», póster presentado en el encuentro bianual de la Society for Research in Child Development, Boston (2007).

Mullins, Adam D. y Jamie M. Ostrov, «Educational Media Exposure in Early Childhood: Effects on Displayed and Received Aggressive and Pro- social Behavior», póster presentado en el encuentro bianual de la Society for Research in Child Development, Boston (2007).

National Council of State Legislatures, «Select School Safety Enactments (1994-2003): Bullying and Student Harassment», http://www.ncsl.org/programs /cyf/bullyingenac.htm40.

Ostrov, Jamie M., «Forms and Functions of Aggression and Social Psychological Adjustment», comentarios presentados por Jamie M. Ostrov y Rebecca J. Houston en el encuentro bianual de la Society for Research on Adolescence, Chicago (2008).

_____Nikki R. Crick, «Current Directions in the Study of Relational Aggression During Early Childhood», *Early Education Development*, vol. 16, nº 2, pp. 109-113 (2005).

____Douglas A. Gentile, y Nicki R. Crick, «Media Exposure, Aggression and Prosocial Behavior During Early Childhood: A Longitudinal Study», *Social Development*, vol. 15, nº 4, pp. 612-627 (2006).

____Caroline F. Keating, «Gender Differences in Preschool Aggression During Free Play and Structured Interactions: An Observational Study», *Social Development*, vol. 13, nº 2, pp. 255-277 (2004).

Pepler, Debra J. y Wendy M. Craig, «A Peek Behind the Fence: Naturalistic Observations of Aggressive Children With Remote Audiovisual Recording», *Developmental Psychology*, vol. 31, nº 4, pp. 548-553 (1995).

____William L. Roberts, «Observations of Aggressive and Nonaggressive Children on the School Playground», *Merrill-Palmer Quarterly*, vol. 44, nº 1, pp. 55-76 (1998).

Pronk, Rhiane E., «Forms and Functions of Aggression and Social Psychological Adjustment», comentarios presentados por Rhiane E. Pronk y Melanie J. Zimmer-Gembeck en el encuentro bianual de la Society for Research on Adolescence, Chicago (2008).

Puckett, Marissa y Antonius H. N. Cillessen, «Moderation by Prosocial Behavior of the Effect of Relational Aggression on Perceived Popularity», póster presentado en el encuentro bianual de la Society for Research in Child Development, Boston (2007).

Regnerus, Mark, Christian Smith y Melissa Fritsch, «Religion in the Lives of American Adolescents: A Review of the Literature», informe de investigación nº 3, Estudio nacional sobre juventud y religion, Universidad de Carolina del Norte en Chapel Hill (2003).

Rodkin, Philip C., Thomas W. Farmer, Ruth Pearl y Richard Van Acker, «They're Cool: Social Status and Peer Group Supports for Aggressive Boys and Girls», *Social Development*, vol. 15, nº 2, pp. 175-204 (2006).

Rosenzweig, Paul y Trent England, «Zero Tolerance for Common Sense,» Heritage Foundation (2004), http://www.heritage.org/Press/Commentary/ed080504a.cfm

Russell, Stephen T., «Behaving Within Peer Relations», comentarios en la conferencia sobre relaciones entre pares, en el encuentro bianual de la Society for Research on Adolescence, Chicago (2008).

Sandstrom, Marlene J., y Antonius H. N. Cillessen, «Likeable Versus Popular: Distinct Implications for Adolescent Adjustment», *International Journal of Behavioral Development*, vol. 30, nº 4, pp. 305-314 (2006).

____Lydia J. Romano, «Stability of and Behaviors Associated with Perceived Popular Status Across the Middle School Transition», comentarios presentados por Marlene Jacobs Sandstrom y Lydia J. Romano en el encuentro bianual de la Society for Research in Child Development, Boston (2007).

Scheibe, Cynthia y George Figueroa, «Sticks and Stones: Teasing, Put Downs and Derogatory Language on TV Shows for Children and Adolescents», póster presentado en el encuentro bianual de la Society for Research in Child Development, Boston (2007).

Skiba, Russell J., «Zero Tolerance, Zero Evidence, An Analysis of School Disciplinary Practice», centro de política educativa de Indiana, informe de investigación número SRS2 (2000).

Skiba, Russell, Cecil R. Reynolds, Sandra Graham, Peter Sheras, Jane Close Conolcy y Enedina García-Vázquez, «Are Zero Tolerance Policies Effective in Schools?», Zero Tolerance Task Force Report, American Psychological Association (2006).

Capítulo 10. Por qué Hannah habla y Alyssa no

Bahrick, Lorraine E. y Robert Lickliter, «Intersensory Redundancy Guides Attentional Selectivity and Perceptual Learning in Infancy», *Developmental Psychology,* vol. 36, nº 1, pp. 190-201 (2000).

____«Intersensory Redundancy Guides Perceptual and Cognitive Development», *Advances in Child Behavior and Development*, vol. 30, pp. 153-187 (2002).

Bornstein, Marc H., Linda R. Cote, Sharone Maital, Kathleen Painter, Sung-Yun Park, Liliana Pascual, Marie-Germaine Pêcheux, Josette Ruel, Paola Venuti y Andre Vyt, «Cross-Linguistic Analysis of Vocabulary in Young Children: Spanish, Dutch, French, Hebrew, Italian, Korean, and American English», *Child Development*, vol. 75, nº 4, pp. 1115-1139 (2004).

____Catherine S. Tamis-LeMonda, Chun-Shin Hahn y O. Maurice Haynes, «Maternal Responsiveness to Young Children at Three Ages: Longitudinal Analysis of a Multidimensional, Modular, and Specific Parenting Construct», *Developmental Psychology,* vol. 44, nº 3, pp. 867-874 (2008).

____Catherine S. Tamis-LeMonda y O. Maurice Haynes, «First Words in the Second Year: Continuity, Stability and Models of Concurrent and Predictive Correspondence in Vocabulary and Verbal Responsiveness Across Age and Context», *Infant Behavior and Development,* vol. 22, nº 1, pp. 65-85 (1999).

Briesch, Jacqueline M., Jennifer A. Schwade y Michael H. Goldstein, «Responses to Prelinguistic Object-Directed Vocalizations Facilitate Word Learning in 11-Month-Olds», póster presentado en la Conferencia bianual internacional sobre estudios infantiles, Vancouver, Canada (2008).

Brink, Ryan N. S., Larissa K. Samuelson, Emily R. Fassbinder y Peter Gierut, «The Lasting Lessons of Early Adolescent Friendships: The Benefits of Autonomy and the Mixed Blessings of Early Intensity», informe presentado en el encuentro bianual de la Society for Research in Child Development, Boston (2007).

Brooks, Rechele y Andrew N. Meltzoff, «Infant Gaze Following and Pointing Predict Accelerated Vocabulary Growth Through Two Years of Age: A Longitudinal, Growth Curve Modeling Study», *Journal of Child Language*, vol. 35, nº 1, pp. 207-220 (2008).

Burr, Kathy, «Baby Einstein, Unique Multilingual Developmental Video for Infants, Released at Atlanta Maternity Fest Intelligence» [artículo de prensa], The Baby Einstein Company, Atlanta (1997).

Cameron-Faulkner, Thea, Elena Lieven y Michael Tomasello, «A Construction Based Analysis of Child Directed Speech», *Cognitive Science*, vol. 27, nº 6, pp. 843-873 (2003).

Dale, Philip, comentarios como ponente en el simposio, «Predictors, Prevalence and Natural History of Language Outcomes in a Community Cohort of Australian Children: The Early Language in Victoria Study», XI Congreso de la Asociación Internacional para el Estudio del Lenguaje Infantil, Edinburgo, Escocia (2008).

Engle, Mary Koelbel, carta de la commisión federal del comercio a Timothy Muris, O'Melveny & Myers, LLP, con respecto al final de la investigación de las prácticas de márquetin de Baby Einstein, Washington DC (2007).

Evans, Gary W., «Child Development and the Physical Environment», *Annual Review of Psychology*, vol. 57, pp. 423-45 1 (2006).

Fenson, Larry, Steve Pethick, Connie Renda, Jeffrey L. Cox, Philip S. Dale y J. Steven Reznick, «Short-Form Versions of the MacArthur Communicative Development Inventories», *Applied Psycholinguistics*, vol. 21, nº 1, pp. 95-116 (2000).

Fernald, Anne y Nereyda Hurtado, «Names in Frames: Infants Interpret Words in Sentence Frames Faster Than Words in Isolation», *Developmental Science*, vol. 9, nº 3, pp. F33-F40 (2006).

Fitch, W. Tecumseh, Marc D. Hauser y Noam Chomsky, «The Evolution of the Language Faculty: Clarifications and Implications», *Cognition*, vol. 97, nº 2, pp. 179-210 (2005).

Gogate, Lakshmi J. y Lorraine E. Bahrick, «Intersensory Redundancy Facilitates Learning of Arbitrary Relations between Vowel Sounds and Objects in Seven-Month-Old Infants», *Journal of Experimental Child Psychology*, vol. 69, nº 2, pp. 133-149 (1998).

Goldin-Meadow, Susan, intercambio de e-mails con los autores (2007-2008).

Goldstein, Michael H., correos electrónicos intercambiados con los autores (2008-2009).

____Marc H. Bornstein, Jennifer A. Schwade, Fern Baidwin, y Rachel Brandstadter, «Five-Month-Old Infants Have Learned the Value of Babbling», póster presentado en el encuentro bianual de la Society for Research in Child Development, Boston (2007).

____Andrew P. King, y Meredith J. West, «Social Interaction Shapes Babbling: Testing Parallels Between Birdsong and Speech», *Proceedings of the National Academy of Sciences*, vol. 100, nº 13, pp. 8030- 8035 (2003).

____Jennifer A. Schwade, «Social Feedback to Infants' Babbling Facilitates Rapid Phonological Learning», *Psychological Science*, vol. 19, nº 5, pp. 515-523 (2008).

____Jennifer A. Schwade y Supriya Syal, «Prelinguistic Infants Learn Novel Phonological Patterns from Mothers' Contingent Speech», póster presentado en el XI Congreso de la Asociación Internacional para el Estudio del Lenguaje Infantil, Edimburgo, Escocia (2008).

____Meredith J. West, «Consistent Responses of Human Mothers to Prelinguistic Infants: The Effect of Prelinguistic Repertoire Size», *Journal of Comparative Psychology*, vol. 113, nº 1, pp. 52-58 (1999).

Goodman, Judith C., Philip S. Dale y Ping Li, «Does Frequency Count? Parental Input and the Acquisition of Vocabulary», *Journal of Child Language*, vol. 35, nº 3, pp. 515-531 (2008).

Gopnik, Alison, «The Theory Theory as an Alternative to the Innateness Hypothesis», *Chomsky and His Critics*, pp. 238-254. L. Antony y N. Hornstein (eds.), Nueva York: Basil Blackwell (2003).

Gros-Louis, Julie, Meredith J. West, Michael H. Goldstein y Andrew P. King, «Mothers Provide Differential Feedback to Infants' Prelinguistic Sounds», *International Journal of Behavioral Development*, vol. 30, nº 6, pp. 509-516 (2006).

Hart, Betty y Todd R. Risley, *Meaningful Differences in the Everyday Experience of Young American Children*, Baltimore: Paul H. Brookes Publishing Co., Inc. (1995/2007).

Hauser, Marc D., Noam Chomsky y W. Tecumseh Pitch, «The Faculty of Language: What Is It, Who Has It, and How Did It Evolve?», *Science*, vol. 298, nº 5598, pp. 1569-1579 (2002).

Hollich, George, Rochelle S. Newman y Peter W. Jusczyk, «Infants' Use of Synchronized Visual Information to Separate Streams of Speech», *Child Development*, vol. 76, nº 3, pp. 598-613 (2005).

Iger, Robert, carta a Mark A. Emmert con relación al artículo de prensa sobre el desarrollo del lenguaje en los niños y el hecho de ver la televisión, *Seattle Post-Intelligencer* (14 de agosto de 2007), http://seattlepi.nwsource.com/1oca1/ 327427_letterl4ww.html

Jackendoff, Ray y Steven Pinker, «The Nature of the Language Faculty and Its Implications for Evolution of Language (Reply to Fitch, Hauser, and Chomsky)», *Cognition*, vol. 97, nº 2, pp. 211-225 (2005).

Jusczyk, Peter W., «How Infants Begin to Extract Words from Speech», *Trends in Cognitive Sciences*, vol. 3, nº 9, pp. 323-328 (1999).

Kaplan, Peter S., Michael H. Goldstein, Elizabeth R. Huckeby y Robin Panneton Cooper, «Habituation, Sensitization, and Infants' Responses to Motherese Speech», *Developmental Psychobiology*, vol. 28, nº 1, pp. 4S-57, (1995).

King, Andrew P., Meredith J. West y Michael H. Goldstein, «Non-Vocal Shaping of Avian Song Development: Parallels to Human Speech Development», *Ethology*, vol. 111, nº 1, pp. 101-117 (2005).

Klimkiewicz, Joann, «Imprinting Infants», *Hartford Courant* (24 de julio de 2006).

Kuhl, Patricia K., «A New View of Language», *Proceedings of the National Academy of Sciences,* vol. 97, nº 22, pp. 11850-11857 (2000).

____«Early Language Acquisition: Cracking the Speech Code», *Nature Reviews: Neuroscience*, vol. 5, nº 11, pp. 831-843 (2004).

____«Is Speech Learning 'Gated' by the Social Brain?», *Developmental Science,* vol. 10, nº 1, pp. 110-120 (2007).

____«Language and the Baby Brain», comentarios en el encuentro annual de la Asociación Americana para el Avance de la Ciencia, Boston (2008).

____Barbara T. Conboy, Sharon Coffey-Corina, Denise Padden, Maritza Rivera-Gaxiola y Tobey Nelson, «Phonetic Learning as a Pathway to Language: New Data and Native Language Magnet Theory Expanded (NLM-e)», *Philosophical Transactions of the Royal Society B*, vol. 363, nº 1493, pp. 979-1000 (2008).

____Feng-Ming Tsao y Huei-Mei Liu, «Foreign-Language Experience in Infancy: Effects of Short-Term Exposure and Social Interaction on Phonetic Learning», *Proceedings of the National Academy of Sciences,* vol. 100, nº15, pp. 9096-9101 (2003).

«Lena: Every Word Counts», Infoture, Inc., Boulder, CO (2008), http:// www.lenababy.com.

Linebarger, Deborah L. y Dale Walker, «Infants' and Toddlers' Television Viewing and Language Outcomes», *American Behavioral Scientist*, vol. 48, nº 5, pp. 624-645 (2005).

Linn, Susan, correos electrónicos intercambiados con los autores (2008).

McMurray, Bob, «Defusing the Childhood Vocabulary Explosion», *Science*, vol. 317, nº 5838, p. 631 (2007).

Meltzoff, Andrew, «Social Cognition and Early Language Development in Infancy», comentarios en el XI Congreso de la Asociación Internacional para el Estudio del Lenguaje Infantil, Edinburgo, Escocia (2008).

____Jean Decenty, «What Imitation Tells Us About Social Cognition: A Rapprochement Between Developmental Psychology and Cognitive Neuroscience», *Philosophical Transactions of The Royal Society B*, vol. 358, nº 1431, pp. 491-500 (2003).

Mendelsohn, Alan L., Samantha B. Berkule, Suzy Tomopoulos, Catherine S. Tamis-LeMonda, Harris S. Huberman, Jose Alvir y Benard P. Dreyer, «Infant Television and Video Exposure Associated With Limited Parent Child Verbal Interactions in Low Socioeconomic Status Households», *Archives of Pediatric and Adolescent Medicine*, vol. 162, nº 5, pp. 411-417 (2008).

Morris, Casie, «Baby Einstein Receives Parent's Choice Award», *Expectations Monthly*, vol. 3, nº 2, p. 2 (1997).

Newman, Rochelle, Nan Bernstein Ratner, Ann Marie Jusczyk, Peter W. Jusczyk y Kathy Ayala Dow, «Infants' Early Ability to Segment the Conversational Speech Signal Predicts Later Language Development: A Retrospective Analysis», *Developmental Psychology*, vol. 42, nº 4, pp. 643-655 (2006).

____Jane Tsay, y Peter Jusczyk, «The Development of Speech Segmentation Abilities», en el informe final de Jusczyk Lab (2003). D. Houston, A. Seidi, G. Hollich, E. Johnson, and A. Jusczyk (eds.,) http://hincapie.psych.purdue.edu/Jusczyk.

Nicely, Pamela, Catherine S. Tamis-LeMonda y Marc. H. Bornstein, «Mothers' Attuned Responses to Infant Affect Expressivity», *Infant Behavior and Development*, vol. 22, nº 4, pp. 557-568 (2000).

Oller, D. Kimbrough, «The Creation of Phonological Categories and the Negotiation of Word Meanings in Early Lexical Development», comentarios e informe de D. Kimbrough Oller y Heather Ramsdell, presentados en el XI Congreso de la Asociación Internacional para el Estudio del Lenguaje Infantil, Edimburgo, Escocia (2008).

Onnia, Luca, Heidi R. Waterfall y Shimon Edelman, «Learn Locally, Act Globally: Learning Language from Variation Set Cues», *Cognition*, vol. 109, nº 3, pp. 423-430 (2008).

Özçaliskan, Seyda y Susan Goldin-Meadow, «Do Parents Lead Their children by the Hand?», *Journal of Child Language*, vol. 32, nº 3, pp. 481- 505 (2005).

Pinker, Steven, *The Language Instinct: How the Mind Creates Language*. Nueva York: HarperPerennial (2000).

Ratner, Nan, «Perceptual and Productive Sensitivities to Native Phonology That Facilitate Language Acquisition», comentarios e informe presentados en el XI Congreso de la Asociación Internacional para el Estudio del Lenguaje Infantil, Edimburgo, Escocia (2008).

Rivera-Gaxiola, Maritza, C. A. Lindsay Klarman, Adrian Garcia-Sierra y Patricia K. Kuhl, «Neural Patterns to Speech and Vocabulary Growth in American Infants», *NeuroReport,* vol. 16, nº 5, pp. 498-498 (2005).

Rost, Gwyneth y Bob McMurray, «Phonological Variability and Word Learning: Infants Can Learn Lexical Neighbors», informe presentado en el XI Congreso de la Asociación Internacional para el Estudio del Lenguaje Infantil, Edimburgo, Escocia (2008).

Samuelson, Larissa, «Input Variability and the Shape Bias: It Matters What Statistics You Get and When You Get Them», comentarios e informe presentados en el XI Congreso de la Asociación Internacional para el Estudio del Lenguaje Infantil, Edimburgo, Escocia (2008).

Samuelson, Larissa K., «Attentional Biases in Artificial Noun Learning Tasks: Generalizations Across the Structure of Already-Learned Nouns», en *Proceedings of the Twenty-Second Annual Conference of the Cognitive Science Society*, pp. 423-428. L. R. Gleitman y A. K. Joshi (eds.), Filadelfia: Lawrence Erlbaum Associates, Inc. (2000).

Samuelson, Larissa K., «Statistical Regularities in Vocabulary Guide Language Acquisition in Connectionist Models and 15-20 Months Olds», *Developmental Psychology*, vol. 38, nº 6, pp. 1016-1037 (2002).

____Correos electrónicos intercambiados con los autores (2008).

____Jessica S. Horst, «Are Word Learning Biases Created in the Moment? Task and Stimulus Factors Affect the Shape and Material Biases», informe presentado en la Conferencia Internacional Bianual sobre Estudios Infantiles, Chicago (2004).

Schwade, JenniferA., correos electrónicos intercambiados con los autores (2008-2009).

____Michael H. Goldstein, Jennifer S. Stone y Anya V. Z. Wachterhauser, «Children's Use of Speech and Motion Cues When Learning Novel Words», poster presentado en la Conferencia Internacional Bianual sobre Estudios Infantiles, Chicago (2004).

Schwarz, Joel, «Baby DVDs, Videos, May Hinder, Not Help, Infants' Language Development» [artículo de prensa], Universidad de Washington (2007).

Shin, Annys, «Diaper Demographic; TV, Video Programming for the Under-2 Market Grows Despite Lack of Clear Educational Benefit», *Washington Post*, p. D.1 (24 de febrero de 2007).

Smith, Linda B., «Weird Loops: From Object Recognition to Symbolic Play to Learning Nouns and Back», comentarios e informe presentados en la convención annual de la American Psychological Association, Boston (2008).

____Susan S.Jones, Barbara Landau, Lisa Gershkoff-Stowe, y Larissa Samuelson, «Object Name Learning Provides On-the-Job Training for Attention», *Psychological Science*, vol. 13, nº 1, pp. 13-19 (2002).

Snedeker, Jesse, Joy Geren y Carissa L. Shafto, «Starting Over: International Adoption as a Natural Experiment in Language Development», *Psychological Science*, vol. 18, nº 1, pp. 79-87 (2007).

Stoel-Gammon, Carol, «Lexical Acquisition: Effects of Phonology,» comentarios sobre el informe de Carol Stoel-Gammon y Anna Vogel Sosa presentado en el XI Congreso de la Asociación Internacional para el Estudio del Lenguaje Infantil, Edimburgo, Escocia (2008).

Syal, Supriya, Michael H. Goldstein, Jennifer A. Schwade y Mu Young Kim, «Learning While Babbling: Prelinguistic Object-Directed Vocalizations Facilitate Learning in Real Time and Developmental Time», póster presentado en el encuentro bianual de la Society for Research in Child Development, Boston (2007).

Tamis-LeMonda, Catherine S., «Introduction: Maternal Sensitivity: Individual, Contextual and Cultural Factors in Recent Conceptualizations», *Early Development and Parenting*, vol. 5, nº 4, pp. 167-171 (1996).

____correos electrónicos intercambiados con los autores (2008).

____Marc H. Bornstein, «Maternal Responsiveness and Early Language Acquisition», *Advances in Child Development and Behavior*, vol. 29, pp. 89-127 (2002).

____Lisa Baumwell, «Maternal Responsiveness and Children's Achievement of Language Milestones», *Child Development,* vol. 72, nº 3, pp. 748-767 (2001).

Tomblin, Bruce, comentarios como ponente de la presentación, «Predictors, Prevalence and Natural History of Language Outcomes in a Community Cohort of Australian Children: The Early Language in Victoria Study», XI Congreso de la Asociación Internacional para el Estudio del Lenguaje Infantil, Edimburgo, Escocia (2008).

Walker, Dale, correos electrónicos intercambiados con los autores (2008).

____Charles Greenwood, Betty Hart y Judith Carta, «Prediction of School Outcomes Based on Early Language Production and Socioeconomic Factors», *Child Development*, vol. 65, nº 3, pp. 606-621 (1994).

Walker-Andrews, Arlene S., «Infants' Perception of Expressive Behaviors: Differentiation of Multimodal Information», *Psychological Bulletin*, vol. 121, nº 3, pp. 437-456 (1997).

Waterfall, Heidi, *A Little Change Is a Good Thing: Feature Theory, Language Acquisition and Variation Sets*, Universidad de Chicago, disertación doctoral. Chicago (2006).

____correos electrónicos intercambiados con los autores (2008-2009).

____«A Little Change Is a Good Thing: The Relation of Variation Sets to Children's Noun, Verb and Verb-Frame Development», manuscrito en preparación (2009).

West, Meredith J., Andrew P. King y Michael H. Goldstein, «Singing, Socializing, and the Music Effect», en *Nature's Music*, pp. 374-387. P. Marler y H. Slabbekoom (eds.), Londres: Academic Press (2004).

Wightman, Frederic, Doris Kistler y Douglas Brungart, «Informational Masking of Speech in Children: Auditory-Visual Integration», *Journal of Acoustical Society of America,* vol. 119, nº 6, pp. 3940-3949 (2006).

Zimmerman, Frederick J., Dimitri A. Christakis y Andrew N. Meltzoff, «Associations Between Media Viewing and Language Development in Children Under Age 2 Years», *Journal of Pediatrics*, vol. 151, nº 4, 364-368 (2007).

____«Television and DVD/Video Viewing in Children Younger than 2 Years», *Archives of Pediatric and Adolescent Medicine*, vol. 161, nº 5, pp. 473-479 (2007).

Conclusión

Bono, Giacomo y Jeffrey J. Froh, «Gratitude in School: Benefits to Students and Schools», en *Handbook of Positive Psychology in the Schools: Promoting Wellness in Children and Youth*. R. Gilman, E. S. Huebner y M. Furlong (eds.), Mahwah, Nueva Jersey: Lawrence Erlbaum Associates, Inc. (2009).

Diener, Ed., Richard E. Lucas y Christie Napa Scollon, «Beyond the Hedonic Treadmill: Revisiting the Adaptation Theory of Well-Being», *American Psychologist*, vol. 61, nº 4, pp. 305-314 (2006).

Earley, P. Christopher, «Trust, Perceived Importance of Praise and Criticism, and Work Performance: An Examination of Feedback in the United States and England», *Journal of Management*, vol. 12, nº 4, 457-473 (1986).

Emmons, Robert A., *Thanks! How the New Science of Gratitude Can Make You Happier*, Boston: Houghton Mifflin Co. (2007).

____Michael E. McCullough, «Counting Blessings Versus Burdens: An Empirical Investigation of Gratitude and Subjective Well-Being in Daily Life», *Journal of Personality and Social Psychology*, vol. 84, nº 2, pp. 377-389 (2003).

Froh, Jeffrey J., cuestionario de gratitud, manuscrito del autor (sin fecha).

____ensayos de gratitud de los estudiantes (sin fecha).

____Agenda de investigación, del laboratorio a la página web (2007) http://tinyurl.com/5v9nda.

____«A Lesson in Thanks», *Greater Good*, vol. 4, nº 1, p. 23 (2007).

____Giacomo Bono, «The Gratitude of Youth», en *Positive Psychology: Exploring the Best in People*. S. J. Lopez (ed.), Westport, CT: Greenwood (2008).

____Todd B. Kashdan, Kathleen M. Ozimkowslci y Norman Miller, «Who Benefits the Most from a Gratitude Intervention in Children and Adolescents? Examining Trait Positive Affect as Moderator», *Journal of Positive Psychology* (bajo revisión) (2008).

____David N. Miller y Stephanie F. Snyder, «Gratitude in Children and Adolescents: Development, Assessment, and School-Based Intervention», *School Psychology Forum: Research in Practice*, vol. 2, nº 1, pp. 1-13 (2007).

____William J. Sefnick y Robert A. Emmons, «Counting Blessings in Early Adolescents: An Experimental Study of Gratitude and Subjective Well-Being», *Journal of School Pychology*, vol. 46, nº 2, pp. 213-233 (2008).

____Charles Yurkewicz y Todd B. Kashdan, «Gratitude and Subjective Well-Being in Early Adolescence: Examining Gender Differences», *Journal of Adolescence*, doi:10.1016/j.adolescence.2008.06.006 (en prensa) (2008).

Kashdan, Todd B., Anjali Mishra, William E. Breen y Jeffrey J. Froh, «Gender Differences in Gratitude: Examining Appraisals, Narratives, and the Willingness to Express Emotions, and Changes in Psychological Needs», *Journal of Personality*, vol. 77, nº 3 (Early view) (2009).

McCausland, W. D., K. Pouliakas y I. Theodossiou, «Some Are Punished and Some Are Rewarded: A Study of the Impact of Performance Pay on Job Satisfaction», informe de la Escuela de Negocios de la Universidad de Aberdeen nº 2007-06 (2007).

Padilla-Walker, Laura, «Characteristics of Mother-Child Interactions Related to Adolescents' Positive Values and Behaviors», *Journal of Marriage and Family*, vol. 69, pp. 675-686 (2007).

____Gustavo Carlo, «Personal Values as a Mediator Between Parent and Peer Expectations and Adolescent Behaviors», *Journal of Family Psychology*, vol. 21, nº 3, pp. 538-541 (2007).

Prelip, Mike, Wendy Slusser, Rebecca Davids, Linda Lange, Sumiko Takayanagi, Stephanie Vecchiarelli y Charlotte Neumann, «Los Angeles Unified School District Nutrition Network Impact Evaluation Project: 2005-2006 Final Report», grupo de escuelas y comunicadades amistosas con la nutrición de UCLA, Escuela de salud pública de UCLA, Los Ángeles (2006).

Sobre los autores

Los artículos científicos de Po Bronson y Ashley Merryman para *New York Magazine* les hicieron ganar el premio al periodismo de la Asociación Americana para la Ciencia Avanzada, así como el premio Clarion de la Asociación para las Mujeres en los Medios de Comunicación. Sus artículos para *Time Magazine* les hicieron merecedores del premio al periodismo destacado del Consejo de Familias Contemporáneas.

Antes de colaborar con Merryman, Bronson escribió cinco libros, entre los que se incluyen el éxito de ventas del *New York Times, What Should I Do With My Life?* Los artículos de Merryman se han publicado en *The Washington Post* y *The National Catholic Reporter*.

Bronson vive en San Francisco con su esposa y sus dos hijos. Merryman, en Los Ángeles, donde dirige un programa de acompañamiento para niños de barrios marginales.

Índice temático

C

D

E

Y

Índice